*Chère lectrice,*

Où est passé le prince Charmant ? Où galope donc ce jeune homme romantique que nous fréquentions dans nos rêves, amoureux fou et parfait chevalier ? Faut-il se résoudre à ne plus le rencontrer que dans les livres de contes ?

Surtout pas ! Il continue forcément de galoper quelque part. Seulement, nous n'avons plus le temps d'attendre qu'il traverse une forêt entière pour nous apporter le petit déjeuner au lit, ni de faire des effets de pied à la terrasse d'un café en espérant qu'il viendra nous rendre notre chaussure. Pour le reconnaître, ouvrons les yeux où que nous soyons, et chaque lieu familier deviendra un ailleurs merveilleux qui peut le faire surgir. Ne laissons jamais le quotidien nous entraîner dans sa spirale, et mettons-nous à l'écoute du monde qui n'aura plus rien de banal. Qui sait, alors, si un visage ordinaire et familier ne nous paraîtra pas... charmant.

Et tant pis si, de nos jours, le prince Charmant file un mauvais coton et a tendance à prendre la poudre d'escampette avec la Belle au bois dormant ! L'essentiel n'est-il pas de l'avoir croisé au moins une fois ?

*La responsable de collection*

# L'été retrouvé

SHERRY LEWIS

# L'été retrouvé

**ÉMOTIONS**

*éditions*Harlequin

*Cet ouvrage a été publié en langue anglaise sous le titre :*
MR. CONGENIALITY

*Traduction française de*
MURIEL VALENTA


HARLEQUIN®

est une marque déposée du Groupe Harlequin
et Émotions® est une marque déposée d'Harlequin S.A.


*Photos de couverture*
*Couple :* © DIGITAL VISION / GETTY IMAGES
*Paysage :* © MICHAEL MELFORD / GETTY IMAGES

*Toute représentation ou reproduction, par quelque procédé que ce soit, constituerait une contrefaçon sanctionnée par les articles 425 et suivants du Code pénal.*
© 2002, Sherry Lewis. © 2005, Traduction française : Harlequin S.A.
83-85, boulevard Vincent-Auriol, 75013 PARIS — Tél. : 01 42 16 63 63
Service Lectrices — Tél. : 01 45 82 47 47
ISBN 2-280-07928-3 — ISSN 1768-773X

Catastrophique.

C'est le seul adjectif qui vint à l'esprit de Dean Sheffield pour décrire la scène qu'il découvrit dans le bâtiment principal de son hôtel-ranch, l'Eagle's Nest. Désespéré, il promena son regard sur l'échafaudage appuyé le long d'un mur, les étagères de la bibliothèque empilées les unes sur les autres, et les pierres de la cheminée posées par terre sur une bâche de plastique.

Ensuite, il se tourna lentement vers Gary Parker, son meilleur ami et bras droit :

— Dis-moi que je rêve.

Gary plissa légèrement ses yeux sombres et caressa sa fine moustache.

— J'aimerais bien, mon vieux…

Posant sa caisse à outils par terre, Dean reprit :

— Où sont les ouvriers ?

Le regard de Gary suivit des traces de pas boueuses qui maculaient le plancher.

— Ils font une pause, ou ils déjeunent ? Je n'ai vu aucun camion en arrivant. Ils ont peut-être terminé leur journée…

Malgré les rayons tièdes du soleil printanier qui réchauffaient son dos et le cri d'un étourneau dans le lointain, Dean frissonna comme en plein hiver.

— Le chef d'équipe avait promis que le chantier serait terminé hier, dit-il tout en vérifiant la date sur sa montre. Il ne nous reste plus que deux semaines avant l'ouverture.

— Ils ont presque fini, tenta de le rassurer Gary. C'est juste que ça ne se voit pas. Pourquoi ne pas essayer de te détendre ? Le ranch n'ouvre que le dernier lundi de mai, pour Memorial Day. Je vais trouver le responsable et lui demander la raison de ce retard.

Dean se pencha pour reprendre la caisse à outils. L'inquiétude et la frustration manquèrent lui faire oublier d'utiliser sa main gauche, mais la gêne qu'il ressentit immédiatement dans son épaule droite le rappela à l'ordre.

— Merci, mais je préfère lui parler moi-même. Heureusement que tu restes optimiste, parce que moi, j'avoue avoir du mal : ni les meubles ni les provisions n'ont été livrés, et Miles ne s'est pas manifesté depuis plusieurs jours.

Les pas de Gary, qui était chaussé de bottes de cow-boy, résonnèrent lourdement sur le plancher alors qu'il traversait la pièce à la suite de Dean.

— Barry m'a assuré que les meubles seraient là demain, et j'ai appelé tous nos autres fournisseurs hier. Nous devrions commencer à être livrés d'ici deux ou trois jours. Quant à Miles, c'est un vieil ami et tu peux compter sur lui. Il t'amènera les chevaux avant l'ouverture, je te le promets.

Dean poussa les portes battantes qui menaient dans la cuisine, et il s'arrêta net. Malgré les paroles rassurantes de Gary, sa nervosité monta d'un cran quand il vit que cette pièce non plus n'était pas terminée.

S'était-il trompé en pensant être capable de diriger un hôtel-ranch ? Les cours de gestion qu'il avait suivis à l'université étaient un lointain souvenir, et les recherches qu'il avait faites sur le secteur du tourisme lui paraissaient insuffisantes. Pourtant, il était trop tard pour faire machine arrière. Il avait investi presque toutes ses économies dans cette affaire et il avait même largement puisé dans son plan d'épargne retraite. Qui plus est, Dean ne revenait jamais sur sa parole — du moins volontairement.

— Je devrais peut-être demander à Les et Irma l'autorisation d'entreposer les meubles dans leur grange, au cas où ils arriveraient avant la fin des travaux.

Gary prit la caisse à outils des mains de Dean et la porta vers la baie vitrée qui surplombait la grande clairière, située derrière le bâtiment.

— Bonne idée. Et s'ils n'ont pas la place, ils connaîtront bien quelqu'un susceptible de nous dépanner. Si une chose ne manque pas à Whistle River, c'est bien la place !

Malgré tous les bouleversements intervenus récemment dans sa vie, Dean avait réussi à garder les pieds sur terre grâce aux amis qui l'entouraient. Il avait rencontré Les et Irma quatre ans plus tôt, lors de sa première visite dans le Montana, et deux ans plus tard, il avait rencontré Gary. Dean avait aujourd'hui le sentiment de les connaître depuis toujours, et il leur était reconnaissant de l'aider à démarrer une nouvelle vie.

Gary sortit deux grattoirs de la caisse à outils et en tendit un à Dean.

— Et si nous attendions plutôt de voir quels problèmes se présentent avant de chercher des solutions ?

Fixant du regard l'outil qu'il tenait à la main, Dean répondit :

— Je ne veux pas noircir le tableau, mais la vie m'a joué de mauvais tours depuis quelque temps.

Gary s'accroupit et commença à gratter une étiquette collée sur la vitre.

— Les choses sont finalement en train de s'arranger pour toi. Pourquoi ne pas simplement l'accepter et t'en réjouir ? Tout ira bien, je t'assure.

Dean laissa son regard se promener sur le paysage. Il pouvait voir la toiture rouge des écuries au pied de la colline, l'ombre des arbres séparant le bâtiment du fumoir, la pente douce des collines boisées qui montait vers les sommets enneigés.

— Cet endroit est la première chose que je me sois permis de désirer depuis l'accident. Et la rénovation de cet hôtel est le premier risque que je me sois autorisé.

Après une profonde inspiration, il poursuivit sur un sujet qu'il refusait habituellement d'évoquer :

— Il est parfois difficile de se réjouir quand tu as déjà 38 ans, et que la seule carrière dont tu aies jamais rêvé n'est plus qu'un lointain souvenir.

Tout en décollant une longue bande de papier, Gary haussa les épaules comme s'ils discutaient d'un sujet sans importance.

— Dis-toi plutôt que tu n'as *que* 38 ans et que tu peux prendre un nouveau départ dans la vie. Combien de personnes ont cette chance ?

— Je m'en réjouis, répondit Dean en tendant le bras vers une étiquette qui était collée tout en haut. Et je suis tout simplement fou de bonheur quand je ne suis pas obligé d'avaler un antalgique pendant une journée, ou quand je peux passer une bonne nuit.

Dans le feu de la conversation, il força un peu trop sur son bras et la douleur déchira les muscles de son épaule droite. Avant qu'il n'ait eu le temps de réagir, il lâcha le grattoir, qui tomba à ses pieds.

Mécontent et en colère contre lui-même, il posa sa main gauche sur son épaule et tenta de refouler les larmes qui accompagnaient toujours la douleur aiguë. Tournant le dos à Gary, Dean se dirigea vers l'évier, puis il sortit un flacon de médicament de sa poche et fit tomber une gélule dans sa main. Ensuite, il l'avala avec une gorgée d'eau et essuya son menton sur sa manche.

Gary continua à travailler comme si de rien n'était, et Dean apprécia comme toujours son tact.

Quand il put de nouveau respirer normalement, il s'appuya contre le passe-plats et reprit la conversation :

10

— Je sais que je dois m'estimer heureux d'avoir eu de l'argent après mon accident, et d'avoir aussi eu une bonne assurance maladie. La plupart des gens se retrouveraient noyés sous une pile de factures et obligés de se battre pour s'en sortir, alors que moi je me trouve dans l'un des plus beaux endroits du monde, et à la tête d'une nouvelle affaire. Je n'arrête pas de me répéter combien j'ai de la chance, mais je ne peux m'empêcher de penser qu'il va encore se passer quelque chose de terrible avant l'ouverture.

— Tu te tracasses trop, dit Gary en souriant. La roue de la fortune est en train de tourner en ta faveur. Je le sens.

Dean lui sourit en retour, mais sans grande conviction, et il se baissa pour ramasser son grattoir, bien décidé à ne pas laisser la douleur l'handicaper trop longtemps. C'est alors que son attention fut attirée par des pas rapides qui se rapprochaient, et Jill Beck, la jeune femme qu'il avait embauchée comme cuisinière, fit irruption par les portes battantes.

Elle était quelque peu instable et manquait d'expérience, mais Dean était encore inconnu dans le milieu de l'hôtellerie et il s'estimait heureux de l'avoir trouvée. En effet, il avait tenté pendant des mois de débaucher un cuisinier ou une cuisinière travaillant dans un des hôtels-ranches de la région, mais personne n'avait voulu tenter l'aventure dans un nouvel établissement.

Visiblement très agitée, Jill lança :

— Vous ne devinerez jamais ce qui m'arrive !

Dean écarta la caisse à outils qui le gênait et ramassa le grattoir.

— J'espère au moins qu'il s'agit d'une bonne nouvelle.

— C'en est une... D'une certaine manière, répondit Jill en passant une main dans ses cheveux et en se dandinant d'un pied sur l'autre. Je vais me marier ! Vous vous rendez compte ? Scotty s'est enfin décidé, au bout de six ans.

Dean lui sourit.

— Félicitations !

Gary les rejoignit en trois longues enjambées et il serra Jill dans ses bras.

— Il était temps que ce gars te fasse sa demande. Vous avez fixé une date ?

Le sourire de Jill s'atténua légèrement, et elle tourna son regard vers Dean.

— C'est là que les choses se compliquent, expliqua-t-elle en tordant ses mains. En fait, nous voulons nous marier dans l'intimité. Juste la famille proche et quelques bons amis. Et nous voulons nous marier avant que le frère de Scotty parte faire ses classes. Il semble que le 15 juin soit la seule date qui convienne à tout le monde.

Jill parlait si vite que Dean commença à pressentir une catastrophe imminente.

— C'est rapide, en effet, mais nous trouverons une solution. Tu sais déjà combien de temps tu seras partie en lune de miel ? Je pourrais sans doute commencer à chercher dès maintenant une remplaçante.

Le sourire de Jill disparut complètement, et elle serra si fort ses mains l'une contre l'autre que ses articulations blanchirent.

— Eh bien… C'est un autre problème, répondit-elle pendant que son regard se promenait autour de la pièce en évitant soigneusement de croiser celui de Dean. Il se trouve que Scotty travaille beaucoup à Cheyenne depuis quelques mois. Je vous ai parlé de ce travail temporaire, et…

Dean hocha la tête, de plus en plus anxieux.

— Il gagne beaucoup plus d'argent là-bas qu'ici, continua Jill, et on vient de lui offrir un emploi fixe. C'est pour ça qu'il m'a demandée en mariage.

Elle prit une profonde inspiration, lança un coup d'œil à Gary, puis dit à toute allure :

— Alors, à cause du travail et de tout le reste, nous avons décidé d'aller vivre là-bas. A Cheyenne.

12

Dean fut parcouru par un imperceptible frisson tandis que Gary gardait son regard fixé sur Jill pour ne pas croiser celui de son ami.

— Quand pars-tu ? demanda Gary.

— La semaine prochaine.

Dean haussa les sourcils, alors que le découragement s'emparait de lui.

— Je suppose que je dois plutôt chercher une remplaçante à temps plein ?

— Oui. Je vous demande pardon, implora Jill dont les mains s'agitèrent nerveusement. Je sais que ce n'est pas chic de vous faire ça à la dernière minute... Vous me détestez ?

— Je mentirais si je disais que ce n'est pas une sacrée tuile, concéda Dean avec un sourire forcé. Mais c'est mon affaire, pas la tienne. Et je ne suis pas le genre de type à gâcher le bonheur d'autrui parce que cela me pose problème. Je suis heureux pour vous deux.

Jill laissa un échapper un tel soupir de soulagement que Dean crut qu'elle allait défaillir.

— Merci, merci. Scotty n'arrêtait pas de me répéter que tout se passerait bien, mais j'étais inquiète. Je ne savais pas comment vous réagiriez parce que, vous savez, parfois...

Mais elle s'interrompit, et éclata d'un petit rire nerveux.

— Peu importe, reprit-elle. Je sais que vous trouverez une remplaçante, et une remplaçante nettement plus qualifiée que moi.

Ensuite, elle se tourna vers la porte, visiblement pressée de partir, mais elle ajouta avant de disparaître :

— Si je peux vous aider, dites-le-moi.

Dean exhala un profond soupir pendant que les portes se refermaient, et il se tourna vers son ami. Ce dernier leva les mains devant lui dans un geste de défense.

— Ne le dis pas.

— Dire quoi ? demanda Dean, en massant son épaule.

— Que tu le savais. Je le lis dans tes yeux. Après tout, ce n'est pas la fin du monde. Je suis sûr qu'il existe des solutions. Il ne nous reste plus qu'à trouver lesquelles.

Exaspéré par l'optimisme inébranlable de son ami, Dean leva les yeux au ciel.

— Si c'est ce que tu appelles de la chance, je préférerais qu'elle m'oublie.

— Moque-toi si tu veux, mais je suis très sérieux, rétorqua Gary en rassemblant les copeaux de papier qu'il avait décollés pour les transporter de l'autre côté de la pièce.

Il les déposa dans la poubelle, puis se redressa et resta immobile pendant quelques instants avant de se retourner en souriant.

— En réalité, je te parie cent dollars que je trouve une remplaçante pour Jill avant la fin de la journée.

Dean se rapprocha de lui.

— A quoi penses-tu ?

— Il se trouve justement que j'ai une cousine qui est chef dans un grand restaurant de Chicago. Je ne l'ai pas vue depuis plusieurs années, mais ma mère m'en a parlé quand elle a appelé, l'autre jour, expliqua Gary tout en essuyant ses mains sur l'arrière de son jean. J'ai cru comprendre qu'elle et son mari se séparent et qu'elle cherche du travail. Maman a dit qu'elle a accepté un poste d'enseignante dans une école hôtelière pour la rentrée, mais elle ne sait pas quoi faire d'ici là — ou du moins c'était encore le cas il y a trois jours.

Hochant la tête, Dean éclata de rire.

— Formidable ! s'exclama-t-il sur un ton sarcastique. J'avais déjà à peine de quoi payer Jill. Comment m'offrirais-je les services d'un chef, à condition qu'elle accepte de venir ici ?

Jetant un coup d'œil autour d'eux, Gary demanda :

— Et pourquoi pas ?

— Premièrement, parce que nous sommes relativement isolés. Et deuxièmement, parce nous ne sommes ni un restaurant gastronomique, ni un hôtel quatre étoiles, ni rien de ce genre. N'oublions pas non plus que nos clients recherchent une vie rustique. Penses-tu que ta cousine aura envie de préparer des ragoûts pour des apprentis cow-boys ?

— Pourquoi pas ? répéta Gary, en haussant les épaules.

— Je doute qu'un chef trouve le moindre intérêt à venir ici.

— Vraiment ? Et combien de chefs connais-tu ?

— Quelques-uns, mentit Dean sans ciller. Je n'ai pas toujours vécu à Whistle River, et je fréquentais les meilleurs restaurants du pays.

Gary balaya son explication de la main.

— Peut-être, mais tu ne connais pas Annie. Elle n'est pas du genre bégueule.

— Si tu le dis.

Prenant appui sur le passe-plats, Gary regarda Dean droit dans les yeux.

— Veux-tu que je l'appelle, ou préfères-tu baisser les bras avant d'avoir essayé ?

— J'essaie seulement d'être réaliste.

— Eh bien arrête. Il ne nous reste que quatorze jours avant l'ouverture, et je ne crois pas que nous ayons franchement le choix. Ce n'est plus le moment de tergiverser, mais d'oser.

Dean leva ses deux mains en signe de reddition.

— D'accord, d'accord. Appelle-la si tu veux, mais ne te fais pas trop d'illusions. Quand elle connaîtra le salaire que je propose, elle te rira au nez.

— Possible. Mais elle aura peut-être aussi envie de rendre service à son cousin préféré. Nous ne le saurons jamais si nous ne lui demandons pas.

— Dans ce cas, demande-lui.

— Et si jamais elle dit oui ?

Dean s'assit par terre et afficha un large sourire pour la première fois de la matinée.

— Si un chef accepte de travailler dans un hôtel-ranch à Whistle River, Montana, pour une partie du salaire qu'elle pourrait gagner ailleurs, je veux bien manger mon chapeau, et c'est elle qui le cuisinera.

— Dans le *Montana ?* Tu te moques de moi.

— Dans le Montana, répéta Annie Holladay, et je suis très sérieuse.

Elle versa des dés de mangue dans une casserole et s'efforça de ne pas se laisser démoraliser par la réaction de sa fille. Nessa, du haut de ses quinze ans, n'était peut-être pas d'accord, mais Annie considérait pour sa part que l'appel de Gary n'aurait pas pu tomber à un meilleur moment.

Nessa posa ses pieds sur la chaise à côté d'elle, et une mèche des cheveux bruns raides hérités de son père tomba devant ses yeux. Elle souffla pour la dégager puis elle rapprocha le tas de CD qu'elle était en train de trier.

— Maman, je suis moi aussi sérieuse. C'est une horrible idée, insista-t-elle en ouvrant le range-CD que son père lui avait offert le week-end précédent. Je ne peux même pas croire que tu envisages de répondre oui.

Tentant d'oublier la dernière tentative de Spence pour acheter l'indulgence de Nessa, Annie prit un oignon dans le réfrigérateur et elle passa son agacement en le pelant et l'éminçant.

— Je crois que nous éloigner de Chicago nous fera beaucoup de bien à toutes les deux.

— Peut-être à toi, mais je te rappelle que si je vais habiter chez papa, c'est précisément pour rester à Chicago.

Annie s'arrêta d'émincer l'oignon et tenta d'ignorer le sentiment de vide qui l'envahissait chaque fois qu'elle pensait à son prochain déménagement à Seattle, sans Nessa. Elle se sentait partagée entre son cœur et sa raison depuis la première fois où Nessa avait

16

manifesté son envie de rester, et elle avait toujours autant de mal à accepter cette décision.

— Je m'en souviens, bien entendu, répondit-elle avec un sourire forcé. Et je me souviens aussi que tu as promis de passer l'été avec moi. Ce serait injuste de ne pas tenir ta promesse parce que j'ai décidé de rendre service à mon cousin.

L'adolescente lança à sa mère un regard maussade.

— Oui, mais ce n'est pas toi qui me répètes toujours que la vie est injuste ?

Il ne leur restait qu'un peu plus de trois mois avant septembre, et Annie ne voulait pas gâcher ce temps précieux à se disputer avec sa fille. Malgré sa tristesse, elle sourit :

— Oui, mais c'est plus facile à accepter quand la vie est injuste envers quelqu'un d'autre, dit-elle en clignant des yeux pour refouler les larmes provoquées par l'odeur piquante de l'oignon. Il me sera déjà très difficile de te laisser ici quand je déménagerai. Je ne suis pas prête à me séparer de toi.

Nessa fouilla dans ses CD et trouva celui qu'elle cherchait.

— Et moi je ne veux pas que tu partes à Seattle. Je trouve que les choses sont très bien ainsi.

— Non, les choses ne sont pas très bien ainsi, répondit fermement Annie. Le monde de la cuisine n'est pas assez grand pour que ton père et moi restions dans la même ville. Je me cogne constamment à lui et Catherine, et j'ai encore du mal à les voir ensemble, ajouta-t-elle. Je refuse de me sentir en permanence blessée et amère, et pour cela je dois partir.

Après avoir balayé la pièce du regard, Nessa fixa de nouveau son tas de CD.

— Je le sais, mais je ne veux pas déménager, ni passer mon été à Machin Chose dans le Montana.

— Whistle River.

— Si tu veux, rétorqua l'adolescente. Ça a l'air horrible.

17

— Je dirais plutôt amusant, répondit Annie sur un ton léger. Mon cousin et son ami ont besoin d'aide, et je peux les aider. Tu ne veux pas que je les laisse tomber ?

Puis, agitant un doigt en l'air, elle tenta de changer le ton de la conversation et précisa :

— Et ne réponds que pour dire non.

Nessa esquissa un léger sourire, et Annie se sentit mieux.

— Maman, je comprends que tu veuilles les aider, mais je ne peux pas y aller. Pas cet été.

— Et pourquoi pas cet été ?

— Parce que Tracee dit que Brian veut sortir avec moi. Vraiment. Il paraît qu'il va me le demander, et tu sais bien que j'ai envie de sortir avec lui depuis toujours.

Annie savait bien que les amis sont importants pour les adolescents, mais elle acceptait mal que Nessa puisse envisager de sacrifier leurs derniers mois ensemble pour passer un peu de temps avec un garçon.

— Tu ne seras pas partie si longtemps, et Brian n'aura pas le temps de t'oublier. Et quand tu rentreras, tu ne seras pas encore trop vieille pour sortir avec lui.

Grimaçant, Nessa sembla s'enfoncer dans sa chaise.

— Alors, tu vas m'obliger à y aller ?

— Si tu le vois ainsi… Je préférerais que tu acceptes de m'accompagner, mais d'une manière ou d'une autre, je veux que tu passes l'été avec moi.

Nessa donnait des coups de talon réguliers sur le pied de sa chaise et elle gardait le regard baissé.

— D'accord, marmonna-t-elle enfin, mais ça va être galère.

— On en reparlera.

— Tout mon été va être gâché.

— Reste positive, d'accord ? Ce sera peut-être le meilleur été de ta vie.

L'adolescente soupira et se leva.

— J'en suis sûre, lança-t-elle par-dessus son épaule.

Une fois Nessa disparue dans le salon, Annie reprit la préparation du dîner en soupirant. Un an plus tôt, elle était heureuse et satisfaite de sa vie. Elle avait un mari aimant et généreux, une fille douce et attentionnée, et la carrière de ses rêves. Du moins, c'est ce qu'elle croyait, jusqu'au jour où elle avait surpris Spence en compagnie de Catherine, huit mois plus tôt. Depuis, elle avait l'impression de vivre la vie d'une autre.

Par moments, Annie pensait que sa vie s'arrangeait, et à d'autres, elle avait la sensation d'une chute sans fin. Ces jours-là, il ne lui restait plus qu'à serrer les dents, fermer les yeux et prier pour toucher enfin le sol.

Ses rapports avec Nessa étaient tendus depuis des semaines, voire des mois. Annie savait bien que l'adolescente vivrait mal le divorce de ses parents, mais elle avait voulu croire qu'elle renoncerait à rester à Chicago. Elle espérait maintenant que leur séjour à Eagle's Nest les aiderait à se retrouver. Elles passeraient en effet trois mois loin des amis, de la famille et de toutes les autres distractions, et c'est exactement ce dont elles avaient besoin.

Ignorant sa fatigue, Dean alluma sa chaîne stéréo et attrapa le tas de courrier qui l'attendait sur son bureau. Il travaillait depuis le lever du jour et chaque muscle de son corps lui faisait mal, mais il ne voulait pas se coucher avant d'avoir vérifié si de nouvelles réservations étaient arrivées.

La situation commençait peu à peu à se débloquer. Les meubles avaient été livrés à temps, trois jours plus tôt. L'un de ses fournisseurs lui avait promis de livrer les provisions le lendemain. Les ouvriers avaient terminé la cheminée et le montage de la bibliothèque. Et pour la première fois depuis des semaines, Dean commençait à croire qu'Eagle's Nest serait réellement prêt pour l'ouverture, fin mai.

Bâillant bruyamment, il empila les factures et jeta les publicités à la poubelle. Aucune réservation… Il savait que certains de ses anciens coéquipiers envisageaient de venir une fois la saison de base-ball terminée, mais ce ne serait pas avant des mois, surtout si l'équipe allait en qualifications. De toute manière, Dean avait mis une certaine distance entre eux et lui depuis son accident, et il appréhendait plus ou moins de les revoir. En effet, il avait encore du mal à leur parler au téléphone sans que de douloureux souvenirs du passé ne viennent le hanter. Ils connaissaient tous une vie que Dean avait été forcé d'abandonner — une vie dont il préférait ne pas parler et à laquelle il s'efforçait de ne pas penser. Même s'il avait vraiment besoin d'argent, il appréhendait de passer une semaine à entendre parler de base-ball.

Il déposa les factures dans une corbeille, au coin de son bureau, et marcha jusqu'à la fenêtre. Appuyé contre le châssis, il regarda le soleil se coucher derrière les montagnes coiffées de neige, et il tenta de se convaincre que Gary avait raison et que tout finirait par s'arranger. Après tout, il avait eu raison au sujet de sa cousine, et Gary n'avait pas manqué une occasion de le lui faire remarquer au cours des derniers jours.

Toutefois, il restait à déterminer comment ils allaient employer un grand chef dans un hôtel-ranch. Dean craignait un peu que la cousine de Gary se montre capricieuse et pleine d'idées préconçues, mais il saurait rapidement si Annie Holladay était disposée ou non à s'adapter, et il avait déjà prévu comment réagir dans le cas contraire.

Pour l'instant, il ne pouvait rien faire si ce n'est attendre.

Au moins, il aurait prochainement de la compagnie. Gary emménagerait demain dans l'une des chambres du premier étage afin d'être sur place tout l'été, et Annie Holladay et sa fille arriveraient en fin d'après-midi.

Bien que Dean appréciât les soirées tranquilles, il avait parfois trop le loisir de réfléchir, et ses doutes et ses peurs reprenaient alors le dessus. Un peu de compagnie serait une bonne chose tant qu'il ne se laissait pas détourner de ses objectifs, car il fallait absolument qu'Eagle's Nest soit rentable dès sa première année.

La radio passait une chanson de Tobie Keith et Dean monta le volume avec la télécommande de la chaîne. C'est alors que le téléphone sonna, et il s'interrompit, quittant son poste d'observation à contrecœur pour décrocher.

— Il faut que quelqu'un s'occupe de ce garçon, sinon je vais l'étriper, hurla une femme.

La voix de sa sœur tira Dean de ses réflexions et il baissa le volume de la radio.

— Carol, quel est le problème ?

— C'est Tyler le problème ! Je t'assure, Dean, que je n'en peux plus.

Tyler était un problème permanent pour sa mère depuis sa naissance. Carol s'était retrouvée enceinte au lycée, alors qu'elle n'était pas prête émotionnellement à devenir mère, ce qui semblait toujours le cas seize ans plus tard.

Dean n'avait pas été très présent pendant l'enfance de son neveu, mais il avait l'impression que le moindre genou écorché ou le moindre doigt coupé avait paniqué Carol. Et maintenant que Tyler était plus vieux et montrait les signes habituels de la rébellion adolescente, elle devenait hystérique.

— Tu n'en peux plus de quoi ? demanda Dean. Donne-moi un exemple précis, d'accord ?

— Tu veux un exemple précis ? D'accord, alors écoute. Ton neveu est devenu complètement incontrôlable.

Dean entendit le bruit des talons de Carol qui claquaient sur le sol ainsi que le tintement des glaçons dans un verre. Il sentit son estomac se serrer, pourtant il n'avait aucune raison de s'inquiéter car Carol était sobre depuis plusieurs années.

— Tu te souviens de la PlayStation que tu lui as offerte pour Noël, il y a deux ans ? Envolée !

— Comment cela, envolée ?

— Elle est partie. Tyler prétend qu'il ne sait plus où il l'a mise, mais je sais qu'il ment.

— Il est peut-être sincère, avança Dean.

— Il me ment, rétorqua Carol d'une voix suraiguë. Il fait tout pour me tourmenter.

— Quelqu'un l'a peut-être déplacée, ou…, tenta Dean, qui gardait son clame.

— Ce n'est pas la première chose qui disparaît, l'interrompit Carol. Tu te souviens de la bague de maman, avec la perle de culture ? Elle a disparu, elle aussi !

La nouvelle contraria Dean, mais il avait toujours autant de mal à croire en la culpabilité de son neveu.

— Tu es sûre de ne pas l'avoir changée de place ?

— Sûre. Je range toujours cette bague dans mon coffret à bijoux quand je ne la porte pas, et je ne la porte presque jamais. Tyler le sait.

— Sans doute, mais cela ne fait pas de lui un voleur, répondit Dean en se frottant le front.

— Qui d'autre l'aurait volée ?

— Qui d'autre est venu chez toi ?

— Randy, bien entendu. Et les amis de Tyler. Randy est incapable de me voler, mais je n'en dirais pas autant de ces jeunes que Tyler fréquente.

Dean se redressa en entendant sa sœur mentionner son nouvel ami. Il ne connaissait pas Randy, mais Carol avait jusqu'à présent été uniquement attirée par les hommes à problèmes.

Il aurait pu suggérer que Randy pouvait être le voleur, mais il n'aurait fait qu'attiser la colère de Carol. Il préféra donc s'épargner quelques cris et se concentra sur Tyler.

— Tu ne peux pas tenir Tyler pour responsable de ses amis.

— Ah oui ? répliqua Carol, avant d'éclater d'un rire tendu. Tyler sait que je n'aime pas voir ses amis traîner à la maison, mais il s'en fiche. Il se fiche de tout ce que je lui dis. Si ses amis m'ont volé quelque chose, il est en partie responsable.

Dean éteignit complètement la radio. Sentant que la conversation allait durer, il se frotta les yeux et étouffa un bâillement.

— Que dit-il quand tu lui demandes de ne pas amener des amis chez vous ?

— A ton avis ? Il prend leur défense, bien sûr ! Il refuse de croire qu'ils sont aussi mauvais que je le dis.

Tyler devait tenir de sa mère, pensa Dean, qui s'en voulut immédiatement. Toutefois, il fallait reconnaître que Carol avait l'habitude de défendre tous les pauvres types avec qui elle sortait.

Massant sa nuque, Dean ignora les picotements de fatigue de ses yeux et essaya de faire dire à Carol la raison de son appel.

— Qu'attends-tu de moi, Carol ? Souhaites-tu que je parle à Tyler ?

— Ça ne servirait à rien. Je lui ai déjà parlé, et Randy aussi, mais Tyler refuse d'écouter.

— Dans ce cas, pourquoi m'appelles-tu ?

— Parce que je suis au bout du rouleau. J'ai besoin de toi.

Carol fit une pause, puis ajouta :

— Je t'ai appelé pour te demander de le prendre.

# 2.

La télécommande glissa de la main de Dean, rebondit sur le bureau et tomba par terre. Il la suivit du regard tout en essayant de comprendre ce que Carol venait de lui dire.

— Comment cela, le prendre ?

— Eh bien oui, le prendre, répéta Carol avant d'inspirer profondément et de préciser : Je veux que tu le prennes avec toi. Il a besoin de changer d'air et de s'éloigner de ses amis.

Dean tenta de se rappeler depuis quand il n'avait pas passé de temps avec Tyler. Depuis trop longtemps, il le savait. Il essaya de rester rationnel, mais ce n'était pas évident parce que la nervosité de Carol avait toujours été contagieuse.

— Tu veux que Tyler vienne *ici* ? Qu'il *vive* avec moi ?

— Pas définitivement, mais seulement pour l'été.

Avec un soupir de soulagement, Dean répondit :

— C'est différent, mais…

Une fois de plus, Carol lui coupa la parole :

— J'ai besoin de ton aide. Je dois travailler, Randy est très occupé, et Tyler va se retrouver seul toute la journée sans rien à faire. Il a besoin qu'on le surveille. Je pense qu'il se venge de moi à cause de Randy. Il préférerait que je ne sorte avec personne.

— Toi et Randy ne sortez pas vraiment ensemble, fit remarquer Dean. Il a emménagé chez toi au bout de quelques semaines, et Tyler a peut-être besoin d'un peu plus de temps pour s'adapter.

— Il ne veut *pas* s'adapter et il fait tout pour m'empoisonner la vie, accusa Carol sur un ton amer.

— Et Brandon ? Si tu cherches à envoyer Tyler quelque part, il devrait être le premier sur la liste.

Les glaçons tintèrent une nouvelle fois dans le verre de Carol.

— Je lui ai laissé plusieurs messages, mais il n'a pas pris la peine de me rappeler.

Dean ne pouvait en vouloir à l'ex-mari de Carol d'être las de vivre un mélodrame permanent, et Brandon n'était pas non plus le père biologique de Tyler. Néanmoins, il l'avait élevé pendant son enfance, et il semblait mieux indiqué que Dean pour prendre l'adolescent en charge.

— Je ne suis pas sûr qu'éloigner Tyler soit la meilleure solution, tenta-t-il. On dirait qu'il cherche à attirer ton attention.

— Il a *toute* mon attention, répondit Carol en reniflant, et c'est en partie le problème. Sais-tu que je manque régulièrement le travail à cause de lui ?

— Non, mais…

— Ne dis pas non, supplia-t-elle avec des sanglots dans la voix. Je n'en peux plus. Toi, je sais qu'il t'écoutera. Tu sais combien il t'admire.

— Il me connaît à peine.

— Mais il a beaucoup d'admiration pour son célèbre oncle.

Elle renifla de nouveau et Dean se trouva lamentable d'hésiter. Même s'il avait laissé son ancienne carrière envahir sa vie pendant trop longtemps et qu'il ne connaissait presque rien aux enfants, il serait un mauvais grand frère et un oncle encore pire s'il refusait.

— Tu as sans doute raison, concéda-t-il enfin. On ne risque rien à essayer. Mais il faudra qu'il travaille. Avec tout ce qu'il y a à faire ici, hors de question qu'il se tourne les pouces.

— Pas de problème, il travaillera. Ça lui fera du bien.

Carol fit une pause le temps de se moucher, puis elle rit doucement :

— Tu es mon héros. Tu le sais, n'est-ce pas ?

— C'est à cela que servent les grands frères. Tu ferais la même chose pour moi.

— Sauf que c'est toujours moi qui ai des ennuis, et toi qui voles à mon secours. Du reste, j'ai une autre petite chose à te demander. Penses-tu pouvoir m'avancer l'argent pour le billet de Tyler ? Je suis un peu juste en ce moment, mais je te rembourserai dès que possible.

— Pas de problème, répondit Dean, en griffonnant un pense-bête sur un bloc-notes.

Son compte en banque était quasiment vide, mais il trouverait bien cet argent quelque part.

— Il devra prendre un avion jusqu'à Billings, et ensuite un bus jusqu'à Whistle River. Il en a pour la journée. Tu l'accompagnes ?

— Pas maintenant. Je viendrai peut-être plus tard. Randy et moi avons besoin de passer un peu de temps ensemble, pour régler certaines choses.

— Vous avez des problèmes, Randy et toi ?

— Rien qui ne puisse s'arranger une fois que Tyler sera remis dans le droit chemin. Si je me débrouille bien, je me remarie avant Noël.

Malgré ses inquiétudes, Dean s'efforça de se réjouir pour sa sœur, puis la conversation s'orienta vers le voyage de Tyler. Ce n'est qu'après que Carol eut raccroché, quelques minutes plus tard, que Dean se rendit compte qu'il avait oublié de lui demander si Tyler était d'accord pour venir.

Le lendemain, en fin d'après-midi, Annie s'appuya contre l'appui-tête et serra les dents alors que le pick-up cahotait sur les ornières du chemin de terre. Un gémissement monta de la banquette arrière, et Annie se tourna vers Nessa.

Elles avaient passé presque toute la journée à voyager, et la mauvaise humeur de l'adolescente n'avait fait qu'empirer. Quant à Annie, elle rêvait de se plonger dans un bain chaud, mais plus elle allait et plus elle se demandait si l'eau courante arrivait jusqu'à Eagle's Nest.

Décidée à garder le moral, Annie observa le paysage. Une forêt dense de trembles et de pins bordait la route, et des sommets enneigés se découpaient au loin, sur le ciel bleu limpide. Les odeurs de la nature — celles des herbes, des fleurs, des arbres et de la terre — se mêlaient à celle de la poussière soulevée par les roues du pick-up.

L'air qui s'engouffrait par la fenêtre baissée de Gary jouait avec une mèche de cheveux, qui s'était échappée de sa barrette. Elle la passa derrière son oreille et reposa ses mains sur son pantalon de lin. Elle avait pensé que ce taille décontracté conviendrait à l'endroit jusqu'à ce qu'elle voie la tenue de cow-boy de son cousin. Si tout le monde s'habillait comme lui, elle et Nessa — avec ses jeans trop grands et ses nombreuses petites tresses — risquaient de se faire remarquer.

A condition qu'elles croisent quelqu'un, bien entendu.

Annie avait en effet l'impression qu'ils roulaient depuis une éternité, depuis qu'ils avaient quitté Whistle River, et ils n'avaient pas croisé une seule voiture.

— L'endroit a l'air un peu isolé, dit-elle enfin. Est-ce qu'il y a beaucoup de clients à l'hôtel ?

Gary lui sourit.

— A vol d'oiseau, nous ne sommes qu'à huit kilomètres de la ville. Et nous ne savons pas encore s'il y aura beaucoup de clients parce que c'est notre première saison. Mais ne t'inquiète pas, je suis sûr que tout ira bien. Il y a plein de gens qui paient des fortunes pour séjourner dans des endroits comme Eagle's Nest.

Avec ses cheveux bruns et ses yeux marron, son cousin semblait plus grand et plus robuste que dans ses souvenirs. Les heures passées à travailler dehors avaient buriné son visage et une moustache ajoutait à son apparence rustique. Il évoluait sans se presser, parlait tranquillement et avec une voix traînante. Si Annie ne l'avait pas connu, enfant, à Chicago, elle aurait juré qu'il était né dans le Montana.

— Je ne m'inquiète pas, répondit-elle, ne sachant trop qui elle essayait de convaincre. Je me réjouis de rendre service, et je suis ravie de pouvoir échapper à la vie citadine quelque temps. Ta proposition est arrivée à pic.

Gary détourna un instant les yeux de la route.

— Tu peux remercier « radio potins ». Si tante Shirley n'avait pas parlé de ta situation à ma mère, je n'aurais jamais rien su.

Avec un hochement de tête, Annie dit :

— Je sais qu'elles sont sœurs et qu'elles se téléphonent presque quotidiennement, mais je m'étonnerai toujours de la vitesse à laquelle les informations circulent !

— C'est pourquoi je fais attention à ce que je raconte. Si tu penses que ma mère connaît tous les détails de *mon* divorce, tu te trompes, précisa-t-il avec un sourire, avant d'ajouter : Mais tu sais, elles ne sont pas méchantes.

— Je sais, je sais. Elles croient bien faire. Si je devais recevoir cinq cents chaque fois que ma mère me démontre l'utilité de colporter les malheurs d'autrui, je serais multimillionnaire.

La moustache de Gary se souleva dans un large sourire.

— Et ma mère prétend vouloir nous éviter l'embarras de commettre des gaffes malheureuses.

Annie éclata de rire.

— Je ne doute pas de sa bonne foi.

Le regard de Gary se tourna vers le rétroviseur et le pétillement malicieux de ses yeux augmenta quand il demanda :

— Comment ça va, derrière ?

— Super…, répondit sans enthousiasme la voix de Nessa.

Annie soupira discrètement et espéra que Gary ne s'offenserait pas de l'attitude de sa fille.

Par chance, Gary sembla ne pas s'offusquer et il lança un coup d'œil complice à Annie avant de reprendre :

— Tu sais, je te comprends, mais tu ne devrais pas t'inquiéter pour tes cheveux. J'ai déjà vu bien pire.

Nessa lui tira la langue et rétorqua :

— Tu es jaloux, c'est tout.

Gary poussa un cri en roulant sur une nouvelle série d'ornières et dit :

— Je me trouve pas mal comme je suis.

— C'est toi qui vois.

A la plus grande surprise d'Annie, Nessa ne paraissait plus autant s'ennuyer quand elle se glissa entre les deux sièges avant et demanda :

— Raconte-moi plutôt ce que l'on peut faire par ici.

— Je suis sûre qu'il y aura de nombreuses activités au ranch, répondit Annie en regardant Gary.

Celui-ci fit la moue, hocha la tête et évita un trou d'un coup de volant avant de dire :

— Non. Rien. Désolé.

Il les laissa dans le doute pendant quelques secondes puis fit mine de s'étonner de leur incrédulité.

— Vous ne me croyez pas ?

— Je devrais ? s'inquiéta Nessa.

Lâchant le volant d'une main pour la caresser sous le menton, il reprit :

— Enfin, jeune fille, nous ne sommes que des pauvres paysans par ici. Nous passons nos journées à chiquer du tabac et cracher.

Nessa éclata de rire et passa ses bras autour du siège de sa mère.

— Et vous crachez sur quoi ?

Fronçant les sourcils de manière exagérée, Gary répondit :

— C'est bien une fille de la ville, ça, à vouloir tout compliquer. Cracher sur quelque chose demanderait trop d'efforts.

— C'est vrai, pardon.

— Bien, dit Gary en hochant la tête d'un air satisfait. Je vais tout de même vous avouer que Dean va recevoir des chevaux pour des randonnées équestres. Les et moi avons passé des mois à défricher d'anciens sentiers, et nous installerons un filet pour le volley-ball et le badminton demain. Il envisage aussi d'organiser des petites fêtes quand les premiers invités arriveront. Si tu veux quelque chose, demande-le et nous verrons ce que nous pouvons faire. Dean envisage de construire une piscine, mais pas cette année.

— Ça a l'air bien, dit Annie, un peu plus décontractée. Au fait, comment es-tu arrivé à Eagle's Nest ?

Gary évita un monticule de terre avant de répondre :

— Un peu par hasard. Cela fait deux ans que je connais Dean, et j'ai immédiatement eu l'impression de retrouver un frère perdu de vue depuis longtemps — comme si nous nous connaissions déjà, raconta-t-il en souriant. Ensuite, nos vies ont traversé des turbulences, et quand il a décidé d'ouvrir Eagle's Nest, j'ai décidé de tenter l'aventure avec lui.

— Vous êtes associés ?

— Pas techniquement. Il me l'a proposé, mais j'ai refusé. Entre mon divorce et l'argent que j'ai prêté à ma sœur après le décès de son mari, mes économies ont fondu comme neige au soleil. Et je ne pense pas que Dean m'aurait cédé la moitié de l'affaire uniquement pour mes beaux yeux. Peut-être que dans quelques années, quand je me serai renfloué...

A ce moment, il ralentit et indiqua une pancarte de bois, sur le côté de la route.

— Vous avez vu ? Nous sommes déjà arrivés.

Ensuite, il tourna et emprunta un chemin encore plus étroit qui grimpait à flanc de colline.

— Ne fais pas cette tête, Nessa. C'est n'est pas aussi horrible que ça en a l'air.

Au sommet de la colline, la camionnette sortit de la forêt dans la lumière éclatante du soleil qui inondait une grande clairière herbeuse en contrebas, parsemée de fleurs blanches, bleues, jaunes et rouges. Un petit ruisseau aux eaux bleutées serpentait entre des bungalows construits à côté d'un bâtiment plus imposant. Vers le sud, plusieurs bâtiments entouraient une prairie, le tout sur fond de montagnes.

Gary descendit la colline et se gara. Annie sortit immédiatement du pick-up et se pencha vers l'avant pour décontracter son dos puis elle inspira profondément l'air pur parfumé d'odeurs de pins et de sauge. Ils se trouvaient peut-être au milieu de nulle part, mais Annie n'avait jamais vu un paysage d'une telle beauté.

— Gary, murmura-t-elle alors que son cousin la rejoignait, c'est magnifique.

— En effet.

Il se tourna ensuite vers Nessa et dit en aparté :

— Les toilettes extérieures sont là, derrière.

Annie le regarda, bouche bée, en priant pour qu'il s'agisse d'une nouvelle plaisanterie. Elle ne s'imaginait pas en effet vivre trois mois dans un endroit seulement équipé de toilettes extérieures, aussi beau soit cet endroit.

Les yeux de Nessa se remplirent de terreur et elle se tourna vers sa mère :

— Hors de question ! Nous rentrons.

Gary garda son sérieux quelques secondes, puis il éclata d'un grand rire sonore :

— Vous devriez voir vos têtes, dit-il enfin. Ne vous inquiétez pas, nous avons tout le confort moderne.

Soulagée, Annie lui sourit et Nessa lui donna un coup d'épaule.

— Tu te crois drôle, sans doute ?

Puis, attrapant son sac de voyage, elle demanda :

— Je vais où ?

— Va jusqu'à l'hôtel, répondit Gary en relevant le bord de son chapeau et en indiquant le bâtiment de deux étages en rondins, qui semblait le centre de cet univers. Cherche Irma. C'est la femme de ménage, notre mère à tous et la reine des lieux. Elle te montrera où t'installer, mais sois gentille et polie avec elle. Elle est aussi aimable qu'un ours, et peut se montrer deux fois plus mauvaise.

Nessa leva les yeux au ciel, puis partit sans enthousiasme. Annie alla alors elle aussi chercher son sac à l'arrière du pick-up.

— Merci de te montrer aussi patient avec Nessa. Elle doit s'adapter à tous les changements intervenus dans nos vies, et ce n'est pas toujours facile pour elle.

Gary attrapa deux gros sacs et suivit Nessa du regard.

— Je veux bien croire que ce n'est pas évident de voir ses parents se séparer.

— Je sais, mais ce n'est pas non plus facile d'être parent.

— Certes, mais au moins ton mari et toi avez eu votre mot à dire. Alors qu'elle, elle doit se contenter de suivre.

— Elle ne comprend pas que je n'ai pas eu grand-chose à dire, moi non plus, répondit Annie alors que Nessa entrait dans l'hôtel. Je travaille avec Spence à Holladay House depuis qu'il a pris la suite de son père. J'ai donné le meilleur de moi-même pour faire de ce restaurant ce que Spence souhaitait. Aujourd'hui, je repars de zéro et Spence décide de tout — de sa liaison au fait de dire à Nessa qu'elle peut rester à Chicago avec lui.

— Elle ne t'accompagne pas à Seattle ?

— Elle refuse de quitter ses amis, répondit Annie. Cela ne me plaît pas qu'elle reste à Chicago. Pas du tout, même. Mais elle est tellement contrariée à l'idée de déménager que nous nous disputons continuellement et que la situation devient insupportable. Alors, je quitte Chicago pour préserver ma santé mentale, et elle reste avec Spence pour la sienne. Et chaque jour, je me répète que tout ira bien, finalement.

Soucieux, Gary fronça les sourcils et demanda :

— Est-il un bon père, au moins ?

— En général, oui. Mais parfois il ne sait plus quelles sont ses priorités. En tous les cas, c'est un piètre mari !

Gary sortit les derniers bagages.

— Je suis désolé que tu aies traversé des moments difficiles, mais j'ai le sentiment que votre séjour à Eagle's Nest vous sera bénéfique à toutes les deux.

Annie se tourna alors vers le long porche du bâtiment principal, sous lequel des rocking-chairs en pin s'intercalaient entre des fougères en pots et des vasques de fleurs et semblaient inviter à la paresse.

— J'espère que tu as raison.

— Règle d'or numéro un, répondit Gary avec un clin d'œil : j'ai *toujours* raison. Prête ? demanda-t-il ensuite, en soulevant les bagages.

Annie le suivit et traversa l'étendue d'herbes sauvages tondue qui faisait office de pelouse. Il grimpa les marches deux à deux et s'arrêta sous le porche pour l'attendre. Annie sentait sa nervosité augmenter à chaque pas.

Elle avait toujours travaillé à Holladay House avec Spence, et elle n'avait pas l'habitude de changer d'emploi, d'affronter de nouvelles situations, ni de rencontrer de nouvelles personnes. Finalement, cela faisait une raison de plus de se féliciter de ce projet, car il l'aiderait à appréhender son nouvel emploi en septembre.

Prenant une profonde inspiration pour se donner du courage, elle franchit la porte à double battant et regarda, émerveillée, l'immense pièce : le plancher et les lambris couleur de miel semblaient briller, les odeurs de bois et de vernis emplissaient l'air. Un tapis était posé devant une imposante cheminée, et un autre devant la longue baie vitrée haute de deux étages qui offrait une vue imprenable sur la clairière et les montagnes. Des fauteuils, par groupes de trois ou quatre, attendaient les clients parmi des œuvres d'art amérindiennes ou des sculptures représentant la Conquête de l'Ouest, et des étagères chargées de livres couvraient un pan entier de mur.

Lentement, Annie posa son sac et se tourna vers Gary :

— Je croyais qu'Eagle's Nest était un endroit rustique ?

— C'en est un.

Faisant courir ses doigts sur le bras d'un fauteuil, elle dit :

— C'est magnifique. Je ne m'attendais pas à cela.

— Voilà exactement le type de réaction que nous espérons, expliqua Gary en posant ses poings sur ses hanches. Si nous réussissons à attirer les premiers clients, je suis persuadé que le bouche-à-oreille fonctionnera et que nous afficherons rapidement complet.

Annie acquiesça.

— Vous avez beaucoup de réservations pour cet été ?

— Nous avons des réservations échelonnées sur les trois mois et quelques amis de Dean ont promis de venir en automne, mais il reste des chambres disponibles. J'essaie de convaincre Dean de faire un peu plus de publicité, de tirer parti du fait que nous avons un chef aux fourneaux, mais il refuse. Je crois pourtant que ce serait judicieux, étant donné qu'aucun autre hôtel de la région ne propose de la cuisine gastronomique, mais Dean ne veut pas changer le style de l'établissement après quelques mois de fonctionnement.

— Son raisonnement est logique d'un point de vue commercial, mais s'il ne désire pas de cuisine gastronomique, qu'attend-il de moi ?

Gary s'apprêtait à répondre, mais il se ravisa en entendant des pas approcher. Annie se tourna et vit un homme vêtu d'un jean, de bottes et d'une chemise de travail.

Il semblait avoir le même âge qu'Annie, mais leur ressemblance s'arrêtait là. Il paraissait aussi rude que Gary, avec ses manches relevées qui révélaient des bras bronzés, et son chapeau de cow-boy qui coiffait des cheveux décolorés par le soleil.

34

Il s'arrêta et détailla attentivement le visage d'Annie, ses cheveux mal coiffés et ses vêtements froissés par le voyage. De mauvaise grâce, il tendit sa main vers elle.

— Vous devez être Annie.

Annie se sentit légèrement mal à l'aise d'être examinée de cette manière, mais elle tendit sa main à son tour.

— En effet.

— Dean Sheffield, dit-il en serrant sa main une fraction de seconde avant de la lâcher. Heureux que vous soyez là.

Voilà donc son nouveau patron. Annie s'apprêta à lui répondre, mais il lui tourna déjà le dos. Ne sachant que faire, elle chercha de l'aide du côté de Gary, mais celui-ci se contenta de prendre les bagages et de se diriger vers un escalier, à l'autre extrémité de la pièce.

Avant qu'Annie n'ait eu le temps de décider si elle devait rester ou suivre Gary, Dean prit un cahier sur une table et le lui donna.

— Vous devriez peut-être lire ça, pour avoir une idée du genre de repas que je souhaite.

Décontenancée, elle prit le cahier et le parcourut. Quand elle se rendit compte qu'il avait déjà prévu les menus de la semaine avec un manque flagrant d'imagination, elle dit :

— Vous voulez que je prépare du pain de viande et de la purée *tous* les lundis ?

— Oui, répondit Dean sans la regarder. La plupart de nos clients ne resteront pas plus d'une semaine, voire moins, et ils se moquent de ce que nous servirons après leur départ.

Annie relut les menus. Spaghettis le jeudi, rôti de bœuf le samedi, poulet le dimanche. Lentement, elle referma le cahier et essaya de contenir sa déception.

— Je ne voudrais pas vous paraître impertinente, M. Sheffield, mais si c'est le genre de repas que vous souhaitez servir, pourquoi m'avoir engagée ?

— Appelez-moi Dean, dit-il en reprenant le cahier. Je vous ai engagée parce que j'avais le couteau sous la gorge. Je croyais que Gary vous l'avait expliqué.

— Oui, mais…, bafouilla Annie en rougissant.

— Alors, où est le problème ?

Le ton cassant de Dean et le petit pli amer au coin de ses lèvres déstabilisèrent quelque peu Annie. S'il se montrait aussi avenant avec ses clients, il lui faudrait plus que de beaux meubles et des œuvres d'art pour les inciter à revenir.

Décidée à ne pas se laisser intimider, elle redressa les épaules.

— Il n'y a pas de problème, répondit-elle d'une voix ferme. C'est seulement que j'attendais autre chose. Je ne suis pas habituée à la cuisine familiale.

— C'est ce que j'ai annoncé dans mes publicités, expliqua-t-il en l'entraînant vers l'escalier, et mes premiers clients arrivent dans une semaine. Je ne vais pas tout bouleverser à cause de vous.

Annie chancela et elle jeta un coup d'œil en haut de l'escalier, cherchant Gary. Même si Dean avait besoin de son aide, la présence d'Annie ne semblait pas l'enthousiasmer.

— Je comprends, mais j'espérais seulement quelque chose de légèrement différent, voilà tout. Ne vous inquiétez pas, je m'adapterai.

— Bien.

Dean observa une nouvelle fois le visage d'Annie, mais quand leurs regards se croisèrent, il baissa les yeux.

— J'ai seulement besoin d'une personne capable de préparer quelques plats simples. Inutile d'essayer d'impressionner les gens.

Puis, indiquant une nouvelle fois l'escalier, il demanda :

— Avez-vous fait la connaissance d'Irma ?

— Non, pas encore.

Compte tenu de la description qu'en avait faite Gary, Annie se demanda combien de mauvaises surprises l'attendaient encore.

— Je serais heureuse de la rencontrer. Savez-vous où je peux la trouver ?

— Certainement en haut, à préparer vos chambres.

Dean fit alors un mouvement bizarre et il tâta délicatement une de ses épaules. Il pinça la bouche et des petits plis blancs se dessinèrent autour de ses lèvres.

— Je suis sûr qu'elle sera ravie de vous faire visiter l'hôtel et de tout vous expliquer. Sinon, Gary s'en chargera.

Ensuite, il fit demi-tour, mettant fin à la conversation — une attitude qui agaça Annie au plus haut point.

— Gary ne m'a pas expliqué tout ce que l'on attendait de moi, lança-t-elle avant que Dean ne sorte de la pièce.

Hors de question, en effet, qu'elle se laisse traiter de la sorte, que ce soit par Dean Sheffield ou quelqu'un d'autre.

— Selon votre cahier, je devrai préparer trois repas par jour pour le personnel et les clients. Combien cela fait-il de personnes ?

De mauvaise grâce, Dean se retourna.

— Cela dépend. Nous avons douze bungalows, pouvant accueillir chacun quatre personnes, ce qui fait un maximum de quarante-huit clients plus sept employés, en comptant vous et votre fille. Mais nous ne serons pas toujours complets.

— Donc, je devrai cuisiner pour sept à plus de cinquante personnes chaque jour ?

— Exact, mais vous serez prévenue à l'avance, bien sûr.

— Bien. Et à qui dois-je m'adresser en cas de problème ?

Pour la première fois, Dean la fixa dans les yeux et l'expression de son regard, à la fois agressive et fragile, la déconcerta.

— Adressez-vous à Irma ou à Gary.

Le regard de Dean était si perturbant qu'Annie fut la première à baisser les yeux.

— Bien, merci.

Elle commença à monter l'escalier, puis se retourna.

— Une dernière chose : où vous trouverai-je, si j'ai besoin de discuter de quelque chose avec vous ?

Il resta un moment silencieux, et elle aurait juré avoir décelé de l'incertitude au fond du regard de Dean. Mais il retrouva rapidement une expression froide et distante, et répondit par-dessus son épaule :

— Cela n'arrivera pas.

## 3

Sous le choc, Dean dut faire appel à tout son sang-froid pour ne pas se retourner.

Rien de ce que Gary lui avait dit ne l'avait en effet préparé à rencontrer Annie Holladay. Elle portait ses cheveux blonds tirés en arrière, mais il savait que ses boucles rebelles tomberaient en cascades sur ses épaules une fois détachées. Elle était exactement de la bonne taille — ou de la mauvaise, selon le point de vue que vous adoptiez —, lui arrivant à peine à l'épaule. Et que dire de ces yeux couleur azur ?

Une telle ressemblance était vraiment troublante, incroyable, et Dean avait mis plusieurs secondes à comprendre qu'il ne se trouvait pas en présence de Hayley.

Annie se déplaçait aussi avec cette grâce particulière, commune aux femmes de goût et cultivées. Des femmes qui avaient l'habitude de fréquenter les restaurants gastronomiques, comme Hayley, ou alors d'y travailler, comme Annie. Elle portait aussi le même parfum, ou un parfum très proche.

D'une main tremblante, Dean ouvrit la porte de son bureau, et quand il la referma, c'était son corps entier qui tremblait. Il se laissa alors tomber dans son fauteuil et passa une main sur son visage tout en essayant de comprendre ce qui venait de se passer.

Il avait mal réagi. Il en était conscient, mais il n'avait pu se contrôler. Depuis quelque temps, il travaillait beaucoup et demandait de gros efforts à son corps. La douleur qu'il éprouvait dans l'épaule lui rappelait en permanence l'accident, et donc aussi Hayley. Alors, même si son bon sens lui soufflait qu'il parlait à une inconnue, le fait de se retrouver face à son sosie avait réveillé une vieille blessure, sa colère et sa frustration.

Gary aurait dû le prévenir, mais comment l'aurait-il pu, ne connaissant pas Hayley ? Dean se demanda s'il serait capable de passer l'été avec cette femme sous son toit. Chaque fois qu'il poserait les yeux sur elle, il se rappellerait les trois années vécues avec Hayley. Chaque fois qu'il entendrait sa voix, il repenserait à leurs disputes et il se souviendrait de sa douleur quand Hayley l'avait quitté, seulement deux mois après l'accident.

Or, ces souvenirs appartenaient au passé.

Il ne voulait pas se cogner constamment dans Annie, mais il ne pouvait pas non plus la renvoyer. Gary était l'un de ses rares amis, et Dean refusait de le blesser. Par ailleurs, le ranch fonctionnait déjà avec un personnel restreint, et il ne pouvait se passer d'une cuisinière.

Par le passé, il avait déjà réussi à séparer sa vie personnelle et sa vie professionnelle, et il n'aurait qu'à faire de même aujourd'hui car moins il passerait de temps avec son nouveau chef, et mieux il se porterait.


Annie regarda les bagages empilés contre le mur, et elle se demanda comment elle survivrait tout l'été dans la minuscule chambre qu'on lui avait attribuée. La pièce était propre et lumineuse, mais elle était tout juste assez grande pour contenir un lit d'une personne, une chaise de bois placée devant un minuscule bureau, et une commode étroite faisant aussi office de table de nuit. D'un autre côté, elle passerait certainement plus de temps dans l'immense salon du rez-de-chaussée que dans sa chambre.

Bien décidée à ne pas se laisser décourager, elle chercha où Gary avait posé le sac qui contenait ses livres de cuisine. Toutefois, si elle suivait à la lettre les menus que Dean avait préparés, elle n'en aurait certainement pas besoin.

Comme Annie se penchait pour attraper la plus lourde de ses valises, la porte de sa chambre s'ouvrit en grand. Surprise, elle leva les yeux et trouva Nessa qui la dévisageait.

L'adolescente entra et se laissa tomber sur le lit d'Annie avec un soupir venu du plus profond de son être.

— Je crois que Gary avait raison : ils doivent passer leurs journées à chiquer et à cracher. Tu te rends compte qu'il n'y a même pas une télé ?

— Tu en es sûre ? demanda Annie, en soulevant sa valise. Il y en a peut-être une en bas.

— J'ai vérifié. Dean n'en veut pas, répondit Nessa en grimaçant. Ça va être l'été le plus barbant de toute ma vie !

Annie se redressa et dit :

— Je sais que tu es déçue, mais nous venons d'arriver et je suis fatiguée. Nous verrons demain, d'accord ? Je demanderai à Gary de nous conduire en ville, et nous y trouverons peut-être de quoi t'occuper ?

— Comme quoi ?

— Tu as apporté ton poste de radio, n'est-ce pas ?

Nessa hocha la tête, l'air désespérée.

— Je peux écouter des CD, allongée sur mon lit, mais je n'en ai pas pris beaucoup.

— Dans ce cas, nous essaierons d'en trouver. Et je suis certaine que nous trouverons d'autres choses aussi. As-tu regardé les livres de la bibliothèque, en bas ?

— Pas encore.

— Il y a peut-être des livres intéressants. Nous achèterons du papier à lettres pour que tu puisses écrire à tes amis…, proposa

Annie, en laissant traîner sa voix, comme si la liste des activités possibles était encore longue.

En vérité, elle n'avait pas d'autres idées pour l'instant, et elle ne voulait pas trop s'avancer, ne sachant ce qu'elles trouveraient à Whistle River.

— Leur écrire pour leur raconter quoi ? se lamenta Nessa. Que je suis allongée sur mon lit à écouter de la musique country et à compter les mouches ?

— Raconte-leur ce que tu veux, répondit Annie, qui commençait à perdre patience. Et quand ils te répondront, tu auras des nouvelles de Chicago.

— Ils seront trop occupés à s'amuser pour m'écrire, prédit Nessa avec une mine renfrognée. Par pitié, promets-moi que nous rentrerons avant la fin de l'été. Nous n'avons même pas une salle de bains à nous.

Annie ne voulait pas que Nessa devine combien elle avait été elle aussi déçue quand Irma lui avait montré la salle de bains commune, un peu plus tôt.

— Je reconnais que ce n'est pas aussi pratique qu'une salle de bains dans chaque chambre, ou à l'étage. Mais Irma m'a dit qu'elle et son mari habitent en ville, et nous serons donc les deux seules à utiliser la salle de bains pour dames.

— Oui, mais c'est une question de principe. Ces chambres ressemblent à…

Nessa agita une main en l'air, à la recherche d'un mot.

— A des cellules.

— Au moins, elles sont propres, et la salle de bains aussi.

Avec un autre profond soupir, Nessa gémit :

— Ce n'est pas le problème.

Leur longue journée de voyage et sa rencontre avec Dean avaient mis les nerfs d'Annie à rude épreuve, et les plaintes de Nessa la firent sortir de ses gonds.

— Et c'est *quoi*, le problème ? Si tu essaies de me convaincre de te renvoyer à Chicago, inutile. Hors de question que je te laisse baisser les bras au bout de quelques minutes.

— Je veux rentrer. Je veux que nous rentrions.

— Je reste, et toi aussi, répondit fermement Annie.

Ensuite, elle décida de passer sa colère en défaisant sa valise.

— Essaie de considérer notre séjour comme une nouvelle expérience, suggéra-t-elle. Promène-toi. Observe la nature. Joue au volley. Fais autre chose que te plaindre à longueur de journée, ou tu vas finir par nous déprimer et je ne serai plus capable de travailler correctement.

— De toute façon, tu n'as pas besoin de ce travail.

— Nous avons besoin d'argent pour vivre jusqu'à ce que je commence à enseigner à l'école hôtelière, lui rappela Annie. Et j'ai aussi besoin de passer un peu de temps avec toi.

Elle referma un tiroir et se retourna vers sa fille, puis reprit :

— Tu penses peut-être que te laisser vivre chez ton père ne me fait rien, mais c'est la chose la plus difficile que l'on m'ait jamais demandée. Pire que de découvrir que ton père me trompait avec Catherine. Pire que d'entamer une procédure de divorce après seize ans de mariage. Et pire que de postuler à l'école hôtelière pour entamer une nouvelle carrière.

D'un geste rageur, elle essuya ses larmes et se tourna ensuite vers sa valise.

— Tu es peut-être prête à te séparer de moi, mais moi je ne le suis pas encore.

Les yeux écarquillés de surprise, Nessa s'assit d'un bond.

— Dans ce cas, reste à Chicago. Je préfère vivre avec toi, de toute façon. Et je préférerais surtout vivre avec toi *et* papa ensemble.

Annie s'assit au bout du lit et prit les mains de sa fille dans les siennes.

— Ce n'est pas possible, ma chérie. Le divorce sera prononcé à la fin de l'été, et tu devras l'accepter. Je sais que tous ces changements te font peur, mais c'est ainsi et on ne peut pas revenir en arrière. Ton père vit avec Catherine, désormais, et je t'ai déjà expliqué combien il était difficile pour moi de les voir ensemble.

— Je sais, répondit Nessa en baissant la tête. Mais il ne va pas rester avec elle. Je le sais. C'est toi qu'il aime, pas elle.

— Il ne peut y avoir d'amour sans respect et sans confiance, répondit fermement Annie.

Le comportement de Spence et son manque total de remords avaient tué l'un et l'autre.

— Même s'il quittait Catherine demain, reprit Annie, notre relation est terminée. Je ne pourrai plus jamais lui faire confiance. Mais nous n'allons pas nous disputer, n'est-ce pas, ma petite chérie ? Nous n'avons pas suffisamment de temps pour cela. Pourquoi ne pas plutôt oublier tout ce qui ne nous convient pas à Eagle's Nest et passer un bon été ensemble ? Même s'il y a des choses que nous n'aimons pas. Même si nous devons partager une salle de bains, sortir pour nous doucher, et vivre sans télé ?

Annie retint sa respiration le temps que Nessa réfléchisse. Après quelques secondes, l'adolescente esquissa un sourire.

— Je vais essayer. Mais ça aurait été plus facile si tu avais choisi un endroit avec des garçons mignons.

Soulagée, Annie exhala un soupir et serra sa fille dans ses bras.

— Désolée. Il faudra que tu en parles à Gary.

Puis elle se recula et ajouta :

— Qui sait ? Ce changement radical de vie nous sera peut-être bénéfique ? Nous aurons ainsi le temps de nous consacrer l'une à l'autre avant de nous séparer.

— Tu dois avoir raison.

— Alors c'est d'accord ? On essaie ?

— D'accord.

Annie se douta que Nessa n'était pas complètement convaincue, mais peu importe. Elle était là avec elle, et c'était l'essentiel.

Ce soir-là, Dean ouvrit la porte de la cuisine et jeta un coup d'œil à la salle à manger du rez-de-chaussée. Comme Annie n'était arrivée que depuis quelques heures, Irma avait proposé de préparer le dîner et Dean devait reconnaître qu'elle avait fait un travail formidable. Les odeurs qui flottaient dans la cuisine lui mettaient l'eau à la bouche, et il n'aurait jamais cru que la salle à manger puisse être aussi joliment arrangée.

Irma avait dressé la longue table de pin avec une nappe blanche et des serviettes assorties. Des bougies, disposées dans des photophores, encadraient des bocaux à conserves remplis de tournesols, et la pièce baignait dans un apaisant clair-obscur d'ombres et de lumière dorée.

Il poussa un peu plus la porte et trouva Annie et Nessa assises dans des bergères, près de la baie vitrée. Annie avait les mains sur ses genoux, et elle parlait doucement à sa fille. Elle portait un pantalon de soie et un pull rose qui avaient dû coûter une fortune — la tenue parfaite pour dîner avec des amis à Chicago, mais complètement déplacée dans les montagnes du Montana.

Nessa, elle, portait un jean baggy et un sweat-shirt à capuche. Elle était lovée dans le fauteuil à côté de celui de sa mère, et affichait une expression que Dean jugea soit ennuyée, soit contrariée.

Il repartit dans la cuisine et laissa les portes battantes se refermer derrière lui. Irma, qui se tenait près de l'évier, s'arrêta de travailler. Depuis qu'il la connaissait, il ne l'avait jamais vue vêtue d'autre chose que de jeans et de chemises à carreaux — en coton l'été, et en flanelle l'hiver.

Elle faisait partie de ces femmes simples et naturelles qu'il avait appris à apprécier depuis qu'il avait quitté Baltimore. Elle portait ses cheveux grisonnants coupés court, et Dean était presque persuadé qu'elle ne s'était jamais maquillée — l'opposé de Hayley, qui ne serait jamais sortie sans fond de teint et rouge à lèvres, même pour aller relever le courrier. A en juger par la tenue d'Annie Holladay, ce soir, ce devait aussi être son cas.

Mais quelle importance, au fond ? Il s'en fichait comme d'une guigne. Tout ce qu'il demandait, c'est que cette femme s'acquitte convenablement de sa tâche et le laisse tranquille.

Il traversa la cuisine et vola au passage un radis.

— Tout ceci m'a l'air délicieux et sent drôlement bon, dit-il à Irma. Tu as bientôt terminé ?

— Presque, répondit-elle en écartant une mèche de cheveux. Je n'ai jamais cuisiné pour un chef auparavant, et j'espère que ça lui plaira.

— Ce sera parfait, lui assura Dean. Et même plus que parfait. Si ça ne lui convient pas, elle n'aura qu'à préparer son dîner, dit-il en prenant un autre radis.

Si Irma ne lui avait pas donné une petite tape sur la main, il aurait aussi volé un bâtonnet de carotte.

— Arrête de chiper ma nourriture, gronda-t-elle. Et arrête aussi d'être grincheux. Tu as fait la tête toute la journée.

Il était d'humeur pensive, mais pas grincheux. Toutefois, Dean n'avait pas envie d'expliquer la différence à Irma. Il s'en tira avec un mensonge.

— Seulement parce que j'ai attendu trop longtemps avant de prendre un antalgique, dit-il. Mais cela va mieux.

— Mouais, répondit Irma en lui lançant un coup d'œil dubitatif. On en reparlera.

Dean subtilisa un morceau de chou-fleur dans le saladier puis demanda :

— Avant de servir le dîner, prépare-moi une assiette, s'il te plaît. Je mangerai dans mon bureau.

— Vraiment ?

— J'ai de la paperasserie en retard.

Irma fit signe à Dean de lui donner un gant de cuisine, et se pencha pour sortir une plaque de biscuits du four.

— Si tu continues à me voler de la nourriture, tu n'auras pas besoin de dîner. De toute manière, tu ne peux pas dîner dans ton bureau. Je te rappelle que tu as des invitées.

— Elles ne sont pas invitées : elles font partie du personnel, lui rappela Dean. Et elles n'ont pas besoin de moi.

D'un doigt, Irma remonta ses lunettes sur son nez.

— Elles sont sous ton toit, et tu ne devrais pas les ignorer.

— Je les ai accueillies. Que veux-tu que je fasse de plus ?

Dean savait qu'il avait parlé un peu trop sèchement, et il reprit d'une voix plus posée et avec un sourire forcé :

— Je veux seulement dîner dans mon bureau pendant que je m'occupe de travail administratif. Où est le problème ?

— Balivernes, répondit Irma en posant les biscuits sur le côté pour les laisser refroidir.

S'appuyant contre la paillasse, elle reprit en le regardant dans les yeux :

— Qu'est-ce qui ne te convient pas ? Annie et sa fille ont l'air gentilles.

— Je n'en doute pas.

— Alors, pourquoi les éviter ?

— Je ne les évite pas, mais j'ai du travail.

— Tu as trouvé le temps de discuter avec Les pendant plus d'une heure cet après-midi, et soudain tu es débordé au point de ne pas pouvoir t'asseoir et dîner avec elles ? Je ne te crois pas. Quoi qu'il se passe dans ta tête, je te suggère de dîner dans la salle à manger avec nous, parce que c'est le seul endroit où il y aura des assiettes ce soir.

Dean avait l'habitude de se faire houspiller par Irma comme s'il était un de ses fils mais, ce soir, justement, il manquait de patience.

— Je ne suis plus un enfant, Irma, et je mangerai là où ça me chante.

— Pas tant que je m'occuperai de la cuisine.

— Dois-je te rappeler qui te paie à la fin du mois ?

Plantant ses poings sur les hanches, Irma se redressa :

— Pas de danger que j'oublie, répliqua-t-elle.

— Bien. Nous sommes d'accord.

Irma se retourna et fit un geste de la main, comme si cela n'avait aucune importance.

— Renvoie-moi si tu veux, je m'en fiche. Mais toi et moi savons bien que tu peux parfaitement prendre le temps de dîner. Alors, à moins d'avoir une véritable bonne excuse, comporte-toi en être civilisé. Et sors de cette cuisine.

Dean aurait pu lui expliquer, mais il connaissait d'avance son point de vue : elle l'avait déjà si souvent sermonné sur la nécessité de laisser le passé derrière lui.

Marmonnant entre ses dents, il passa dans la salle à manger et s'efforça d'afficher un large sourire quand toutes les têtes se tournèrent vers lui. Il se dirigea ensuite vers le bar, où Gary préparait des cocktails.

— Merci, marmonna-t-il quand Gary lui tendit un verre.

Ce dernier s'essuya les mains et posa sa serviette sur le bar.

— C'est gentil de te joindre à nous.

— Je t'en prie, répondit Dean en le fixant du regard. Il y a assez des reproches d'Irma pour ce soir.

Il avala une gorgée puis reposa son verre sur le bar.

— Au fait, reprit-il, pourquoi joues-tu le barman ?

— J'essaie seulement de me montrer un hôte aimable.

— C'est louable, mais il n'y a pas de clients et chacun peut se débrouiller.

Dean s'était efforcé de garder un ton léger, mais il comprit au regard de Gary qu'il avait échoué.

— Quel boute-en-train, ce soir ! Tu concours pour le titre de M. Avenant ? A quand remonte ton dernier antalgique ? demanda Gary en prenant une bière dans le mini-bar.

— La dernière fois que j'en ai eu besoin, répondit Dean tout en jetant un coup d'œil du côté d'Annie.

Elle avait l'air si nostalgique que Dean s'attarda à la regarder. Quand il se rendit compte que Gary l'observait, il prit une gorgée et fit un geste de la tête en direction de la jeune femme.

— Elle va comment ?

— Pas trop mal, je crois. Elle traverse une période difficile et ses relations sont un peu tendues avec Nessa. Mais je suis sûr que le calme et le grand air devraient l'aider.

Avec un regard aigu, Dean demanda alors :

— A quoi joues-tu ? Tu veux que je me sente coupable ?

— Non. Il y a un problème avec ma cousine ?

— Bien sûr que non, mais elle n'est pas vraiment faite pour officier ni même vivre quelques mois dans un hôtel-ranch, n'est-ce pas ?

— Sous son aspect lisse de citadine, c'est une personne vraie. Et si tu persistes à la considérer comme un problème, tu le regretteras.

— Je ne la considère pas comme un problème, lui assura Dean.

Devait-il, avec Gary comme avec Irma, expliquer qu'elle ressemblait à Hayley comme une jumelle et quelle violente réaction cette ressemblance provoquait en lui ? Il ne voyait pas comment s'y prendre, trouver les mots justes, ne pas paraître faible et puéril. Il préféra donc prendre son verre et s'éloigner.

— Je vais discuter avec Les, dit-il. Je descendrai en ville demain matin tôt. Préviens-moi si tu as besoin de quelque chose.

Gary hocha la tête et remonta une manche.

— J'en parlerai à Annie. Elle voudra certainement que tu lui rapportes une chose ou deux.

Dean regarda malgré lui en direction de la baie vitrée, où le soleil couchant créait un dégradé mauve, orange et rouge derrière le fauteuil d'Annie. Ses cheveux pâles scintillaient dans la lumière déclinante ; sa joue dessinait une courbe douce… Dean sentit son cœur battre un peu plus vite.

Alors, décidé à chasser cette femme de son esprit, il traversa la pièce et s'assit à côté de Les. Avec lui, il savait que la conversation ne serait pas dérangeante — si conversation il y avait.

Ainsi, Dean réussit à éviter de regarder Annie jusqu'à ce qu'Irma sorte de la cuisine et invite tout le monde à passer à table. Et même là, malgré les efforts d'Irma pour faire participer tout le monde à la conversation, il réussit encore à n'échanger quasiment aucune parole avec Annie de tout le dîner et à ignorer ses gestes qui lui donnaient l'impression de dîner à la même table que Hayley. Le repas à peine terminé, il se retira dans son bureau.

Là, il essaya de se concentrer sur ce qu'il restait à faire. Le soleil s'était couché depuis longtemps, et il entendit la voiture de Les et Irma partir. Il resta dans son bureau jusqu'à ce que les pas, à l'étage au-dessus, se soient estompés et qu'il ait la certitude que tout le monde était couché.

Enfin, le silence régna sur l'hôtel… Un silence qui absorba aussi Annie.

Mais seulement parce qu'il avait d'autres soucis en tête.

Il avait appris à ses dépens à ne pas trop espérer. Sa nouvelle devise aurait pu être : « N'attends rien, et tu ne seras pas déçu. » Mais malgré tout, il mettait de plus en plus d'espoirs dans Eagle's Nest, et ses craintes augmentaient au même rythme. Un moment il se disait que son hôtel-ranch serait un succès et, le moment d'après, il avait la certitude que le projet était voué à l'échec.

Il pensa se préparer un autre cocktail, mais il opta finalement pour une douche chaude. Après s'être assuré que toutes les portes et les fenêtres étaient fermées, il monta à l'étage pour rejoindre sa chambre. Là, il se débarrassa de sa chemise, prit un savon et une serviette, puis se dirigea vers l'autre extrémité du couloir pour rejoindre l'escalier extérieur qui menait aux douches.

Même les jours de grande chaleur, les soirées apportaient une brise apaisante soufflant des deux canyons voisins et la température baissait notablement après le coucher du soleil. Dean resta un moment immobile en bas de l'escalier, à écouter le bruissement des feuilles au-dessus de sa tête et de l'herbe dans la clairière. Il se dit alors que même si Eagle's Nest débouchait sur un échec, il avait bien fait d'acquérir cet endroit.

Il était perdu dans ses pensées quand une porte s'ouvrit derrière lui et qu'un rai de lumière se dessina sur le sol sombre. Surpris, il se retourna et se trouva face à Annie, qui se tenait dans l'encadrement de la porte des douches pour dames, en peignoir dc tissu-éponge arrivant au genou, une brosse à dents dans une main, une trousse de toilette dans l'autre, et une serviette de bains passée sur l'épaule. Elle portait aux pieds une paire de tongs roses et ses cheveux humides arrivaient à la hauteur de ses épaules — exactement comme il l'avait imaginé. Elle était si belle que Dean manqua oublier de respirer.

Annie parut tout aussi surprise de le trouver là. Portant une main à sa poitrine, elle partit d'un petit rire nerveux :

— Vous m'avez fait peur.

— Désolé, répondit Dean, en posant sa serviette sur son épaule afin de dissimuler ses cicatrices. Je pensais que tout le monde était couché.

Annie passa une main dans ses cheveux et jeta un coup d'œil en direction des fenêtres éteintes de l'étage.

— J'ai essayé de dormir, expliqua-t-elle, mais je crois que j'étais trop fatiguée par le voyage. Alors, j'ai pensé qu'une douche m'aiderait à me détendre, ajouta-t-elle en montrant sa serviette.

Dean déglutit difficilement : Annie avait de très belles jambes…

— Oui. Bien, bafouilla-t-il, incapable de dire autre chose.

Se trouvant particulièrement stupide, il s'éclaircit la gorge et reprit :

— J'ai eu la même idée.

Annie lui adressa un sourire gêné, tira sa serviette de bains et la serra devant elle. Relevant le menton, elle sembla rassembler son courage et dit :

— Je suis contente de vous voir. Gary m'a dit que vous envisagiez d'aller en ville, demain. Je me demandais si Nessa et moi pouvions vous accompagner…

Elle ne semblait pas mal à l'aise d'avoir été surprise sans maquillage et décoiffée, et Dean éprouva un léger sentiment de culpabilité concernant l'attitude qu'il avait eue envers elle. Il acquiesça alors lentement de la tête, même si l'idée de se rendre en ville en compagnie d'Annie ne l'enchantait guère.

— Bien sûr. Mais j'en ai pour la journée. Si vous voulez, vous pouvez me donner une liste, et je vous rapporterai ce dont vous avez besoin.

— Merci, mais il faut que j'y aille moi-même. Je n'ai aucune idée de ce que Nessa voudra, et je dois faire quelques courses personnelles. Irma m'a suggéré d'investir dans une nouvelle garde-robe.

Dean éprouva une certaine satisfaction de savoir qu'il n'avait pas été le seul à qui Irma avait prodigué ses conseils, ce soir.

— Elle a certainement raison. Les vêtements que vous portez sont peut-être trop fragiles pour ici.

— Alors, c'est d'accord ?

— D'accord, mais soyez matinales. Je veux partir vers 8 heures.

— Pas de problème. Je suis une lève-tôt, répondit Annie tout en se tournant pour éteindre la lumière.

Dean sentit son cœur battre plus fort. La ressemblance avec Hayley était encore plus frappante à la seule lumière de la lune. Et pour tout arranger, cela faisait bien longtemps qu'il ne s'était pas retrouvé seul avec une si jolie femme, qui le regardait. Bien trop longtemps qu'il n'avait pas senti son corps réagir comme en ce moment même — et encore bien plus longtemps qu'il ne l'avait écouté.

Il aurait voulu bouger, prendre l'initiative de quitter la pièce mais il restait là, figé, incapable du moindre mouvement. Il espéra qu'elle allait rapidement remonter dans sa chambre car la dernière chose qu'il souhaitait, c'était qu'elle se rende compte de son trouble à la faveur d'un rayon de lune, et qu'elle se fasse une opinion erronée de lui.

Annie lui sourit gentiment et passa sa serviette autour de son cou. Quand elle lui adressa de nouveau la parole, sa voix parut à Dean aussi douce qu'une brise d'été.

— Merci. Je vous promets que nous ne vous gênerons pas. Vous n'aurez qu'à nous déposer quelque part quand nous arriverons en ville, et nous dire quand et où vous retrouver.

— D'accord.

Quand elle lui tourna enfin le dos, Dean laissa échapper un soupir de soulagement. Mais comme il la regardait monter l'escalier, il éprouva de nouveau un grand trouble à la voir involontairement balancer les hanches. Il eut alors la désagréable impression qu'Annie Holladay risquait de bouleverser sa vie…

# 4.

Un peu avant 16 h 30, le lendemain après-midi, Dean se tenait appuyé contre son pick-up, le long de l'autoroute. Une canette de thé glacé dans une main, il attendait l'arrivée du bus en provenance de Billings. La légère brise de ce matin soufflait avec plus de force, maintenant, et la poussière et le pollen qui volaient dans l'air irritaient les yeux et piquaient la gorge.

Il but une gorgée, mais la boisson était tiède et il posa la canette sur la plate-forme arrière de son véhicule en grimaçant. Il n'avait pas chômé depuis son lever, entre les courses, son rendez-vous chez le médecin — encore cette maudite épaule —, un arrêt à la pharmacie pour renouveler ses médicaments. Il avait réussi à ne pas perdre trop de temps à penser à l'arrivée de Tyler ni à s'appesantir sur sa conversation de la veille avec Annie. Et, ce matin, il s'était félicité que Nessa les accompagne car il ne s'imaginait pas seul, en tête à tête, avec Annie.

Il se demanda s'il aurait dû annoncer la venue de Tyler à Annie, mais son doute se dissipa immédiatement. Elle n'avait besoin d'informations que sur sa tâche — le nombre de repas à préparer, notamment. En revanche, en ce qui concernait la vie privée, Dean préférait rester discret.

Tout de même… Comme c'était ironique que tant d'éléments de son passé resurgissent au moment même où il devait rester complètement concentré sur le présent afin de mieux préparer son avenir...

Soudain, il se sentit très nerveux. La dernière fois qu'il avait vu Tyler, le gamin avait dix ans — c'était l'époque où Dean avait commencé son ascension vers le succès au sein des Orioles, l'équipe de base-ball de Baltimore. De nombreux changements étaient intervenus depuis : Dean n'était plus la même personne et Tyler avait lui aussi changé. Ce serait sans nul doute une bonne chose de passer du temps ensemble et d'apprendre à se connaître, mais Tyler devrait accepter que, cet été, le ranch passait en premier.

Le bus s'arrêta à quelques mètres de Dean, dans un épais nuage de poussière et de gaz d'échappement. Quelques secondes après, les portes s'ouvrirent et un seul passager sortit, portant deux gros sacs de voyage.

Dean s'était dit qu'il reconnaîtrait Tyler sans aucune hésitation, mais il n'en était plus aussi sûr. Le gosse avait terriblement poussé, depuis leur dernière rencontre ! Grand et élancé, l'allure dégingandée, le petit garçon de ses souvenirs s'était presque transformé en ado à la carrure d'athlète — et la nervosité de Dean monta d'un cran.

Les cheveux noirs de Tyler étaient coupés en brosse, avec les pointes décolorées en blond. Il portait un baggy taille basse et un T-shirt qui moulait avantageusement les muscles de ses épaules et de ses bras.

Le jeune homme regarda autour de lui par-dessus ses lunettes de soleil et il resta immobile un instant, comme si lui non plus n'avait pas reconnu son oncle.

Cela n'avait rien de surprenant. La dernière fois qu'ils s'étaient vus, Dean n'avait rien du cow-boy en bottes et jean poussiéreux qu'il était aujourd'hui.

Désireux de faire le premier pas, Dean s'avança :

— Tyler ?

L'adolescent répondit par une moue et laissa tomber les sacs à ses pieds.

— Super ! Maintenant il est devenu cow-boy. Qu'est-ce qui m'attend ensuite ?

Le ton était-il donné ? Malgré sa conversation avec Carol, Dean ne s'était pas attendu à une telle hostilité de la part de son neveu — et notamment dirigée contre lui. Il lui fallut un temps avant de réagir et de demander :

— Tu as fait bon voyage ?

Tout insolence, Tyler répondit :

— Je pense, ouais. Pourquoi ?

— Pour savoir. Comment va ta mère ?

Tyler détourna alors le regard et remonta ses lunettes sur son nez.

— Elle ? En super forme, comme tu peux t'en douter.

Dean préféra ignorer le sarcasme.

— Bien. Je suis heureux que tu sois arrivé ici sans embûches. Mon pick-up se trouve juste là, et nous sommes à quelques minutes du ranch, dit-il en se penchant pour attraper un des sacs de Tyler.

Mais l'adolescent tira le sac de manière qu'il soit hors de portée de Dean.

— Laisse tomber. Je suis assez grand pour m'occuper de mes affaires.

Finalement, Carol n'avait peut-être pas exagéré. Dean décida de garder une expression neutre et il retira les clés de sa poche.

— Comme tu veux. J'ai parlé avec mon chef d'équipe de ce que nous pourrions te donner à faire, cet été. Gary a suggéré un job aux écuries. Qu'en penses-tu ? Tu devras nettoyer les box, bien sûr, mais tu aideras aussi à nourrir et panser les chevaux. Et après cette familiarisation, nous pourrons te donner plus de responsabilités.

Pendant quelques instants, Tyler le dévisagea puis il lança son second sac dans le pick-up.

— C'est toi qui vois.

— Si les écuries ne t'intéressent pas, on te trouvera autre chose. Mais pas question que tu te la coules douce : c'est la première saison pour le ranch, et tout le monde doit retrousser ses manches, toi compris. En arrivant, fais le tour de la propriété et repère ce qui te motive.

Tyler garda le regard fixé droit devant lui.

— Comme tu veux. Je m'en fiche.

Il resta immobile pendant un moment encore, puis il se tourna vers Dean en gardant ses lunettes de soleil sur le nez.

— Si on m'avait demandé mon avis, je ne serais même pas ici.

Au moins, Dean était maintenant fixé. S'adossant contre le pick-up, il essaya de tempérer l'agressivité de Tyler.

— Ecoute, je comprends ce que tu ressens…

— Vraiment ? Alors, en plus d'être cow-boy, t'es aussi médium ?

— Je n'ai pas dit cela. Je voulais seulement dire que je me doute que tu préférerais être chez toi, avec ta mère…

Cette fois, Tyler l'interrompit d'un petit rire amer.

— T'as raison. J'ai vraiment envie d'être là-bas.

Puis il ouvrit la portière du pick-up et prit place.

Dean s'installa à son tour derrière le volant. Déjà, l'attitude de Tyler l'insupportait — à tel point qu'il fit caler le moteur, et qu'il eut ensuite du mal à passer la première. Il réussit néanmoins à démarrer et tenta de recouvrer sa patience et son calme. Il allait falloir apprendre à communiquer avec ce jeune homme que, au fond, il connaissait à peine.

— Si mes propositions ne te conviennent pas, pourquoi ne pas me dire ce que tu attends de moi ?

— De toi ? Rien du tout.

Nul besoin d'être psychologue pour comprendre que Tyler cherchait à le provoquer. Toutefois, Dean ne se sentait pas disposé à laisser son neveu le manipuler, et il se contenta donc de hocher la tête comme si la remarque de Tyler n'avait rien de choquant, et alluma la radio.

— Tu as une station préférée ?

Tyler soupira, mais il finit par se laisser tenter. Il demanda :

— Tu reçois des stations pas trop nulles, dans ce bled ?

— Tout dépend de ta définition de « pas trop nul ». Si tu préfères, tu peux choisir un CD.

Le porte-CD était posé sur le siège, entre eux.

Tyler ébaucha le geste d'attraper l'objet… mais il retira rapidement la main et se tourna vers la vitre.

— Quel intérêt ?

Dean s'efforça d'afficher le même calme que l'adolescent et de ne pas montrer ses sentiments. Il tourna dans la rue principale de Whistle River et roula tranquillement dans le centre-ville. Qu'était devenu le petit garçon joyeux et au rire communicatif ? Un enfant qui adorait sa mère et faisait tout pour plaire à son oncle. Quand s'était-il transformé en jeune homme maussade et amer ?

Et surtout, pourquoi ?

Dean s'en voulut alors de ne pas mieux connaître la vie de son neveu, mais il rejeta ce sentiment de culpabilité. Il n'avait rien à se reprocher ; il avait simplement promis à Carol qu'il essaierait de faire quelque chose pour que cela change. Malheureusement, la tâche se révélerait certainement ardue…


Annie prit place sur une banquette, près de la fenêtre du Whistle River Café, et elle posa une dizaine de paquets ainsi que son sac à main à côté d'elle. L'odeur de friture était légèrement écœurante, mais c'était le lieu de rendez-vous que lui avait indiqué Dean. Comme il n'était pas encore 17 heures, elle devrait la supporter pendant un moment…

Nessa s'assit face à sa mère, le menton dans les mains, et le regard fixé sur la rue presque déserte et le parking vide. Elles avaient consacré leur journée à chercher de quoi occuper Nessa, mais Whistle River n'avait pas grand-chose à proposer…

Elles étaient bien entrées dans une petite mercerie sympathique — où leur enthousiasme avait été de courte durée. Nessa semblait ne s'intéresser à rien de ce qu'elles avaient trouvé dans la boutique… Annie avait tout de même choisi deux kits de point de croix au cas où. Heureusement, elle avait aussi trouvé de quoi s'habiller de manière adaptée à son nouvel environnement.

Rassemblant l'énergie qui lui restait, Annie se força à sourire et elle s'adossa contre la banquette.

— Je reconnais que tu avais raison, et qu'il n'y avait pas grand-chose.

Avec un profond soupir désespéré, Nessa répondit :

— C'est le moins qu'on puisse dire. Mais je ne baisse pas les bras. On peut toujours passer des commandes par Internet. Si Dean a un ordinateur, bien entendu.

— Sans aucun doute. Sinon, comment veux-tu qu'il gère son ranch alors qu'il se trouve aussi loin de tout ?

— C'est ce que je pensais pour la télé, et pourtant…

Annie but une gorgée d'eau et passa son doigt sur la condensation qui recouvrait le verre.

— Tu as raison, je lui poserai la question. Je suis bien décidée à ce que tu t'amuses pendant cet été.

— Je sais comment…

— Nous ne partirons pas ! répondit Annie en levant une main.

— Bon, d'accord. Dans ce cas, est-ce que l'on ne pourrait pas demander à Brian, Steve et Tracee de venir ?

— Je doute que ce soit une bonne idée.

— Et pourquoi ?

— Parce que les parents de Tracee n'ont pas les moyens de l'envoyer ici, et je ne peux pas payer son voyage. Et crois-moi si tu veux, mais cela ne te fera pas de mal de passer trois mois loin des garçons.

— Ce sont des *copains*, pas des garçons, et la vie est trop ennuyeuse sans eux.

Annie avait elle aussi pensé de cette manière, mais depuis qu'elle était séparée de Spence, elle goûtait à la tranquillité d'être une femme seule — du moins provisoirement.

— La vie sans les « copains » peut aussi être amusante. Il y a tellement de choses à faire juste par soi-même et pour soi-même, à essayer…

Nessa leva les yeux au ciel et interrompit sa mère.

— Maman, j'ai quinze ans. Les copains, c'est comme mon travail, en ce moment, ajouta-t-elle en souriant.

Heureuse de voir sa fille sourire, Annie reprit :

— Et mon travail, à moi, consiste à t'aider à comprendre que cet été pourrait bien se révéler une expérience très bénéfique pour toi.

Puis, tirant deux menus glissés dans le porte-serviettes, elle en tendit un à sa fille.

— Continuons à chercher, jusqu'à ce que nous trouvions quelque chose qui t'intéresse. Il doit bien y avoir un moyen de te convaincre qu'il n'y a pas que les garçons dans la vie.

— Tu pourrais essayer de convaincre Dean d'acheter une télé, proposa l'adolescente avec une lueur de malice dans les yeux. Et avec une antenne satellite, je pourrais même me tenir au courant des derniers clips qui sortent.

Annie se décida pour une glace à la fraise, puis elle reposa la carte.

— Cela ne fait même pas vingt-quatre heures que nous sommes ici, et je n'ai pas encore commencé à travailler. Je ne pense pas que le moment soit bien choisi pour suggérer des changements, d'autant que Dean n'y semble pas très favorable…

Avec un léger froncement de sourcils, Nessa remit sa carte en place.

— Allez ! Cela ne coûte rien de demander. Je suis sûre que j'arriverais à le convaincre d'installer une antenne parabolique.

Si quelqu'un était capable de faire plier Dean, c'était certainement Nessa. Pourtant, Annie hocha la tête et prit les mains de sa fille dans les siennes.

— Attendons un peu, veux-tu ? J'ai encore du mal à le cerner, et je ne suis pas persuadée qu'il ne morde pas.

Nessa rit doucement et s'appuya contre la banquette.

— Enfin, maman, ce n'est pas un monstre.

C'étaient les premières paroles positives que Nessa prononçait depuis leur arrivée. Annie ne partageait malheureusement pas son avis.

— Tu n'étais pas là quand j'ai fait sa connaissance, hier.

— Peut-être, mais Gary l'aime bien. Et Irma et Les aussi. Il ne doit pas être si mauvais.

A ce moment, une serveuse s'approcha de leur table, et Annie se dit qu'il n'était pas très malin de parler de son patron dans un lieu public alors que tout le monde se connaissait à Whistle River. Alors, une fois la commande passée, elle changea de sujet.

— Tu ne m'as pas dit ce que tu pensais de Gary.

Nessa prit le temps de réfléchir en jouant avec une petite cuillère avant de répondre :

— Il est marrant. Je l'aime bien.

— Tant mieux. Je l'aime bien, moi aussi. J'avais oublié combien il était drôle, et à quel point certains membres de ma famille peuvent être taquins. Au fond, je pense savoir d'où tu tiens ton sens de l'humour.

Nessa allait répondre, mais elle se tut alors que son attention était attirée, dehors. Annie suivit son regard et reconnut le pick-up de Dean sur le parking. Elle tenta de deviner de quelle humeur il pouvait être, mais il avait baissé le pare-soleil et elle ne pouvait distinguer son visage.

— Avec qui est-il ? s'enquit Nessa.

— Je ne sais pas. Espérons que c'est quelqu'un qui le mette en joie.

Dean sauta du véhicule et marcha en direction du restaurant, un grand jeune homme de l'âge de Nessa sur les talons. Malgré la distance, la couleur des cheveux du jeune homme et ses lunettes de soleil, Annie fut frappée par leur ressemblance.

Quand Nessa vit plus clairement le compagnon de Dean, elle se redressa dans son siège, toute trace d'ennui disparut de son regard, et elle rougit légèrement.

— Qui est-ce ?

— Je l'ignore.

— Tu crois qu'il rentre au ranch avec nous ?

— Nous n'allons pas tarder à le savoir…

L'adolescente poussa alors sa glace vers le centre de la table, comme pour faire croire qu'Annie en avait commandé deux pour elle, puis elle vérifia son chemisier pour s'assurer qu'elle ne s'était pas tachée.

— Il est si sexy, soupira-t-elle.

— Qui ? Dean ? demanda Annie, qui fit semblant de ne pas comprendre.

— Mais non, la gronda doucement Nessa. L'autre.

— Je ne sais pas : il a l'âge d'être mon fils.

— Il est sexy, maman.

— Si tu le dis, il est sexy.

Décidément, les garçons semblaient être le seul sujet capable de susciter l'intérêt de Nessa.

Celle-ci passa une main dans ses cheveux et fronça les sourcils.

— Et Dean, comment tu le trouves ?

62

Annie devait reconnaître qu'il était agréable à regarder, mais elle savait aussi que sa fille espérait encore des retrouvailles avec Spence. Elle n'était pas prête pour une discussion, même légère, concernant les charmes de Dean. Alors, jetant un coup d'œil à celui-ci tout en prenant une cuillérée de glace à la fraise, elle répondit :

— Je n'ai pas d'avis.

Nessa sembla se réjouir quand Dean les repéra et se dirigea vers leur table. Pour sa part, Annie sentit un petit pincement au cœur — mais elle se dit qu'il devait plutôt s'agir d'appréhension et elle se leva en prenant son sac.

— Ne le faisons pas attendre. Ça pourrait le rendre grincheux.

Nessa se leva à son tour et Annie se pencha pour ramasser leurs paquets quand Dean s'arrêta à côté de leur table. Il jeta un coup d'œil à leurs coupes encore pleines, puis leur fit signe de se rasseoir.

— Vous n'avez pas terminé.

— Nous sommes prêtes, lui assura Annie. C'était juste pour passer le temps.

— Je vous en prie, nous ne sommes pas à quelques minutes près. Rasseyez-vous et finissez.

Nessa se rassit sur la banquette sans protester, mais elle sembla surprise de trouver une glace devant elle. Annie se rassit à son tour et se poussa contre la fenêtre. Comme Dean ne semblait pas décidé à partir, elle se rappela ses bonnes manières :

— Voulez-vous vous joindre à nous ?

Dean se tourna alors vers le jeune homme, qui avait remonté ses lunettes de soleil sur son front et s'efforçait de ne pas dévorer Nessa du regard. Haussant une épaule, il essaya de prendre un air dégagé et répondit :

— Pourquoi pas ?

Laissant la banquette opposée aux adolescents, Dean se glissa à côté d'Annie, et celle-ci tenta de ne pas prêter attention au frôlement de sa cuisse ni au contact de son bras contre elle.

— Je m'appelle Annie Holladay, dit-elle au jeune homme. Et voici ma fille, Nessa.

Le regard de l'adolescent se tourna alors de nouveau vers celle-ci.

— Je suis Tyler.

— Mon neveu, précisa Dean. Tyler Bell.

Ce qui expliquait la ressemblance, pensa Annie.

— Vous habitez la région, Tyler ?

Observant Nessa du coin de l'œil, il répondit :

— Californie.

Les yeux de Nessa s'écarquillèrent, comme si elle n'avait jamais rien entendu d'aussi fascinant.

— Quel coin de la Californie ?

— San Diego.

Annie s'obligea à ne pas se laisser distraire par l'attirance mutuelle et manifeste entre les deux adolescents — malgré tous les efforts de ceux-ci pour feindre l'indifférence la plus totale.

— Vous êtes venu passer quelques jours ici ?

« Réponds oui, réponds oui », implora intérieurement Nessa.

— Pas exactement, répondit Tyler en jouant avec une serviette en papier.

Cette fois encore, Dean vola au secours de son neveu.

— En réalité, Tyler est venu pour l'été.

Annie sentit son estomac se nouer. Quant à Nessa, elle se redressa : elle rayonnait.

— *Tout* l'été ?

Tyler hocha la tête et, cette fois, il regarda Nessa.

— J'en ai bien peur.

— On est dans la même galère. Ma mère va faire la cuisinière, au ranch, et nous sommes coincées ici jusqu'à début septembre.

La *cuisinière* ? Annie sentit monter une migraine. Dean se crispa, à côté d'elle, et elle comprit combien il devait être agacé

64

d'entendre les plaintes de ces deux adolescents. Elle se força alors à rire et adressa un regard appuyé à sa fille.

— On dirait que l'on vous a condamnés aux travaux forcés ou à la prison à vie.

Puis elle se tourna vers Tyler et ajouta :

— Le ranch est magnifique, et je suis sûre que vous vous y plairez.

Tyler lança un coup d'œil à son oncle puis se tourna vers Nessa en soupirant :

— Bon, s'il y a quelqu'un de mon âge, tout n'est pas perdu.

Les joues de Nessa se colorèrent d'un rose flatteur et ses yeux se mirent à briller. Cela faisait au moins un an qu'elle n'avait pas paru aussi pleine d'espoir en la vie — bizarrement, cela ne fit qu'accroître les inquiétudes d'Annie.

Certes, elle avait espéré que sa fille se découvre un centre d'intérêt, ici, dans le Montana... mais pas qu'elle s'entiche d'un garçon de plus !


Aux alentours de 18 heures, Annie s'affairait dans la cuisine du ranch. Elle avait été agréablement surprise de découvrir la pièce spacieuse, agrémentée de larges fenêtres qui ouvraient sur la vallée, en direction de l'ouest. La cuisine était équipée d'appareils professionnels de la même qualité que ceux qu'elle utilisait à Chicago. Quel dommage que Dean ne la laisse pas tirer un meilleur profit des possibilités qu'ils offraient...

Elle travaillait rapidement, gardant un œil sur l'horloge tout en préparant des travers de porc agrémentés de sa sauce personnelle, plutôt que de la sauce déjà prête que Dean avait achetée. Elle souhaitait en effet que le premier repas qu'elle préparerait à Eagle's Nest soit particulier — tout en respectant les menus que Dean avait prévus.

Quand elle eut terminé de découper les pommes de terre, se tourna vers l'évier et aperçut Nessa et Tyler, assis côte à côte sur un tronc d'arbre, dans la clairière. Annie s'efforça de ne pas s'inquiéter de l'attirance évidente qui existait entre eux deux. Elle n'avait en effet pas pensé devoir se mesurer à lui, et elle espéra qu'ils se lasseraient vite l'un de l'autre.

L'arrivée de Tyler expliquait certainement la mauvaise humeur de Dean, la veille, et les relations semblaient de toute évidence tendues entre eux. Dean pouvait aussi très bien avoir été inquiet de faire la connaissance d'Annie, car après tout, il l'avait engagée sans la connaître.

Le fait que Dean accorde une telle confiance à Gary en disait beaucoup sur l'amitié qui liait les deux hommes, mais Annie se sentait toujours mal à l'aise en présence de Dean.

— Tout va bien ? demanda Irma.

Annie sursauta, et rit doucement pour cacher son embarras, surprise de ne pas l'avoir entendue arriver.

— Bien, merci. Je réfléchissais.

Irma portait toujours ses lunettes au milieu du nez, et elle donnait l'impression de surveiller le monde autour d'elle.

— A quelque chose en particulier ?

— Pas vraiment, répondit Annie en haussant les épaules.

— Comment s'est passée votre promenade en ville. Vous avez trouvé ce que vous cherchiez ?

— Presque. J'ai trouvé plusieurs vêtements, dont celui-ci.

Et elle dénoua son tablier et écarta les bras, pour qu'Irma puisse admirer son jean et sa chemise sans manches.

— Je trouve ça parfait, répondit Irma. Et vous ?

— La chemise est légère et confortable, mais j'avais oublié combien les jeans neufs sont raides. Cela fait des années que je n'en avais pas porté. Je vais m'habituer.

— Ils seront plus souples après quelques lavages, promit Irma tout en jetant un œil à la recette qu'Annie avait posée sur le plan de travail. Et votre fille ? Elle va s'habituer ? demanda-t-elle ensuite, en attrapant une cocotte.

— Qui le sait ?

Annie faillit dire à Irma qu'elle n'avait pas besoin d'aide, mais elle se ravisa pour ne pas vexer la seule autre femme du ranch. Après tout, une fois les premiers clients arrivés, Irma serait certainement trop accaparée par le ménage et le linge pour passer du temps dans la cuisine à bavarder.

— Y a-t-il d'autres magasins, à part ceux de Main Street ?

— Pas à Whistle River, répondit Irma, tout en beurrant la cocotte. Je suppose que ça vous semble petit.

— Disons que oui, reconnut Annie. Mais le centre-ville est agréable.

Visiblement satisfaite, Irma hocha la tête et reprit :

— Oui, il fait bon vivre à Whistle River. Les gens sont gentils et cordiaux — enfin, il y a des grincheux, comme partout. Et Nessa, elle a aimé ?

— C'est un peu limité pour elle, je pense. Elle est habituée à autre chose… Mais je pense que cela ne lui fera pas de mal de connaître un autre mode de vie. Et à moi non plus, d'ailleurs.

— La vie est calme ici, vous apprendrez à l'apprécier, assura Irma en s'essuyant les mains sur son tablier. Dean s'y est fait, lui, même s'il a fallu du temps.

Alors qu'elle tranchait un chou et le passait sous le robinet, Annie s'étonna :

— Dean n'a pas toujours vécu ici ? Cela me surprend.

— Vraiment ? Gary ne vous a pas raconté ?

— Raconté quoi ?

— La raison pour laquelle Dean est venu à Whistle River.

Annie fit non de la tête.

— Et je ne sais pas trop non plus ce qui a amené Gary ici, si ce n'est qu'il s'est marié avec une femme originaire des environs. Pourtant, nous sommes parents. Mais autant Gary se livre facilement, autant il peut rester secret sur certains aspects de sa vie. Et il ne parle *jamais* des autres.

— Vous avez raison, convint Irma avec un sourire en coin. Après tout, à chacun de choisir ce qu'il veut raconter ou pas. Mais le passé de Dean a certaines conséquences sur le présent, et il vaut mieux que vous soyez au courant puisque vous devez travailler ici.

Annie eut un petit rire tendu. Elle était très curieuse, mais elle ne voulait pas donner l'impression d'encourager Irma à lui révéler les secrets de Dean.

— Je pourrais peut-être poser la question directement à Dean…

— Je vous le déconseille. Je ne sais pas si vous avez remarqué que Dean se comportait bizarrement, hier soir.

— Il m'a semblé avoir besoin d'un peu de solitude, reconnut Annie, mais il paraissait aller mieux ce matin.

Tout en coupant le chou en lanières, Irma rit et s'exclama :

— Besoin de solitude ? Il s'est comporté comme un mufle, et vous le savez comme moi ! Mais ne vous méprenez pas : j'adore Dean. Il peut être l'homme le plus gentil du monde. Aimable. Généreux. Toujours prêt à rendre service.

Après un regard en direction de la porte pour s'assurer qu'elles étaient toujours seules, Annie admit :

— Vous m'auriez dit cela hier soir, j'aurais eu de sérieux doutes.

— C'est la douleur qui le rend comme ça, par moments, expliqua Irma en s'essuyant les mains. Je suppose que Gary ne vous a pas dit non plus que, il y a encore deux ans, Dean jouait dans l'équipe des Baltimore Orioles ?

— Comme professionnel ? s'étonna Annie.

Si Dean avait bien une carrure d'athlète, il donnait pourtant l'impression d'être un pur cow-boy.

— Pourquoi a-t-il arrêté sa carrière ?

— Accident de voiture. Lui et son amie ont été percutés par une conductrice ivre, au retour d'une soirée.

Annie se figea.

— Il a été blessé ?

Irma acquiesça.

— Il a eu l'épaule déchiquetée, et il a dû mettre un terme à sa carrière. Il souffre encore beaucoup, physiquement et moralement.

— Et son amie ?

Irma afficha une moue de désapprobation, et Annie rougit, mal à l'aise. Elle n'avait pas cherché à se montrer indiscrète, mais elle devait avoir atteint la limite.

— Elle s'en est tirée avec des blessures légères — et c'est une autre histoire. Je voulais seulement que vous soyez au courant pour la blessure et la douleur. Le reste…

— Je comprends.

— Il y a quatre ans, avant l'accident, reprit Irma, il est venu en vacances ici en dehors de la saison de base-ball. Les l'a rencontré alors qu'il emmenait un groupe de randonneurs dans les montagnes. En discutant, il a appris que la petite amie de Dean était en Europe avec ses parents et que Dean allait passer les fêtes tout seul. Alors nous l'avons invité et il est devenu comme un fils pour nous. Nos garçons vivent loin d'ici, ils sont très occupés, et Les avait du mal à supporter leur absence. Alors quand il a compris que Dean avait envie d'apprendre à monter, à se servir d'un lasso et tout, Les s'est de nouveau senti utile. Hélas, Dean a changé depuis l'accident, et il est lunatique.

— Je n'avais aucune idée de ce qui lui était arrivé, avoua pensivement Annie.

— Dean n'aime pas parler de ses soucis. Il refuse que les gens s'apitoient sur lui, et il n'évoque jamais sa carrière. Je ne suis même pas sûre qu'il se permette d'y penser.

— Je comprends ; je regrette que Gary ne m'ait pas prévenue.

— Ces deux-là sont devenus comme des frères, raconta encore Irma. Ils se sont rencontrés alors que Dean se remettait de son accident et que Gary sortait juste de son divorce. Il leur arrive de se chamailler, mais ils restent amis. Dean ne veut pas que les gens connaissent son passé, et Gary est du genre discret. Comme vous allez passer l'été ici, vous connaîtrez certainement au moins un mauvais passage de Dean, alors autant que vous en compreniez la raison.

Lentement, Annie hocha la tête.

— Merci. Vous dites que la douleur le rend irritable : les médicaments ne le soulagent donc pas ?

Avec un sourire en coin, Irma répondit :

— Ils le soulageraient s'il suivait les indications du médecin. Mais il s'y refuse, et personne ne peut le faire changer d'avis.

— C'est bon à savoir aussi.

Irma prit un couteau dans un tiroir et posa une échalote sur la planche à découper.

— Vous voulez un conseil ?

— Bien entendu, répondit Annie.

Elle allait en effet passer son été sous le toit de Dean, et les conseils d'Irma ne pourraient que lui être utiles.

— N'ayez pas pitié de lui. Et surtout, traitez-le comme il vous traite : sans chercher à être trop gentille.

# 5.

Dean fut réveillé par la brûlure intense bien avant la sonnerie de son réveil. Il gémit et resta allongé dans le noir, espérant que la douleur se calme. Mais il dut reconnaître sa défaite et, serrant les dents, il se leva.

S'il commençait la journée en souffrant autant, il ne serait pas en état de travailler avant la mi-journée. Or, les premiers clients arriveraient dans moins d'une semaine et chaque journée comptait. Jurant entre ses dents, il chercha ses médicaments à tâtons puis il prit un comprimé dans sa bouche et l'avala avec une gorgée d'eau. Ensuite, il attendit.

Après un long moment, la douleur commença à s'estomper et il décida de s'habiller. Il lui fallut plus longtemps que d'habitude et il souffrait terriblement, mais au moment où le ciel commençait à blanchir, il était prêt à sortir de sa chambre.

Il resta un moment immobile dans le couloir, devant la porte de Tyler, se demandant ce que l'adolescent lui réserverait pour cette journée. De toute manière, il ne tarderait pas à le savoir. Il paraissait de plus en plus évident à Dean que son neveu cherchait à provoquer coûte que coûte une réaction violente. Toutefois, Dean était tout aussi déterminé à lui prouver que tout le monde ne réagissait pas à la provocation par une crise d'hystérie — comme sa mère.

Ensuite, son regard se tourna vers la porte d'Annie. Il devrait peut-être lui dire que le dîner de la veille avait été véritablement digne des meilleures tables du pays… Mais il n'arrivait pas à savoir si elle essayait de lui tenir tête en changeant les menus qu'il avait prévus, ou bien si elle avait seulement voulu faire plaisir au personnel.

Hier, il avait eu le plus grand mal à ne pas admirer ses courbes, ses jolis bras nus, et à ne pas se laisser troubler par son regard bleu. Et il n'avait pu s'empêcher de la comparer à Hayley, guettant sans cesse les différences et les ressemblances.

Mais ce matin, tout cela semblait sans importance.

Chassant Annie de ses pensées, il prit ses bottes dans une main et descendit l'escalier puis sortit sous le porche en évitant de faire de bruit. Assis sur les marches, il regarda tout autour de lui le paysage : c'est ici, loin de tout, qu'il allait passer le reste de sa vie. La douleur l'obligeait bien trop souvent à se lever avant les autres, mais il y avait des moments comme celui-ci où il appréciait cette solitude.

Les oiseaux et les écureuils matinaux ne le jugeaient pas, ne lui disaient pas quoi penser ni de quelle manière vivre sa vie. Ils ne boudaient pas quand il avait une mauvaise journée, et ils ne lui demandaient pas plus qu'il ne pouvait donner. En fait, ils étaient des compagnons irréprochables.

Après avoir chaussé ses bottes, il s'avança dans le soleil levant et fit lentement le tour du propriétaire pour s'assurer que tout était en ordre. Bientôt, la journée de travail commencerait. Il restait encore beaucoup à faire, mais s'il réussissait à convaincre Tyler de participer, le gain de temps serait considérable pour tout le monde.

Alors qu'il approchait de l'arrière du bâtiment, une odeur inhabituelle le fit s'arrêter et observer les alentours. Une odeur… de tabac. Il fit alors demi-tour et suivit l'odeur à la trace jusqu'à ce qu'elle le mène à la remise à outils : Tyler était là, assis sur un seau retourné, les yeux clos, inhalant la fumée.

Dean lui arracha la cigarette de la bouche avant même que l'adolescent n'ait le temps d'ouvrir les yeux.

— Pas question de ça chez moi ! dit-il.

Tyler sauta immédiatement sur ses pieds, poings serrés, et les yeux pleins d'éclairs.

— Rends-moi ça. C'est *ma* cigarette.

— Plus maintenant, répondit son oncle en écrasant l'objet du délit par terre. Où l'as-tu eue ?

— Ça ne te regarde pas.

— Tant que tu vivras sous mon toit, si. Tu n'as même pas l'âge légal pour acheter des cigarettes, dans cet Etat.

— Dans ce cas, pourquoi tu t'inquiètes ?

— Tu es le fils de ma sœur, et tu es sous ma responsabilité tant que tu resteras ici, expliqua Dean.

Tout en parlant, il prit le paquet de cigarettes qui se trouvait dans la poche de la chemise de Tyler, et il l'écrasa dans sa main.

— Hors de question que tu fasses quelque chose d'aussi stupide et dangereux chez moi.

Tyler sembla prêt à frapper son oncle, mais il se contenta de lui adresser une moue méprisante.

— Vas-y, prends-les. Je trouverai le moyen de m'en procurer d'autres.

— Pas auprès du personnel, crois-moi, affirma Dean en jetant le paquet dans une poubelle. Que se passe-t-il, Tyler ? Tu cherches des ennuis supplémentaires ? Ta mère dit que…

— Je me fiche de ce qu'elle raconte, rétorqua Tyler, dont le regard s'était durci. Pour elle, je suis un boulet.

Malgré le comprimé qu'il avait pris, Dean ressentait toujours une brûlure dans l'épaule, mais le coup qu'il eut l'impression de recevoir au creux de l'estomac fut presque aussi douloureux. Toutefois, il se rappela sa promesse de garder son calme avec Tyler.

— Je sais que ta mère réagit parfois de manière excessive, mais elle tient à toi.

Tyler éclata alors d'un rire amer et s'éloigna de quelques pas.

— Tu n'es pas au courant de tout, ça se voit !

Rester stoïque face à l'hostilité de Tyler n'était pas facile, mais Dean était résolu à ne pas céder.

— Soit. Dans ce cas, raconte-moi.

— Comme si tu avais envie de savoir !

— Je ne te le demanderais pas, sinon.

Avec un haussement d'épaules, Tyler tourna la tête. Son regard passait d'un côté à l'autre de la clairière et il conserva une posture crispée, épaules raides et jambes tendues comme s'il s'apprêtait à bondir.

— Elle ne veut pas de moi. Ça te surprend ?

L'adolescent avait prononcé ces paroles avec une telle douleur dans la voix que Dean sentit sa colère s'évanouir. Il se campa fermement sur ses pieds, prêt à tout entendre.

— Bien sûr que si, elle veut de toi. Elle t'aime.

— Ah ouais ? Alors toi aussi, tu me prends pour un menteur, c'est ça ?

— Je n'ai pas dit cela. Je voulais seulement suggérer que tu te trompais sur ses sentiments.

Tyler leva les yeux au ciel, comme exaspéré par la naïveté de Dean.

— Explique-moi alors ce que je fais ici.

Dean se demanda comment Carol avait présenté à Tyler son séjour dans le Montana. Elle lui avait paru particulièrement énervée, au téléphone, mais il espéra qu'elle avait fait preuve d'un peu plus de mesure avec son fils.

— Tu es ici, répondit calmement Dean, parce que je souhaite passer du temps avec toi.

— Mais bien sûr ! dit Tyler, qui ramassa un caillou par terre pour le lancer de toutes ses forces contre un arbre. Ne me raconte pas d'histoires, d'accord ? Je ne suis pas idiot.

Tyler n'était de toute évidence pas dupe, et Dean se serait presque giflé pour avoir tenté d'arranger la vérité.

— Je ne te mens pas. Je veux vraiment passer du temps avec toi. Seulement, ta mère m'a appelé la première pour me demander si je pouvais te recevoir.

— J'ai *entendu* maman t'appeler, je *sais* ce qu'elle a dit, et je *sais* que tu ne voulais pas spécialement que je débarque.

L'estomac de Dean se serra, et il se sentit minable.

— Tu n'as entendu qu'une partie de la conversation. Je n'ai jamais dit que je ne voulais pas de toi : j'ai suggéré que tu aurais peut-être envie d'aller ailleurs qu'ici.

— Ouais, peut-être, mais pourquoi m'envoyer si loin ?

Bonne question. Dean ne savait que répondre.

— Ta mère est en colère, commença-t-il. Des choses de valeur ont disparu de la maison.

— Je sais, et elle croit que je les ai volées.

— C'est le cas ? demanda Dean, en regardant Tyler droit dans les yeux.

La question sembla prendre Tyler au dépourvu, mais il se reprit rapidement.

— Pourquoi me poser la question ? Je te rappelle que je suis un menteur. En plus, tout le monde pense que je suis un voleur, alors peu importe ce que je raconte.

— Je te le demande, parce que tu es le seul à connaître la réponse. J'ignore ce qui se passe entre ta mère et toi, mais il arrive parfois que, quand deux personnes s'affrontent en permanence, il devienne préférable de mettre un peu de distance entre elles. Vous aurez tous les deux le temps de réfléchir, durant cet été.

— Elle ne réfléchira pas, railla Tyler, parce que Randy ne la laissera pas réfléchir si ça le dérange.

Tout en cueillant un brin d'herbe, Dean se dit qu'un véritable dialogue semblait enfin s'amorcer.

— Je suppose que tu ne l'aimes pas beaucoup, ce Randy ?

— Comment t'as deviné ?

— Tu as envie de me parler de lui ?

Tyler haussa les épaules.

— Te parler de quoi ? Il fait ce qu'il veut de ma mère. Elle est comme sa marionnette, et je ne supporte pas de la voir comme ça.

— C'est à ce point ?

— Je suis ici, non ?

Pour la première fois depuis son arrivée, Tyler regarda Dean dans les yeux et reprit :

— Il essaie de se débarrasser de moi depuis le jour où il a rencontré maman. Il a fini par réussir, et il s'est servi de toi pour y arriver. Alors, qu'est-ce que tu réponds à ça ?

On pouvait lire une telle douleur, un tel manque de confiance en soi et une telle amertume dans les yeux de Tyler... Comment cela avait-il pu arriver ? Comment Carol avait-elle pu se laisser manipuler de la sorte ?

— Pour être exact, expliqua Dean, Randy ne s'est pas servi de moi. Si je n'avais pas voulu que tu viennes, j'aurais refusé. Et tu n'es là que provisoirement. Ta mère veut que tu rentres à la fin de l'été.

— On parie ? demanda Tyler. Tu verras. Randy va trouver un prétexte pour convaincre ma mère de me laisser ici, ou de m'envoyer ailleurs.

L'adolescent se pencha alors pour ramasser une poignée de cailloux, qu'il lança les uns après les autres avec des mouvements chaque fois plus secs et violents. Il se tourna enfin vers Dean et dit :

— Oublions tout ça. C'est sans importance. Pour toi comme pour elle.

— Tu te trompes.

— Tu ne connais même pas ma mère. Tu ignores ce qu'elle ressent, ce qu'elle pense ou pourquoi elle agit comme elle le fait. Et je ne suis pas stupide. Je sais très bien pourquoi tu voulais que je vienne. Alors sois sympa, et arrête ton cinéma.

Puis, après avoir lancé une dernière pierre, Tyler partit en direction de la clairière.

Dean hésita à suivre son neveu, puis se ravisa. Pour l'instant, Tyler était à vif ; s'il insistait pour poursuivre la conversation avec lui, il ne ferait que perdre son temps.

Dean était toujours perturbé quand il pénétra dans la cuisine, quelques minutes plus tard. La situation, chez Carol, devait être pire que ce qu'elle avait bien voulu lui dire, et s'il devait aider Tyler, il lui faudrait en savoir plus. De toute manière, il avait plusieurs appels à passer ce matin, et il consacrerait quelques minutes supplémentaires à téléphoner à Carol.

Plongé dans ses réflexions, il manqua trébucher quand il vit Annie occupée à préparer le café à la place d'Irma.

— Bonjour, dit-elle avec un sourire chaleureux.

Ne s'attendant pas à la trouver là, il sentit son pouls s'accélérer subitement : un jean moulait la jeune femme, et le galbe de ses seins se devinait sous le débardeur couleur pêche. Contrairement à la femme qui avait autrefois partagé sa vie, Annie ne portait qu'un maquillage très discret. Quant à ses cheveux, libres, ils arrivaient à ses épaules et encadraient doucement son visage.

Il parvint à dissimuler sa réaction d'admiration et s'efforça de ne pas afficher un sourire idiot.

— Bonjour.

— Le café est presque prêt, si cela vous intéresse.

Il hocha la tête et se dirigea vers la cafetière.

— C'est ce que je suis venu chercher.

— A quelle heure voulez-vous que je serve le petit-déjeuner ?

Il s'efforça de ne pas croiser le regard d'Annie pendant qu'il cherchait sa tasse et qu'il attendait que la cafetière arrête de gargouiller. Il ne voulait pas en effet poser les yeux sur son cou délicat, ses minces bras nus, ni apercevoir son nombril, que dénudait son débardeur quand elle bougeait.

— Peu importe à quelle heure nous déjeunerons aujourd'hui. Mais une fois que les clients seront là, le personnel devra être prêt à travailler à 7 heures. Pour les clients, le petit-déjeuner sera servi entre 8 et 10 heures.

Il eut une nouvelle fois l'idée d'évoquer le dîner de la veille, mais il lui était plus facile d'éviter le sujet. Une discussion sérieuse par jour lui semblait tout à fait suffisant, et Annie pourrait mal interpréter ses compliments.

Comme Dean commençait à se servir, Annie tendit le bras pour attraper elle aussi une tasse dans le placard. Son débardeur se retroussa. Le provoquait-elle délibérément, se demanda Dean, ou bien agissait-elle en toute innocence — n'ayant aucune idée de l'effet qu'elle pouvait produire sur lui dès le matin ?

Hayley, elle, aurait su et en aurait joué. Chacun de ses mouvements était calculé. Mais les yeux d'Annie étaient si clairs et vifs, totalement dépourvus de malice, qu'il conclut qu'elle n'avait aucune intention.

Il s'éclaircit la gorge pour revenir à la réalité, et se rendit compte qu'il n'avait rempli qu'à moitié sa tasse.

— Alors, vous êtes installée ?

— Je pense, oui, répondit-elle en s'avançant vers lui.

Dean déglutit difficilement… mais comprit qu'elle voulait seulement la cafetière, et il essaya d'ignorer les picotements qui remontèrent le long de son bras quand les doigts d'Annie le frôlèrent.

— Et Nessa ? Elle se fait à l'idée que je n'installerai pas d'antenne satellite pour capter MTV ?

— Elle vous l'a vraiment demandé ? s'enquit Annie, embarrassée.

— Et comment !

— Je vous demande pardon pour elle. Je lui avais interdit de le faire, mais elle part du principe qu'il n'y a pas de mal à oser, s'excusa Annie en rougissant.

Dean but une gorgée de café et s'efforça d'ignorer combien ce rouge aux joues était charmant.

— Il n'y a pas de mal, à condition qu'elle considère « non » comme une réponse définitive.

— C'est le problème : elle abandonne rarement.

— Vraiment ? répondit Dean en souriant. Je suis moi aussi têtu. Et je me bagarre bien.

Quand le regard d'Annie croisa le sien, il eut l'impression de ne plus savoir respirer.

— Ne le dites jamais à Nessa, parce qu'elle adore la bagarre.

— Moi aussi, et je suis plutôt doué.

— J'ai bien compris, répondit Annie avec un sourire.

Elle semblait différente ce matin. Dean n'arrivait pas à déterminer ce qui avait changé en elle, mais il aimait ce changement.

— Comment cela ? On vous a parlé de moi ?

Le sourire d'Annie s'élargit un peu plus.

— J'ai fait connaissance avec votre côté grincheux le jour de mon arrivée ici.

Mal à l'aise, Dean lui adressa un sourire qui ressemblait à une grimace et il posa sa tasse. La franchise d'Annie le surprit. Hayley détestait ses sautes d'humeur, et elle avait raison. Mais lui détestait tout autant la manière dont elle le harcelait et le culpabilisait pour qu'il change d'attitude.

— Oui, dit-il enfin à Annie. Je comprends, et je vous présente mes excuses. Je ne me comporte pas tout le temps de manière aussi rustre. Enfin, je fais des efforts…

— C'est bon à savoir. Y a-t-il d'autres facettes de votre personnalité que je doive connaître ?

Certes…, songea Dean. Mais il songea aussi, dans le même temps, qu'Annie n'avait pas besoin de la connaître. Quel intérêt, pour elle, de savoir qu'elle lui plaisait ? A lui qui s'était pourtant juré de ne plus s'intéresser à l'autre sexe pendant un sacré bon moment.

Un silence embarrassé s'installa entre eux et Dean vit, au soudain changement d'expression d'Annie, qu'elle prenait conscience, avec étonnement et surprise, de ce qui était en train de passer entre eux. Dean aurait juré que l'horloge s'était arrêtée, que la nature avait cessé de bruisser, que la brise ne soufflait plus. Pas un murmure pour venir meubler le silence.

Combien de temps demeurèrent-ils ainsi ? Mystère… Puis des pas lourds résonnant sous le porche et le sifflotement familier de Gary vinrent mettre fin à ce moment hors du temps. Annie regarda vers la porte, et il n'en fallut pas plus à Dean pour sortir de sa propre fascination.

Il traversa la cuisine et passa à côté de Gary en marmonnant « Bonjour ».

Que venait-il de se passer ?

Ou plutôt, comment avait-il pu permettre que cela arrive ?

Il refusait d'avoir une aventure avec une femme, qui plus est une employée. C'était la catastrophe assurée. Et surtout, il refusait d'avoir une aventure avec une femme qui lui rappelait tellement Hayley — même si, pour être complètement honnête avec lui-même, il devait reconnaître que cette ressemblance lui semblait de moins en moins flagrante.

Alors, soudain, il éprouva une colère sourde envers Gary. Un véritable ami l'aurait mis en garde au sujet d'Annie, lui aurait dit à quoi elle ressemblait et l'aurait averti qu'elle était capable d'envoûter n'importe quel homme de son seul sourire ! Et il n'aurait pas laissé Dean seul en sa présence s'il avait eu la moindre idée des pensées que lui inspirait sa cousine !

Arrivé aux écuries, il ouvrit la porte d'un puissant coup d'épaule, comme pour passer sa colère, sa frustration et sa surprise sur un innocent morceau de bois. Mais la douleur qui lui déchira l'épaule le fit se mettre à genoux et lui arracha un cri.

Il laissa tomber sa tasse et, à travers le brouillard rouge de l'agonie, il sentit le café tiède se renverser sur son jean. Il tenta de reprendre son souffle et de réprimer les larmes qui lui brûlaient les yeux. Posant sa main valide sur son épaule, il serra les dents pour ne pas crier de nouveau.

Perdait-il l'esprit ? Comment avait-il pu oublier, même l'espace d'un instant, qu'il ne pouvait utiliser son bras gauche pour ouvrir la lourde porte de l'écurie ? Surtout si violemment ? Cette femme allait-elle le rendre fou ? Le détruire ?

Il s'assit à même le sol et tourna lentement son regard vers la maison. Et nuança sa pensée. C'était tout bonnement incroyable, et pourtant… : pour la première fois depuis son accident, le temps d'un troublant tête-à-tête avec Annie, il avait connu quelques minutes sans ressentir la moindre douleur.

Annie fit de son mieux pour que Gary ne se rende pas compte de son trouble après ces quelques instants avec Dean. Cela avait été un moment étrange, et totalement inattendu, mais elle refusait de croire qu'il signifiait vraiment quelque chose. Elle ne savait pas trop si elle se sentait attirée par lui. Elle avait peut-être seulement réagi en comprenant qu'il était tout simplement humain. Ou alors, elle avait réagi de manière exagérée, parce que Dean était le premier homme à l'avoir regardée en huit longs mois. Le premier homme à l'avoir *vraiment* regardée depuis des années.

Oui, il n'y avait rien de plus. Et cela expliquait pourquoi ses joues la brûlaient, ses mains tremblaient, et pourquoi il lui avait fallu un moment avant que son cœur ne recouvre un rythme normal. Discrètement, elle glissa un coup d'œil en direction de Gary, qui était appuyé contre le plan de travail à boire du café et parler. Elle remplit de nouveau sa tasse et la tint à deux mains en s'efforçant de se concentrer sur ce que disait son cousin, et d'oublier les beaux yeux bruns de Dean et la douce toison blonde de ses bras musclés.

Elle porta la tasse à ses lèvres, en espérant qu'une nouvelle gorgée lui permettrait de reprendre ses esprits, et elle renoua avec la conversation juste au moment où Gary lui disait :

— Les chevaux arriveront mardi après-midi. Tu devrais venir aux écuries, pour l'occasion.

Sentant qu'elle aurait besoin de s'occuper l'esprit tant qu'elle serait ici, elle répondit :

— Bonne idée. Rappelle-le-moi le matin même, d'accord ?

— Pas de problème, mais à moins de te trouver sur une autre planète, tu les entendras arriver. Les chevaux et les cow-boys se déplacent rarement en silence.

Après un coup d'œil autour de lui, il demanda :

— Qu'est-ce qu'il y a pour le petit-déjeuner ?

Annie posa sa tasse et décida qu'il était temps de retomber sur terre et de se mettre à cuisiner. Elle sortit d'un placard le cahier que Dean lui avait remis, et consulta les menus. A la seule lecture de ce qu'il avait prévu, elle sentit son cholestérol grimper en flèche.

— Des œufs, du bacon, des saucisses, des pommes de terre sautées. Tu manges *vraiment* ça tous les matins ? demanda-t-elle à Gary.

— La plupart du temps, oui.

— Et tu es toujours en vie ?

— J'ai l'air mort ? répondit Gary en souriant. Tu sais, Annie, tu es dans un autre monde, ici. Les gens qui sont obligés de payer pour faire de l'exercice se contentent peut-être d'un bol de céréales et d'un peu de salade de fruits, mais cela ne suffit pas quand tu passes ta journée à fendre du bois ou débourrer des chevaux.

Annie prit une poignée de pommes de terre dans un panier posé par terre et dit :

— Tu ne penses pas que la plupart des clients — qui ne sont pas de rudes travailleurs du coin — souhaiteront des repas plus légers ?

— Peut-être. Mais garde à l'esprit que certaines personnes paient des fortunes pour oublier, le temps des vacances, le cholestérol et les calories.

— Pourquoi ne pas leur laisser le choix, dans ce cas ?

— Sans doute, répondit Gary en haussant les épaules. Tu n'as qu'à en parler avec Dean. Moi, je ne m'occupe pas des repas.

Annie sentit l'excitation la gagner.

— Crois-tu que j'aie des chances de le convaincre de proposer deux formules plutôt qu'une seule ?

— Je dirais que cela dépend de son humeur du jour et de la manière dont tu présentes les choses. Mais, à ta place, je ne le bousculerais pas : il va devoir s'occuper de Tyler plus qu'il ne le pensait.

Annie se dirigea vers le réfrigérateur pour y prendre des œufs et du lait, mais la scène qui se déroulait à l'extérieur attira son attention, et elle s'arrêta pour mieux regarder. Nessa était en train de parler avec Tyler. Ils se promenaient dans la clairière, proches l'un de l'autre, et Nessa éclata soudain de rire.

Gary traversa la cuisine pour rejoindre Annie.

— Un problème ?

— Pas vraiment, répondit celle-ci en souriant.

— Pas vraiment, ou pas du tout ?

Annie n'aima pas savoir que ses pensées étaient si facilement déchiffrables.

— Pas vraiment, répéta-t-elle. C'est juste qu'il ne me reste que trois mois avant que Nessa n'emménage avec Spence, et j'ai l'impression de reculer encore sur la liste de ses priorités.

Le sourire de Gary s'évanouit.

— Veux-tu que je parle à Tyler ?

— Non. Bien sûr que non. Je ne devrais pas être surprise que les deux seuls adolescents de cet endroit passent du temps ensemble. Je dois commencer à devenir égoïste.

— Ce n'est pas l'adjectif que j'aurais choisi.

D'un geste de la main, Annie balaya ses inquiétudes.

— Peu importe. Ils se promènent seulement ensemble, et ils ne font rien de mal. Et je dois m'habituer à la laisser voler de ses propres ailes.

— Alors, tu vas vraiment la laisser emménager chez son père ? s'enquit Gary.

— Ai-je le choix ? demanda-t-elle sur un ton un peu sec.

Annie essaya de se détendre avant de reprendre :

— Nessa est autant la fille de Spence que la mienne, et il n'y a aucune raison logique pour l'en empêcher.

— Qui te parle d'être logique ?

Laissant échapper un petit rire tendu, Annie répondit :

— Il le faut. Si j'essaie de résister, je finirais par la perdre complètement.

Elle passa une mèche de cheveux derrière son oreille, et répéta les paroles qu'elle se récitait comme un mantra depuis quelques semaines.

— Je vais devoir apprendre à vivre en la sachant à plus de mille cinq cents kilomètres de moi, et je ne pense pas que j'y survivrai si elle me déteste.

— Il n'y a donc que deux options possibles ?

— On dirait. En réalité, je me réjouis qu'elle apprécie la compagnie de Tyler : ça calmera peut-être son envie de retourner passer l'été à Chicago.

Se penchant vers la fenêtre, Annie essaya d'apercevoir les jeunes gens, mais ils avaient déjà disparu.

— N'empêche que, par moments, j'aimerais qu'elle pense un peu moins aux garçons.

Avec un léger sourire, Gary demanda :

— Corrige-moi si je me trompe, mais ne pensais-tu pas autant aux garçons quand tu avais son âge ?

— Si, et vois où cela m'a menée. Mariée juste après le lycée. Enceinte après moins d'un an de mariage… Non pas que je regrette d'avoir eu Nessa. Mais parfois je me demande ce qui se serait passé si Spence et moi n'avions pas eu tellement envie de vite devenir adultes.

— C'est l'une des questions sans réponse, non ?

— Sans doute.

— Arrête de ressasser le passé, Annie. C'est un jeu dangereux et qui ne t'apportera rien de bon.

— Je ne ressasse pas, j'essaie de préparer l'avenir. Je refuse que Nessa commette les mêmes erreurs que moi.

— Et tu crois pouvoir faire quelque chose pour ça ?

— Plus pour longtemps. Mon peu d'influence prendra fin en septembre.

Gary lui adressa un clin d'œil.

— Tu te fiches de moi ? Je ne sais pas pour ta mère, mais la mienne continue d'avoir beaucoup d'influence sur ses enfants.

A contrecœur, Annie sourit à son tour.

— Peut-être, mais ce n'est pas la même chose.

— Tu as raison. Cela dit, Nessa est en train de devenir adulte. Peu importe où elle vit, ou avec qui elle vit : votre relation va évoluer. C'est la vie.

Annie cassa des œufs dans un bol et passa sa frustration à les battre en omelette.

— Je le sais. Mais as-tu idée de ce que je ressens en songeant qu'elle va partir vivre chez son père ? En la sachant à l'autre bout du pays sans pouvoir être là si elle a besoin de moi ?

Toutes les émotions qu'elle s'efforçait de refouler depuis des semaines resurgirent.

— J'en veux à Spence d'avoir eu une telle idée, et j'en veux à Nessa d'avoir accepté ! Et je ne peux rien faire, parce que plus j'essaie de discuter avec elle, et plus elle se braque.

Gary se rapprocha et passa un bras autour des épaules de sa cousine.

— Nessa semble intelligente. Sérieuse et digne de confiance. Tout ira bien.

Ravalant ses larmes, Annie hocha la tête.

— Je le sais, sinon je n'aurais pas cédé. Je suis peut-être simplement jalouse parce que Catherine va prendre ma place auprès de Nessa, faire avec elle ce que *je* devrais faire avec elle : le shopping, parler des garçons…

Elle sentit une boule se former dans sa gorge et elle dut poser son fouet pour essuyer ses larmes.

— Tu sais, c'est ça le pire. Devoir passer la main à une autre femme, et qui plus est la femme que je déteste le plus au monde.

— Celle avec qui tu as surpris ton ex-mari ?

— La seule et unique.

— Aïe…

— Comment en sommes-nous arrivés à parler de tout ça ? Si je commence à penser à Spence et Catherine, je vais rater tout le petit-déjeuner.

— Dans ce cas, arrête de penser à eux. Et prépare-moi à manger avant que je ne tombe d'inanition.

Avant de sortir de la cuisine, il se retourna et demanda :

— Ça va aller ?

— Ne t'inquiète pas. Merci.

Il sortit de la cuisine en poussant les portes battantes d'une épaule et ajouta :

— N'oublie pas les saucisses et le bacon. Je suis en pleine croissance, et j'ai besoin de vitamines.

Annie le visa avec une orange et rit comme il l'attrapait avant de disparaître. Elle se sentait épuisée de s'être confiée et d'avoir libéré les émotions qui la torturaient, mais elle recouvra rapidement un regain d'énergie en se remettant à cuisiner. Elle trouva son rythme et, bientôt, se laissa emporter par le travail.

Elle adorait inventer de nouvelles recettes, et elle se demandait si elle aimerait autant enseigner à l'école hôtelière. Déterminée, elle résolut d'ignorer ses doutes et se rappela qu'elle devait aller de l'avant et non regarder en arrière. Il était en effet trop tard pour douter, maintenant…

# 6.

Le mardi matin, l'atmosphère semblait crépiter d'excitation à cause de l'arrivée imminente des chevaux. Les avait pris une tasse supplémentaire de café pour le petit-déjeuner ; Dean et Gary sursautaient au moindre bruit en provenance de l'extérieur ; et Irma regardait sans arrêt par la fenêtre, « au cas où ». Même Nessa et Tyler semblaient se prendre au jeu.

Annie ne ressentait pas la même excitation, mais elle avait envie de partager ce moment avec les autres. Par ailleurs, cette ambiance de fête lui donnait un bon prétexte pour préparer un déjeuner un peu plus élaboré.

Elle passa donc sa matinée à pétrir de la pâte à pain, qu'elle laissa lever au soleil, puis elle prépara du poulet au parmesan accompagné de tomates.

Une fois le poulet prêt à enfourner, elle dressa la table qu'elle décora avec quelques fleurs fraîches. Après avoir ajouté des serviettes blanches, elle recula pour admirer le résultat.

Toutefois, sa satisfaction fut de courte durée, et elle fut de nouveau envahie par ses doutes concernant son aptitude et surtout son envie d'enseigner.

Plongée dans ses réflexions, elle sursauta de surprise quand le téléphone sonna. Mais le temps qu'elle décroche, la sonnerie avait cessé. Quelques secondes plus tard, la voix d'Irma annonça depuis le haut de l'escalier :

— Téléphone pour vous, Annie.

Celle-ci essuya ses mains sur son tablier, puis se dirigea vers le téléphone mural en se demandant qui pouvait appeler. Elle avait laissé le numéro d'Eagle's Nest à sa mère et au directeur de l'école hôtelière, mais elle ne pensait pas qu'on l'appellerait si tôt.

— Annie, dit une voix masculine familière qui lui parut complètement incongrue dans cette cuisine ensoleillée.

— Spence ? Que se passe-t-il ?

— C'est ce que j'aimerais savoir. Nessa m'a laissé un message il y a deux jours, et elle n'avait pas l'air contente.

Annie se laissa tomber sur une chaise, en bout de table, persuadée que le nuage qui venait soudainement d'assombrir la pièce était le seul fruit de son imagination.

— Qu'a-t-elle dit ?

— Juste que je devais la rappeler.

— Elle t'a appelé il y a deux jours, et tu ne cherches à savoir pourquoi qu'aujourd'hui ?

— Ne commence pas, Annie. J'étais occupé, et je sais bien que s'il y avait réellement eu un problème, tu t'en serais occupée.

Cette marque de confiance ne suffit pas à atténuer le mécontentement d'Annie, qui ne put s'empêcher de se demander quelle aurait été la réaction de Spence si leurs rôles avaient été inversés.

— Dans ce cas, pourquoi m'appeler ? Pourquoi ne pas parler directement à Nessa ?

— Je voulais me renseigner sur ce qui se passe réellement avant de lui parler. Et franchement, je ne veux pas risquer de lui donner raison contre toi.

Annie laissa échapper un petit rire tendu.

— J'étais prête à te croire, mais tu viens de prononcer une phrase de trop.

— Que dois-je comprendre ? demanda froidement Spence.

— Que cela fait longtemps que tu ne t'es pas sérieusement demandé si tu joues contre moi ou pas !

— C'est faux.

— Ah oui ? T'en es-tu inquiété quand tu as convaincu Nessa de ne pas me suivre à Seattle ?

Avec un profond soupir, Spence répondit :

— Je n'ai pas influencé sa décision.

— Bien sûr que si.

— J'ai *proposé* qu'elle reste chez moi, Annie, et seulement parce qu'elle semblait bien décidée à ne pas quitter Chicago. Est-ce que tu aurais agi différemment, à ma place ?

Annie savait qu'elle laissait son cœur blessé diriger son jugement, ce qu'elle détestait. Elle se força donc à répondre à la première question de Spence avec plus d'objectivité :

— Elle va bien, Spence. Inutile de t'inquiéter. J'ignore pour quelle raison elle t'a appelé, si ce n'est que la vie ici est différente de celle qu'elle connaît, en ville, et qu'elle a besoin de s'adapter. Mais tout ira bien. Il lui faut seulement un peu de temps.

— C'est ce que je pensais.

Spence exhala ensuite un profond soupir, et Annie l'imagina assis derrière son bureau, son éternelle tasse de café posée à côté de lui, et ses cheveux noirs légèrement décoiffés à force d'y passer la main.

Elle connaissait Spence par cœur. Et, maintenant qu'ils étaient séparés, cette connaissance intime d'un être lui manquait. Elle n'avait plus d'âme sœur. Ce manque expliquait aussi certainement pourquoi elle s'était crue attirée par Dean.

— Bien, mais je dois lui parler quand même, reprit Spence. Elle est près de toi ?

Annie s'efforça de se concentrer de nouveau sur la conversation, et regarda à l'extérieur.

— Elle doit être aux écuries, et il n'y a pas de téléphone là-bas. Veux-tu que je lui demande de te rappeler quand elle reviendra ?

— Si elle le souhaite. Je ne veux pas m'imposer dans votre été.

90

Fermant les yeux, Annie se massa le front.

— Je me demande si je dois te remercier ou t'en vouloir.

Spence rit doucement.

— Si j'ai le droit de donner mon avis, je vote pour la première solution. Tu sais, je n'essaie pas de me comporter en salaud, et je regrette de t'avoir fait souffrir après toutes ces années ensemble. Je ne veux pas en rajouter.

Annie préféra ne pas relever car soit elle aurait pleuré, soit elle aurait eu des paroles méchantes, et elle ne souhaitait ni l'un ni l'autre.

Quand Spence comprit qu'elle ne répondrait pas, il changea de sujet.

— Alors, tu aimes ton travail dans cet hôtel-ranch ?

S'éclaircissant la gorge, elle parvint à répondre :

— Tout va bien, pour l'instant. Mais je ne suis pas ici depuis assez longtemps pour juger.

— Tu envisages réellement d'y passer tout l'été ?

— Et pourquoi pas ?

— Parce que tu es habituée à vivre en ville, et pas au milieu de nulle part.

— Spence, tu sais pourquoi je refuse de rester à Chicago.

— Je ne voulais pas parler uniquement de Chicago. Tu m'as aidé à diriger ce restaurant après le décès de papa, et il n'est plus le même sans toi.

Il s'était montré si déterminé à rester l'unique propriétaire du restaurant familial quand ils avaient entamé la procédure de divorce qu'Annie fut étonnée.

— Que veux-tu insinuer ?

— Tu as travaillé trop dur pour tirer un trait sur ta carrière de chef.

— Inutile de t'en faire pour moi, lui assura Annie. Je ne « tire pas un trait » sur ma carrière, je change seulement de direction.

— La mauvaise direction. Tu es un chef reconnu, Annie, pas un professeur de cuisine et encore moins une cuisinière de ranch. Ce que tu fais actuellement est largement en dessous de ta valeur et de tes capacités.

L'opinion de Spence énerva Annie. Pire, elle ne fit qu'amplifier les doutes qui l'envahissaient.

— Je ne considère pas que ce travail soit indigne de moi, affirma-t-elle. Je me sens bien, ici.

— Enfin, Annie ! Tu adores relever les défis et, là, tu régresses ! Nom d'un chien, ne ruine pas tes ambitions et ton talent uniquement pour nous éviter, Catherine et moi.

— Tu n'y es pas du tout. Même si cela te surprend, Spence, tu dois comprendre que, désormais, je ne te prends plus en compte quand je décide de quelque chose pour moi-même.

— Alors, tu ne quittes pas Chicago pour t'éloigner de moi ?

Plus il insistait, plus il exaspérait Annie.

— Je pars pour commencer une nouvelle vie.

— Soit… Mais après seize années de mariage et un enfant ensemble, moi, je tiendrai toujours compte de toi dans *mes* décisions.

Une tentative aussi flagrante de la faire culpabiliser la mit hors d'elle.

— Est-ce que cela comprend aussi ta décision de coucher avec Catherine alors que nous étions mariés ?

— Cela n'a rien à voir avec Catherine : il s'agit de toi. Je me soucierai toujours de toi.

Annie laissa échapper un petit rire et se leva pour regarder par la fenêtre.

— Trop aimable. Je te rappelle que j'ai vu de mes propres yeux de quelle manière tu te soucies de moi.

— C'est sans doute plus facile de me tenir pour seul responsable de tout, dit Spence sur un ton sec et contrarié. Notre mariage était terminé longtemps avant ma rencontre avec Catherine, et c'est autant ta faute que la mienne. Je reconnais avoir commis une erreur en te trompant avec elle alors que notre séparation n'était pas effective, mais ce n'est pas ma liaison qui a mis fin à notre mariage. Alors pourrions-nous, s'il te plaît, arrêter de ressasser cet épisode ?

Malgré les efforts d'Annie pour conserver son calme, la douleur et la colère si familières bouillaient en elle.

— Un épisode ! lança-t-elle. Si tu pensais que notre mariage était devenu si invivable qu'il te fallait coucher avec Catherine pour le supporter, tu aurais pu m'en informer ! Maintenant, à moins que tu n'aies quelque chose d'important à me dire concernant Nessa, nous allons mettre un terme à cette conversation.

Elle lui laissa cinq secondes pour répondre, puis elle raccrocha. Ensuite, elle fut prise de petits tremblements nerveux et dut se rasseoir. Elle tenta de respirer profondément pour se calmer, mais ses émotions étaient trop vives et trop confuses.

Annie était furieuse contre Spence, mais elle ne ressentait pas uniquement de la colère, et ces autres sentiments la perturbaient au plus haut point. Elle ne savait plus si elle le détestait, ou bien s'il la bouleversait autant parce qu'une part d'elle-même l'aimait encore.

Comme elle se levait, elle vit Dean passer à l'extérieur, chacun de ses pas soulevant la poussière alors qu'il se dirigeait vers les écuries.

Le cœur d'Annie se mit à battre un peu plus vite, mais elle ferma rapidement les yeux. Si elle ne savait pas exactement ce qu'elle ressentait pour Spence, elle savait en revanche avec certitude qu'elle devait chasser Dean de ses pensées. Il y avait en effet trop de questions en suspens pour l'instant.


Deux longues heures après avoir raccroché au nez de Spence, Annie suivit une lente caravane de camionnettes et de vans en direction des écuries. Bien qu'elle ne partageât toujours pas l'enthousiasme général, elle aurait été prête à regarder l'herbe pousser si cela avait pu lui changer les idées.

Debout près de la clairière, elle trouva Les — un petit homme trapu aux cheveux blancs clairsemés, et qui portait son habituelle chemise blanche avec une salopette rayée. Il faisait de grands signes avec les bras et criait pour diriger les véhicules. A travers les nuages de poussière, elle pouvait apercevoir Gary, et Nessa qui se tenait avec Tyler de l'autre côté du paddock.

A seulement quelques mètres d'Annie, Dean surveillait tout ce qui se passait. Debout sur la dernière barre de la clôture, il criait des ordres aux hommes qui avaient amené les chevaux. Il était difficile de croire à l'histoire qu'Irma lui avait racontée, et Annie avait beau observer Dean, elle ne décelait pas la moindre séquelle d'une blessure.

Ses deux épaules étaient aussi larges et fortes l'une que l'autre. Il avait enlevé sa chemise et on pouvait voir ses muscles onduler sous les manches de son T-shirt. Annie avait toujours considéré Spence comme un homme sportif et en bonne santé, mais il n'avait rien de comparable avec Dean.

Celui-ci se tourna. Il s'aperçut qu'Annie l'observait, et il l'invita à le rejoindre. Gênée d'avoir été prise en flagrant délit et toujours déterminée à garder la tête froide, Annie hésita — jusqu'à ce que deux hommes fassent sortir un énorme cheval d'un van juste devant elle. La vue de ses larges sabots et de son puissant arrière-train la décida à bouger.

S'efforçant de ne pas s'étouffer en respirant la poussière, elle piqua en direction du corral et sauta sur la barrière, à côté de Dean. Ensuite, elle s'agrippa à la barre la plus haute pour ne pas tomber, et Dean la regarda avec un grand sourire.

— Ça va ?

— Oui, merci. Seulement un peu impressionnée par la taille de ces animaux.

Le léger sourire en coin de Dean et l'inattendue lueur de malice qui brillait au fond de ses yeux firent s'accélérer les battements de son cœur.

— J'espère que ma présence ne vous dérange pas, dit-elle en tournant la tête. Gary a pensé que cela m'intéresserait.

— Pourquoi votre présence me dérangerait-elle ?

— Vous ne m'avez pas engagée pour traîner.

— Je ne vous ai pas engagée non plus pour que vous passiez la journée enfermée dans la cuisine, répondit-il.

Il bougea légèrement et son bras frôla celui d'Annie, laissant une sensation de tiédeur sur sa peau.

— Tant que les repas sont servis à l'heure, vous pouvez allez où vous voulez ou faire ce que bon vous semble.

Annie passa une main sur son bras, en essayant de recouvrer des sensations normales. Décidément, elle ne savait plus où elle en était, s'interrogeant sur ses sentiments pour son ex-mari à un moment, et éprouvant le béguin pour son patron le moment suivant.

Dean lui adressa un regard étrange, mais il détourna les yeux immédiatement. Après avoir pris une profonde inspiration, il dit enfin :

— Au fait, le déjeuner était très bon.

Troublée par le compliment, Annie rougit légèrement.

— Merci. J'avais envie de préparer quelque chose de spécial.

— Et vous avez réussi, répondit-il en la regardant rapidement. C'était légèrement différent des sandwichs et des chips que j'avais prévus.

Cette fois, ce fut Annie qui détourna le regard.

— Je sais. Je n'essaie pas de jouer les fortes têtes, mais je voulais seulement préparer un repas particulier, parce que la journée semble vraiment spéciale pour vous tous.

Dean hocha lentement la tête mais demeura silencieux. Il fit signe à deux hommes de se diriger vers le corral, cria des ordres à d'autres et finit par descendre de la barrière pour aider à guider un cheval particulièrement têtu. Mais même là, Annie sentit qu'il n'était que partiellement concentré sur son travail, et elle ne pouvait s'empêcher de se demander si elle était la raison de sa distraction.

Elle resta à son poste d'observation pendant que les allées et venues des chevaux et des hommes soulevaient un épais nuage de poussière. Pour un homme qui était devenu récemment cow-boy, Dean semblait se comporter en professionnel. Il évoluait avec précision et semblait aussi à l'aise que les autres. De toute évidence, Les avait été un excellent professeur.

Quand Annie se rendit compte que son attention était focalisée sur Dean depuis plusieurs secondes, elle se força à regarder ailleurs. Pourtant, malgré ses efforts, son attention revenait toujours vers lui. Sa voix semblait dominer légèrement celle des autres, tandis que sa présence paraissait plus affirmée. Cela faisait longtemps qu'Annie n'avait pas éprouvé une réaction physique aussi intense pour un homme. En fait, pas depuis qu'elle était tombée amoureuse de Spence — et cela l'effraya.

Le fait que Spence l'ait trompée avait bousculé sa confiance en elle. Elle doutait de son pouvoir de séduction et aurait sans doute réagi de la même manière face à n'importe quel homme lui ayant manifesté un quelconque intérêt. Bref, il fallait qu'elle prenne garde. Elle avait déjà vu certaines de ses amies le cœur en miettes pour s'être entichées d'un homme qui ne leur convenait pas du tout, et elle refusait de commettre la même erreur.

Quand le calme commença à revenir, Dean rejoignit Annie, et il lui demanda en lui adressant un de ses sourires en coin si séduisants :

— Alors, qu'en pensez-vous ?

De toute évidence, le déjeuner était oublié. Dans un moment de faiblesse, ce sourire aurait facilement pu ébranler ses bonnes résolutions, mais Annie s'obligea à l'ignorer.

— Les chevaux ? Ils sont magnifiques.

— Vous montez ?

— J'ai bien peur que non.

Annie regarda passer un cow-boy dégingandé qui menait par la longe un cheval à la démarche tout aussi nonchalante, et elle frémit face à la taille de l'animal.

— A part un tour en calèche quand j'étais petite fille, c'est la première fois que j'approche un cheval de si près.

— Vous aimeriez apprendre ?

— Je ne crois pas. Ils sont au moins trois fois plus gros que je ne l'imaginais.

Dean rit doucement.

— Ils doivent être forts pour le travail qu'ils font. Mais ces chevaux ont été entraînés pour transporter des novices, et la plupart d'entre eux sont très patients.

— La plupart ?

— Gary et moi aimons que nos propres chevaux aient un peu de caractère, mais ces chevaux de trait sont doux comme des agneaux. Si cela vous intéresse, ajouta-t-il en montrant un cheval alezan près de la porte des écuries, je m'assurerai que l'on vous donne une gentille jument, comme Maisie.

Alors que la plupart des chevaux bronchaient et s'agitaient, Maisie restait impassible. Néanmoins, Annie n'était toujours pas tentée.

— Je ne sais pas, répondit-elle avec un petit rire tendu. Je ne vous serais plus d'une grande utilité avec un bras ou une jambe dans le plâtre.

— Comme vous voulez, mais pensez-y, suggéra Dean.

Il observa attentivement le visage d'Annie et son regard plongea dans celui de la jeune femme avant qu'elle n'ait eu le temps de s'y préparer.

— Cette bonne vieille Maisie est aussi gentille qu'un cheval puisse l'être, et je vous promets que nous irons à votre rythme. Je ne vous laisserai pas seule avec elle tant que vous ne vous sentirez pas prête.

Annie retint sa respiration pendant que le regard de Dean s'attardait sur son visage. La simple perspective de passer du temps avec Dean lui aurait presque donné envie de sauter sans attendre sur le dos de Maisie, mais elle finit par recouvrer son bon sens et se contenta de hocher la tête.

— Je vous promets d'y réfléchir.

L'un des employés appela Dean, et il dut à contrecœur la quitter du regard. Il dit quelque chose qu'Annie ne saisit pas puis il partit et elle put enfin respirer.

Accrochée à la barrière, elle l'observa, étonnée qu'un homme de sa stature puisse marcher avec une telle grâce — aussi féline que virile. Elle ne s'était jamais sentie attirée par les sportifs. Même au lycée, alors que toutes ses amies rivalisaient d'astuces pour attirer l'attention des membres de l'équipe de football ou de basket-ball, Annie s'intéressait plutôt aux garçons plus discrets. Mais aujourd'hui, quelque chose dans la démarche de Dean la fascinait et elle ne pouvait détourner le regard.

Elle tenta pourtant de se répéter les innombrables raisons pour lesquelles elle ne devait pas penser à Dean : il était son patron ; elle ne resterait pas à Eagle's Nest ; elle était encore émotionnellement fragile et pas officiellement divorcée… Et même si elle se sentait sincèrement attirée par Dean, ils n'avaient aucun avenir possible ensemble. Ils menaient l'un et l'autre des vies complètement opposées, et Annie n'avait pas envie d'une aventure pour l'été.

Et si cela ne suffisait pas, il ne lui restait plus que trois mois à partager avec Nessa, et elle ne pouvait se permettre de se disperser. Cet été devait en effet être le meilleur qu'elles passeraient jamais ensemble.

Annie regarda alors autour d'elle, et elle trouva enfin Nessa et Tyler. Malgré la distance, elle pouvait lire de la fascination sur le visage de sa fille, et elle distinguait une petite lueur d'excitation au fond de son regard.

Annie remarqua Dean se dirigeant vers son neveu, et l'attitude de Tyler changea immédiatement. Nessa se tourna vers Dean et lui parla, et Tyler sauta de la barrière et s'éloigna. Dean le suivit alors, et Tyler se retourna et cria quelque chose à son oncle. Il y avait trop de bruit pour entendre ce qu'il disait, mais son animosité était claire et même Nessa sembla surprise.

Dean, pour sa part, s'arrêta net, et Annie eut l'impression d'avoir assisté à une scène intime et douloureuse.

Elle tourna alors son regard vers le paddock et essaya d'oublier ce moment. Mais le bruit et la poussière ne parvinrent à effacer de son esprit ni la colère de Tyler, ni la douleur et la confusion qu'exprimait Dean.

Il semblait que Dean avait aussi peu besoin qu'elle d'une amourette dans sa vie…

Espérant passer un peu de temps avec Nessa avant le début de la journée de travail, Annie se leva tôt le lendemain matin et se dirigea immédiatement vers les douches. Le soleil commençait juste à poindre derrière les montagnes, mais la vallée était encore dans l'ombre et Annie frissonna.

Elle referma la porte derrière elle, se félicitant qu'il fasse meilleur à l'intérieur. Même si Nessa et elle étaient les deux seules à utiliser ces douches, Annie avait chaque fois l'impression de se retrouver dans les vestiaires d'un lycée.

Trois cabines de douche étaient alignées dans le fond de la pièce, et trois miroirs étaient accrochés au-dessus de trois lavabos équipés d'une minuscule tablette. Sous une rangée de longues fenêtres, une étagères courait le long du mur et plusieurs prises électriques permettaient de brancher des sèche-cheveux.

Annie se glissa dans la dernière des cabines et se doucha rapidement. Au moment où elle nouait la ceinture de son peignoir, Nessa entra. Les cheveux de la jeune fille étaient tout ébouriffés et ses yeux encore gonflés de sommeil. Elle portait une vieille chemise de Spence en guise de haut de pyjama, et bâilla bruyamment en entrant dans une douche.

— Bonjour, ma chérie, dit Annie, tout en séchant ses cheveux avec sa serviette.

Nessa tressaillit, surprise de ne pas être seule, puis elle répondit en clignant des yeux :

— 'Jour.

— Tu as l'air fatiguée.

— Je le suis. C'est nul de se lever si tôt en vacances.

— Tu finiras par t'y habituer, je te le promets. As-tu prévu de faire quelque chose, aujourd'hui ?

— Non, pourquoi ? répondit Nessa, en haussant les épaules.

— Dean m'a dit que je pouvais faire ce que je voulais pendant mon temps libre, et je me demandais si tu n'aurais pas envie de partir en randonnée, une fois le petit-déjeuner terminé.

— Ouais, dit Nessa en grimaçant. Pourquoi pas.

— C'est juste une idée. Si tu préfères faire autre chose, il n'y a pas de problème.

— Comme tu veux.

— Tu pourrais manifester un peu plus d'enthousiasme.

— Désolée. C'est que j'avais plus ou moins prévu de travailler aux écuries avec Tyler.

— Donc, en fait, tu as *prévu* quelque chose.

— Pas vraiment. C'était juste une idée, comme ça.

Hochant pensivement la tête, Annie se demanda si Nessa accepterait de changer ses projets.

— Tu pourrais peut-être n'aller aux écuries qu'après notre promenade ?

— J'sais pas. Gary a promis de nous apprendre à monter, pour que nous puissions aider à entraîner les chevaux.

— On dirait que tout est déjà plannifié...

— On dirait, répondit Nessa en souriant d'un air penaud. Tu es contrariée ?

— J'aurais préféré que tu sois franche avec moi. Fais ce que tu as envie de faire ce matin. Nous ferons notre balade un autre jour.

Nessa mordilla sa lèvre inférieure avant de répondre :

— Tu en es sûre ?

— Absolument.

— Cool, dit l'adolescente en faisant couler la douche. Maintenant que les chevaux sont arrivés, c'est beaucoup moins ennuyeux de passer l'été ici.

Annie savait bien que les chevaux n'expliquaient pas à eux seuls le changement d'humeur de sa fille.

— En parlant d'ennui, j'ai oublié de te dire que ton père a appelé, hier. Il a dit que tu lui avais laissé un message…

— Oui… Tu es en colère ?

— Non. Tu t'attendais que je le sois ?

— Je sais que tu ne veux pas que j'habite chez lui…

Annie se tourna vers sa fille pour lui faire face.

— Ce n'est pas que je ne veux pas que tu habites chez lui, répéta-t-elle pour la énième fois, mais plutôt que je ne veux pas vivre sans toi. C'est complètement différent.

Nessa hocha la tête comme si elle avait compris, mais Annie savait que ce n'était pas le cas. En fait, elle ne comprendrait vraiment que le jour où elle serait mère à son tour.

— Je sais, maman. Et tu vas me manquer aussi.

Cet aveu fit sourire tendrement Annie.

— J'ai promis à ton père que tu l'appellerais si besoin.

— Ça va mieux, maintenant. Il a ajouté autre chose ?

Annie réfléchit un instant, puis répondit :

— Non…

— Il ne t'a pas dit si je pourrais repeindre ma chambre ?

Annie s'efforça de ne pas se laisser contrarier par la question, comme chaque fois que Nessa évoquait son emménagement chez son père.

— Non, rien.

— Et la housse de couette ? Il ne t'a pas dit si Catherine l'avait achetée ?

Annie sentit son cœur se serrer d'entendre Nessa mentionner le nom de Catherine aussi naturellement.

— Il n'en a pas parlé.

— Je suis sûre qu'elle ne l'achètera pas, répondit Nessa depuis la douche. Elle avait promis, mais elle va oublier.

Annie s'abstint de tout commentaire. Il y avait en effet quelque chose d'indécent à parler de la maîtresse de son mari avec sa fille, et le tout dans des douches en commun.

Le rideau de douche s'ouvrit de quelques centimètres, et le visage de Nessa apparut.

— Si papa retombe sur ses pieds et quitte Catherine, tu revivras avec lui ?

La question prit Annie au dépourvu, et elle manqua en lâcher la brosse à dents qu'elle tenait.

— Tu sais, ce n'est pas si simple.

— Que doit-il faire, alors ?

— Il ne peut rien faire, Nessa. Il a pris une décision qui a détruit la confiance que je lui portais, et on ne peut pas revenir en arrière.

Le regard de Nessa s'assombrit.

— Mais s'il essaie quand même ?

Parfois, le caractère obstiné de Nessa était un atout, mais pas cette fois.

— Le fait est qu'il n'a pas envie d'essayer, expliqua Annie, et il n'y a aucune raison d'en discuter. Mais même s'il essayait de regagner ma confiance, c'est trop tard.

— Il n'est jamais trop tard.

— Dans notre cas, si. Un mariage, c'est comme une maison. Si tu casses une fenêtre ou si tu fais un trou dans le mur, tu peux les réparer et la maison est de nouveau comme neuve. Mais si tu fais tomber les poutres maîtresses, la maison s'écroule. Que ton père n'ait pas de remords est presque aussi grave, pour moi, que sa liaison elle-même.

— Oui, mais…

Elles avaient déjà eu cette discussion de nombreuses fois auparavant, et Annie sentait qu'elle perdait patience.

— Nessa, il ne peut y avoir de mariage sans confiance. Après ce qui s'est passé entre ton père et Catherine, chaque fois qu'il travaillerait tard ou irait quelque part seul je me demanderais ce qu'il fait et avec qui. Je me méfierais de lui à chaque instant, et ce climat finirait par nous détruire.

— Pourtant, d'autres gens restent ensemble, insista Nessa. Comme les parents de Jodie. Pourquoi pas vous ?

— Parce que je me connais, ma chérie. Je sais ce que je ressens, et comment je réagirais en vivant avec ton père. Et comme il semble par ailleurs bien décidé à rester avec Catherine et à vivre avec elle, la question ne se pose pas.

— Mais je ne veux pas finir comme Tracee, à vivre entre deux maisons, et devoir chaque fois partager mes vacances en deux. Ce n'est pas juste.

— N'empêche que c'est ce qui a été convenu et nous devons l'accepter. Alors pourquoi ne pas renoncer à cette conversation, et parler plutôt des leçons de cheval ?

Nessa réfléchit un instant, puis disparut de nouveau dans la douche.

— Gary a promis que je monterai comme une pro avant la fin de l'été, dit-elle enfin.

Après un discret soupir de soulagement, Annie demanda :

— Et tu as envie d'apprendre ?

— Oui. Ce serait cool.

Annie frémit à l'idée de grimper sur le dos de ces énormes chevaux, mais l'enthousiasme perceptible dans la voix de Nessa était réconfortant.

— Dean aussi a proposé de m'apprendre, annonça Annie.

Le visage de Nessa apparut une nouvelle fois, affichant une expression inquiète.

— Pourquoi pas Gary ?

— C'est Dean qui s'est proposé.

— Et tu vas accepter ? s'enquit l'adolescente, de plus en plus inquiète.

— Je ne sais pas encore.

— Si jamais tu te décides, tu devrais demander à Gary. Il est nettement meilleur que Dean, et plus sympa aussi.

— *Si* je me décide, répondit Annie, je m'en souviendrai. Cela dit, que reproches-tu à Dean ? Tu me disais l'autre jour qu'il n'était au contraire pas si méchant que cela…

— Déjà, il te regarde beaucoup trop, expliqua Nessa. Et puis, Tyler dit que c'est un crétin. Et Tyler le connaît mieux que nous, tu ne penses pas ?

# 7.

Le mercredi matin, Dean prétendit être occupé à ranger du bois, à l'arrière de la maison, pendant que Tyler terminait son petit-déjeuner. Les premiers clients devaient se présenter vendredi, et Dean souhaitait atténuer l'hostilité entre son neveu et lui avant leur arrivée.

Et le moment semblait tout indiqué : Gary s'était déjà rendu aux écuries ; Les était parti en ville faire des courses ; et Irma et Annic s'affairaient toutes deux à l'intérieur. Ils ne seraient donc pas dérangés.

Dean s'arrêta pour s'essuyer le front. D'après les habitants de Whistle River, il faisait plus chaud que d'habitude pour la saison, et il espéra que cette chaleur se traduirait par une affluence au ranch pendant l'été.

Entendant le bruit des chaises glisser sur le plancher, indiquant que les jeunes avaient terminé leur petit-déjeuner, Dean se tourna vers la porte pour ne pas manquer Tyler. Nessa sortit en premier, vêtue d'une salopette et d'un T-shirt rose, et Tyler la suivit, avec ses habituelles lunettes de soleil sur le nez, et vêtu de noir de la tête aux pieds.

Tyler semblait étonnamment pressé de se mettre au travail et, après un coup d'œil furtif à Dean, il piqua droit vers les écuries.

Nessa adressa un sourire rapide à Dean en passant, mais son sourire était crispé et Dean se demanda si l'attitude de Tyler ne commençait pas à déteindre sur l'adolescente. Subitement nerveux, Dean appela :

— Tyler, viens ici, s'il te plaît.

A contrecœur, Tyler s'arrêta et tourna la tête, mais il ne fit pas demi-tour.

— Quoi ?

Dean ignora le ton insolent et répondit de manière neutre :

— J'aurais besoin de ton aide.

Tyler tourna son regard vers les écuries.

— Quoi ?

— J'ai besoin que tu m'aides à ranger ce bois. Nessa pourra prévenir Gary que tu arrives dans un moment.

Nessa acquiesça d'un signe de tête et reprit son chemin, mais Tyler resta immobile. Il observa longuement le tas de bois avant de regarder de nouveau Dean, comme s'il avait compris le subterfuge.

— Que veux-tu que je fasse ?

— Viens, et je te montrerai.

Tyler hésita pendant encore quelques secondes puis il se décida enfin à revenir sur ses pas — mais il prit tout son temps.

— D'accord, répondit-il. J'arrive, alors montre-moi.

— Nous devons empiler ce bois de manière à décharger plus rapidement le bois que Les va ramener.

Haussant les épaules, Tyler regarda Dean travailler, puis il remonta ses lunettes sur son nez.

— Si tu veux mon avis, c'est une perte de temps.

— Tu penseras autrement quand Les arrivera.

— Ah ouais ? demanda Tyler, avec un léger sourire.

Dean sentit des gouttes de sueur couler sur le côté de son visage. Il s'appuya sur une bûche et décida de jouer franc jeu.

— D'accord, ce n'est pas drôle à faire. Je cherchais surtout une occasion pour parler avec toi seul à seul.

— Pourquoi ? s'enquit Tyler, qui se raidit.

— Parce que tu m'as à peine adressé la parole depuis que je t'ai surpris en train de fumer et que nous avons besoin de parler de ce qui se passe.

Tyler donna un coup de pied dans une bûche.

— Mais oui… Comme si tu avais vraiment envie de savoir.

— J'ai envie de savoir, répondit Dean en s'asseyant et en faisant signe à Tyler de le rejoindre. Je veux savoir pourquoi tu soupçonnes Randy de vouloir se débarrasser de toi.

L'adolescent se campa fermement sur ses deux pieds et croisa ses bras.

— Pourquoi ? Pour me dire ensuite que j'ai tort ?

— Non, mais parce que je voudrais comprendre. J'ai essayé d'appeler ta mère, mais en vain.

— Ça t'étonne ?

— Ta mère semble heureuse avec lui, mais toi tu ne sembles pas le porter dans ton cœur. Comme je ne l'ai jamais rencontré, je ne peux me faire ma propre opinion, alors pourquoi ne pas m'expliquer ce que tu lui reproches ?

— J'sais pas, railla Tyler. C'est peut-être parce que lui ne m'aime pas.

Sous les sarcasmes de Tyler, Dean sentit qu'il y avait un espoir d'engager la discussion.

— Cela ne fait pas longtemps que ta mère est avec lui, et vous avez peut-être besoin d'un peu de temps pour faire connaissance.

— Je t'ai déjà dit qu'il veut se débarrasser de moi. Il sait qu'il peut faire ce qu'il veut de ma mère quand je ne suis pas là, et je le gêne. Jusqu'à présent, il s'est plutôt bien débrouillé.

Dean dut admettre que les hommes avaient toujours réussi à manipuler Carol sans trop d'efforts.

— Et qu'obtient-il de ta mère quand tu es absent ?

Avec un petit rire ironique, Tyler remonta ses lunettes sur son front.

— Tout. En fait, je connais la vérité à son sujet. Je sais ce qu'il a fait — et il sait que je sais. Il a peur que maman m'écoute et ne finisse par le mettre à la porte. Pourtant, il a tort de s'inquiéter, parce qu'elle ne m'écoute plus depuis belle lurette.

— Et si tu me racontais ce que tu sais sur Randy ?

— Déjà, il trompe maman.

— Tu en es sûr ?

— Oui. Je l'ai vu avec d'autres femmes depuis que maman et lui sont ensemble. Mais ne t'en fais pas pour elle, elle ne vas pas lui rester longtemps fidèle non plus.

Finalement, pensa Dean, la vie de Carol n'avait guère changé…

— Et je sais ce qui est *vraiment* arrivé à la bague de grand-mère, reprit Tyler. Et tout le reste qui a disparu. C'est Randy, le voleur. Je ne sais pas ce qu'il fait de l'argent, mais la bague de grand-mère est chez un prêteur sur gages, à côté de chez un copain. Je l'y ai vue il y a deux semaines.

Dean sentit son estomac se serrer. Le vol constituait déjà un délit, mais voler un bien de famille était impardonnable.

— As-tu dit à ta mère que tu avais vu la bague ?

Tyler rit amèrement.

— Oui, mais elle refuse de me croire.

— Tu connais le nom de la boutique ?

— Oui, pourquoi ?

— Il s'agit de la bague de ma mère, expliqua Dean, et je préfère l'acheter avant qu'un étranger ne parte avec.

— Et comme ça tout le monde te dira merci, hein ?

La question surprit Dean.

— Je n'en ai aucune idée, et je m'en moque.

— Vraiment ? Alors tu rachètes la bague, et ensuite ?`

— Ensuite, j'appellerai ta mère et je lui répéterai ce que tu m'as raconté. Elle doit connaître la vérité.

— Elle ne te croira pas. Elle ne croira pas que Randy ait fait quoi que ce soit de mal. Elle est *a-mou-reuse*.

L'adolescent prononça ce dernier mot avec une moue de dégoût, et compte tenu de ce que Tyler avait vécu, Dean pouvait comprendre ce qu'il ressentait.

— Mais elle me croira, assura-t-il. Ne t'en fais pas.

— Tu rêves !

Après quelques instants de réflexion, Tyler reprit :

— D'accord. La bague est chez Arrowhead, sur Mariposa Street. Le patron de la boutique est un pote de Randy, et il y a peu de chance qu'il te raconte comment il a eu la bague.

Puis il tourna les talons et partit vers les écuries.

Dean le regarda s'éloigner, et il exhala un profond soupir en se demandant ce qui pouvait bien se passer chez Carol. Elle et Tyler semblaient tous deux persuadés d'avoir raison, et la vérité se trouvait peut-être à mi-chemin...

Dean s'éclipsa juste après le dîner et monta dans sa chambre. L'envie d'appeler Carol l'avait démangé pendant toute la journée, mais il s'était raisonné. Il avait attendu que les tarifs téléphoniques soient plus bas, et il avait aussi plus de chances de la trouver chez elle le soir.

Cela faisait bien longtemps qu'il n'avait pas accordé autant attention à ses dépenses et il détestait se comporter ainsi, mais il avait investi presque toutes ses économies dans le ranch et il devait être rigoureux. Il espérait seulement que l'argent ne tarderait pas trop à rentrer dans les caisses pour pouvoir enfin reprendre une vie normale.

Une fois en haut, il ferma la porte de sa chambre et alluma la radio pour éviter que quiconque — et surtout Tyler — ne puisse surprendre sa conversation. Carol décrocha à la troisième sonnerie, et Dean devina immédiatement qu'elle avait bu.

Donc, elle avait recommencé…

Tentant d'oublier sa déception et un inexplicable sentiment d'échec, Dean se laissa tomber sur le bord de son lit. Ce n'était jamais bon de parler à Carol quand elle se trouvait dans cet état. D'un autre côté, si elle avait recommencé à boire, il n'y aurait jamais de bon moment.

Il sentit une migraine qui montait, et la douleur de son épaule se réveilla.

— C'est moi, Carol, dit-il calmement.

— Dean ? Je savais pas que tu allais appeler. Comment va ? dit-elle en faisant un effort manifeste pour articuler.

— Nous devons parler de Tyler. Combien de verres as-tu bus ?

Carol eut un léger hoquet.

— Bu ? Je te juste que j'ai seulement bu un thé.

Dean se massa le front et exhala un soupir de frustration. Il savait bien qu'il était inutile de discuter avec elle : elle persisterait à nier l'évidence et ils finiraient par perdre de vue le véritable objet de l'appel.

Alors, il ferma les yeux et se contenta de dire :

— Je m'inquiète au sujet de Tyler.

— Que se passe-t-il ? demanda Carol, sur un ton exaspéré. Il t'a volé quelque chose ?

— Non. Il est en colère et se montre arrogant, mais il n'a rien fait de mal. Tu savais qu'il fumait ?

— Oui, je le savais.

Elle répondit de manière si posée que Dean commença à perdre patience.

— Et que fais-tu pour l'en empêcher ?

— Que veux-tu que je fasse ?

— L'obliger à arrêter. Il n'est pas encore adulte.

— Si tu crois que c'est si facile, vas-y : essaie.

— J'y compte bien, crois-moi.

110

Trop agité pour rester assis, Dean se leva et commença à faire les cent pas.

— Dis-moi comment tu as essayé de le faire arrêter.

— Nous avons tout essayé, gémit Carol, avant d'avaler une gorgée. Nous l'avons privé de téléphone, privé de sorties avec ses amis. Nous lui avons interdit la télé et la musique. Nous lui avons répété maintes fois qu'il était trop jeune pour fumer. Mais il continue de voler les cigarettes de Randy.

Le regard fixé sur les pics enneigés, Dean suggéra :

— Ce serait peut-être plus facile de convaincre Tyler d'arrêter si Randy ne fumait pas.

— Tu accuses Randy, maintenant ? s'indigna d'emblée Carol, et Dean sut que Tyler avait au moins raison sur ce point. Randy est adulte, reprit-elle. Pas Tyler.

Si elle avait été sobre, Dean aurait discuté ce point, mais il se contenta de dire :

— Je m'occupe de cette question de cigarettes. Mais si je t'ai appelée, c'est surtout parce que Tyler m'a parlé de quelque chose qui me concerne.

— Ah ? Quoi ?

— Selon lui, c'est Randy qui te vole. Il a apporté la bague de maman chez un prêteur sur gages, et Tyler sait où.

— Evidemment, c'est ce que Tyler raconte. Je t'ai déjà expliqué qu'il déteste Randy, et il raconterait n'importe quoi pour que je le quitte.

— Je veux vérifier cette histoire, Carol. Et si la bague est bien là où le prétend Tyler, je la rachèterai.

— Vraiment ? Merci.

— Oui, et je demanderai à ce qu'elle me soit envoyée. Tu pourras la récupérer une fois que la situation sera plus claire.

Carol bafouilla quelques mots incompréhensibles, comme seule une personne sous l'emprise de l'alcool pouvait le faire, et Dean en eut la nausée.

— Randy sait-il que tu es une ancienne alcoolique ?

La question sembla prendre Carol de court, et elle hésita avant de répondre sèchement :

— Oui, il sait.

— Sait-il tous les efforts que cela t'a demandé ?

— C'est pour ça que tu as appelé ? Pour accuser Randy ?

Dean se rassit et se massa le cou. Il aurait bien aimé accuser Randy de tout, mais même s'il avait participé de près ou de loin à la rechute de Carol, celle-ci était seule responsable de ses choix.

— Non, répondit-il. J'ai appelé parce que je m'inquiète.

— Pourquoi ? J'aime Randy. Je sais que Tyler ne l'apprécie pas, mais quoi faire ? Dans deux ans, Tyler aura dix-huit ans et je sais qu'il partira. Ensuite, je me retrouverai seule. J'ai passé ma vie à l'élever. Est-ce que je ne mérite pas d'être heureuse ?

— Bien sûr que si, mais Tyler n'est pas encore parti, et si ta relation avec Randy t'incite à boire de nouveau et rend ton fils malheureux…

— Ma relation avec Randy est la seule chose positive de ma vie, l'interrompit Carol. La seule. Et je ne vais pas le quitter parce que Tyler ne l'aime pas.

Elle prit une nouvelle gorgée, puis Dean l'entendit reposer son verre.

— Je t'avais prévenu au sujet de Tyler. Maintenant, tu vas peut-être me croire.

Et comme elle l'avait déjà fait d'innombrables fois par le passé, Carol raccrocha avant que Dean n'ait eu le temps de répondre. Il reposa alors lentement le téléphone, malade de savoir que sa sœur se torturait elle-même, et triste que ses choix aient de telles conséquences négatives sur son fils. De rage, il lança contre le mur la boîte de médicaments qu'il gardait sur sa table de nuit.

Personne, pas même Gary, ne comprenait pourquoi il rechignait tant à prendre ses antalgiques, mais Dean avait vu trop de vies détruites à cause d'addictions en tous genres. Et après la conversation qu'il venait d'avoir avec sa sœur, il savait qu'il pousserait les limites de sa résistance encore plus loin. Tout, plutôt que de risquer de devenir dépendant des médicaments.

Il marcha dans sa chambre tout en réfléchissant. Il lui semblait inconcevable et irresponsable de renvoyer Tyler chez lui tant que Randy habitait avec Carol — qui, par ailleurs, bataillait de nouveau contre ses vieux démons. D'un autre côté, il était la seule famille de Tyler, en dehors de sa mère, et l'adolescent n'avait de toute évidence aucune envie d'être ici.

Pourtant, Dean devrait trouver le moyen de convaincre Tyler de rester, et Carol d'accepter. La partie était loin d'être gagnée.

Annie n'eut guère l'occasion de penser aux chemins de randonnée ni de passer du temps avec Nessa jusqu'au lendemain soir, tard. Les premiers clients devaient arriver le jour suivant, et les préparatifs de dernière minute l'avaient tenue occupée. Mais comme elle aidait Irma à débarrasser, après le dîner, elle ressentit le besoin d'être avec sa fille.

Certes, elle aimait être occupée, et elle se félicitait que Nessa ne pense plus à repartir pour Chicago. Mais une semaine venait de s'écouler et elles n'avaient pas réellement passé de temps ensemble.

Quand Irma partit chercher Les, Annie sortit sous le porche, essayant de se rappeler si Nessa avait parlé de ses projets pour la soirée. Il y avait toujours de la lumière dans les écuries et il y avait de grandes chances qu'elle s'y trouve, mais il y avait aussi d'autres endroits.

Annie réfléchit un moment, se demandant où chercher en premier. Les criquets chantaient autour d'elle, les feuilles bruissaient dans l'air du soir, et le gazouillis du ruisseau finit par la convaincre que tout irait bien. Apaisée par les bruits de la nature, elle décida de s'accorder une minute pour se relaxer avant de partir à la recherche de Nessa.

Elle marcha alors en direction de l'extrémité du porche, où l'ombre la protégerait. La forêt avançait au bord de la clairière — les pins paraissaient bleus dans la nuit, et les feuilles des trembles scintillaient au clair de lune. Le ciel était d'un noir d'encre, mais il semblait vivant, et elle se dit qu'elle pourrait presque attraper une poignée d'étoiles si elle tendait la main.

— Elles ont l'air si proches qu'on a envie de les toucher, n'est-ce pas ?

Elle se retourna. Dean était derrière elle, appuyé contre le cadre de la porte, une jambe croisée devant l'autre. Le vent léger dégageait les cheveux de son front et la lumière provenant de l'intérieur l'entourait d'une sorte de halo doré.

La réaction d'Annie fut si forte et inattendue qu'elle eut du mal à se rappeler ce qu'il lui avait demandé, et encore à se rappeler sa promesse d'ignorer l'attirance qu'elle ressentait pour lui.

— C'est incroyable, bafouilla-t-elle enfin. Je n'ai jamais rien vu de tel.

Dean s'avança vers elle.

— Certainement parce que vous avez toujours vécu en ville, où l'éclairage est trop fort.

Elle eut l'impression que la voix de Dean résonnait dans tout son corps. Son parfum boisé vint remplir l'espace entre eux, enivrant Annie et la détournant encore plus de ses bonnes résolutions.

— Vraiment ?

— Il paraît.

Dean tourna enfin son regard vers le ciel, et Annie pu respirer de nouveau.

— Chaque fois que je me trouve dehors au cours d'une nuit semblable, avec les étoiles au-dessus de ma tête et la forêt et les montagnes autour de moi, je me sens minuscule, reprit-il.

— Si vous vous sentez minuscule, moi je devrais me sentir comme un microbe, répondit-elle avec un sourire.

Dean rit doucement et la gratifia d'un regard oblique qui s'attarda sur son visage. Puis il tourna la tête et le silence s'installa entre eux — un silence chargé d'une émotion qui donna la chair de poule à Annie. Si elle produisait le même effet sur Dean, il n'en montra rien, et elle s'en voulut de laisser cette idée la décevoir.

— Nous n'aurons certainement plus beaucoup de soirées comme celle-ci à partir de demain, dit-il. Je me réjouis de gagner enfin de l'argent, mais ces moments me manqueront.

— Je n'ai jamais connu d'endroit aussi paisible.

— C'est pourquoi j'en suis immédiatement tombé amoureux. Et quand je cherchais où commencer une nouvelle vie, il m'a paru évident de venir ici.

Malgré les mises en garde d'Irma, Annie ne put s'empêcher de demander :

— Après une carrière de sportif professionnel, pourquoi avoir choisi d'ouvrir un hôtel-ranch ?

Dean haussa une épaule.

— Il fallait que je fasse quelque chose.

Soulagée qu'il ne semble pas contrarié, Annie rit doucement.

— Question idiote. Mais les deux activités semblent tellement différentes… C'est certainement parce que je me prépare moi aussi à changer de vie que je m'intéresse à ce qui vous a conduit ici.

Le regard fixé sur les écuries, Dean répondit alors :

— Je suis venu ici pour la première fois il y a quatre ans. Un de mes coéquipiers était de la région, et il m'a emmené ici. Dès le premier jour, je me suis senti chez moi à Whistle River, et j'y suis revenu le plus souvent possible.

Après une pause, il reprit :

— Ce ranch était à l'abandon depuis le décès de son propriétaire. Gary et moi étions venus ici à cheval plusieurs fois, et je savais que je devais acheter ces terres. Quand les médecins m'ont finalement convaincu que ma carrière était fichue, c'est le premier refuge — le seul, en fait — auquel j'aie pensé. J'ai investi toutes mes économies dans son aménagement, et maintenant je croise les doigts en espérant que d'autres personnes l'aimeront autant que moi.

— Je n'en doute pas, lui assura Annie. Les gens qui auront séjourné à Eagle's Nest n'auront qu'une envie : y revenir. Moi-même, je ne m'attendais pas à apprécier autant cet endroit. Qui sait si vous ne m'accueillerez pas un jour en tant que cliente…

Annie eut du mal à comprendre le soudain changement d'expression de Dean.

— Vous serez toujours la bienvenue, bien sûr. J'espère que nous allons rapidement nous faire une clientèle, mais je préfère rester prudent.

Annie repensa alors à tout le travail qu'elle et Spence avaient consacré à Holladay House, les journées interminables, les semaines qui semblaient s'étirer comme des années, les nuits passées sans dormir.

— Certes, cela prendra un peu de temps, mais on se sent tellement bien à Eagle's Nest… J'étais sortie pour chercher Nessa ; dès que je me suis retrouvée sous le porche, tous mes soucis se sont envolés. Ça ne peut qu'être positif pour les affaires.

Une fois encore, une expression étrange passa sur le visage de Dean, mais il tourna la tête avant qu'Annie n'ait eu le temps de la déchiffrer.

— Toute cette nature est apaisante, continua-t-elle, rassurante : les vieilles montagnes, la forêt qui reverdit chaque printemps, le ruisseau qui coule… Ils nous prouvent que, malgré nos soucis, le soleil ne nous fera pas défaut et se lèvera demain, mais aussi que demain sera un autre jour et balaiera peut-être nos tracas.

Observant un tremble, Dean répondit :

— Cette constance peut agacer par moments. Votre univers s'écroule, mais la nature ne bouge pas un cil. Le soleil se lève, les oiseaux chantent comme si vos problèmes ne comptaient pas.

La curiosité d'Annie était la plus forte, et elle dit alors :

— Tout dépend de la catastrophe, non ? J'aime savoir que mes ennuis ne sont pas graves au point d'ébranler le monde.

Dean se tourna vers elle.

— Vous parlez de votre divorce, ou bien d'autre chose ?

Annie cligna des yeux, surprise.

— C'est une rupture vraiment difficile. Nous sommes séparés légalement depuis huit mois, mais le juge ne prononcera notre divorce qu'à la fin de l'été. Je suppose qu'il a voulu nous laisser un peu de temps au cas où nous changerions d'avis.

— Et vous allez changer d'avis ?

— Non.

L'intensité du regard de Dean la fit frissonner. Il y avait plus que de la simple curiosité au fond de ses yeux noirs, et le cœur d'Annie se mit à s'affoler.

— Vous semblez très sûre de vous.

— Je le suis, affirma-t-elle en repensant au jour maudit. J'ai surpris mon mari au lit avec une autre femme, et c'est une image que je n'arrive pas à chasser de mon esprit. Je ne me vois pas reprendre la vie commune après ça, et j'ai parfois même du mal à parler avec lui.

Dean acquiesça d'un hochement de tête, mais dit :

— Pourtant, j'ai l'impression qu'il y a autre chose.

— Il y a aussi Nessa, admit Annie. Elle espère que Spence et moi allons nous réconcilier, et c'est sans doute la raison pour laquelle elle refuse à tout prix de quitter Chicago. Je ne veux pas qu'elle soit malheureuse ; or elle risquerait de l'être encore plus si nous essayions de repartir de zéro.

— Pourquoi pensez-vous cela ?

— Parce qu'il est insupportable de vivre constamment dans un climat de tension, et comme je me sens incapable de faire de nouveau confiance à Spence, il y aura forcément de la tension.

Dean se pencha légèrement vers l'avant, comme s'il s'apprêtait à toucher le bras d'Annie, mais il se reprit. Il demeura silencieux, et Annie se demanda ce qu'il avait pu vivre.

La lune, les étoiles, la brise légère : tout concourait à donner du courage à Annie. A tort ou à raison, elle commençait à s'attacher à Dean, et elle voulait savoir ce qui le faisait sourire, et ce qui lui faisait froncer les sourcils. Après tout, ce n'était que justice : il l'avait questionnée sur sa vie, alors pourquoi n'en ferait-elle pas autant à son tour ?

Annie laissa le silence planer entre eux pendant quelques secondes, cherchant dans le ciel étoilé l'inspiration pour aborder l'accident de Dean. Comme elle n'arrivait à aucune solution subtile, elle décida d'aborder franchement la question :

— Vous traversez vous aussi des épreuves, dit-elle enfin en le regardant à la dérobée au cas où il réagirait mal. Irma m'a parlé de votre accident.

Dean l'observa longuement. Son regard resta impassible, mais Annie remarqua le raidissement de ses épaules et la crispation dans sa mâchoire.

— Je ne devrais pas être surpris. Elle a cru bien faire de vous avertir.

— Cela vous ennuie ?

— Ce n'est pas un secret…

Annie laissa échapper un soupir de soulagement et reprit :

— Je me doute que vous n'aimez pas trop en parler…

— Je n'aime *pas* en parler, inutile d'insister.

Mais Annie n'était pas de cet avis.

— Je ne sais pas ce que je serais devenue après avoir surpris Spence et Catherine si je n'avais pas pu en parler. Ma mère m'a écoutée pendant des heures. Et ma meilleure amie aussi. Parfois, parler peut aider à surmonter ses problèmes.

— J'ai surmonté les miens, assura Dean d'une voix tendue.

Ensuite, il garda quelques instants la tête baissée, le temps de recouvrer son sang-froid.

— Je vous demande pardon, dit-il enfin. Je ne voulais pas être désagréable. Mais tous les gens que je connais veulent que je parle de l'accident — que ce soit les médecins, les kinésithérapeutes, ou même le pasteur. Mais en parler ne changerait rien.

— Peut-être parce qu'ils savent que tous les sentiments que vous gardez en vous finiront par vous détruire. Si vous souhaitez parler, je suis prête à vous écouter.

Dean recula d'un pas, comme pour s'éloigner d'elle.

— Ma vie ne sera plus jamais comme avant, dit-il, à cause d'une femme qui n'aurait jamais dû se retrouver au volant d'une voiture, sous la neige. Elle m'a pris ma carrière, la femme que j'aurais dû épouser et même ma maison. En une fraction de seconde, elle a réduit à néant ma confiance en moi, ma dignité et mon avenir. Voilà ce qui s'est passé, Annie, et je ne vois pas comment en parler pourrait y changer quoi que ce soit.

La violence de sa réaction laissa Annie sans voix, mais c'est elle qui avait engagé cette conversation et elle savait qu'elle devait répondre. Alors, elle plongea son regard dans celui de Dean, même si la lueur qu'elle y voyait l'effrayait un peu.

— Je suis d'accord avec presque tout ce que vous venez de dire. Je ne connais pas les circonstances de votre accident dans le détail, mais rien ni personne ne peut vous prendre votre dignité ni votre respect de vous-même sauf si vous vous laissez faire. Et comment pouvez-vous dire que vous n'avez aucun avenir ? Vous êtes toujours en vie, en bonne santé, et…

Dean l'interrompit d'un geste de la main :

— Etes-vous déjà allée à l'hôpital ?

— Oui, pour la naissance de Nessa.

— Avez-vous déjà passé des jours et des jours reliée à des tubes et à des machines ? Connu des gestes, faits par des étrangers, que même les intimes ne vous font pas ? Avoir reçu des félicitations comme un enfant parce que vous avez réussi à vous asseoir ou à aller aux toilettes sans aide ?

La colère de Dean était si profonde qu'Annie dut rassembler tout son courage.

— Non, et je regrette que vous ayez dû subir tout cela. Mais vous avez survécu, et vous êtes… Regardez-vous, Dean. Vous êtes incroyablement fort et en bonne santé. Je n'aurais jamais deviné que vous aviez été blessé si Irma ne m'avait rien dit.

— Je suis opérationnel, dit-il avec sarcasme. Voilà tout. Mais je ne pourrai plus jamais jouer au base-ball.

— Sans doute. Mais il y a tellement d'autres choses que vous pouvez faire. Je vous ai vu.

Dean laissa échapper un petit rire et se tourna.

— La seule chose que je voulais, c'était jouer en première division. Je n'avais pas d'autre but dans la vie. Par moments, j'ai l'impression que ma vie n'a plus aucun sens.

— Mais…

— Je sais que je me trompe certainement, reprit-il. Je crois que je m'en sors plutôt bien la plupart du temps. Mais parfois un détail fait tout resurgir.

Annie se demanda si la réaction de Dean était uniquement due à ses questions, ou bien s'il y avait autre chose.

Soudain, Dean lui fit face de nouveau, son regard animé d'une lueur qu'elle ne put identifier.

— Mettez-vous à ma place, Annie. Que feriez-vous si on vous privait de votre rêve ? Si, du jour au lendemain, on vous annonçait que vous ne pourrez plus jamais cuisiner ?

— J'essaierais de trouver autre chose à faire — comme vous.

Dean émit une sorte de petit grognement puis il tourna son attention vers le ciel. D'une voix plus contenue et presque impersonnelle, il dit :

— Il est plus facile de parler pour les autres que pour soi. Félicitez-vous que l'on ne vous ait pas pris vos rêves.

Il semblait si sûr de lui qu'Annie ne put s'empêcher de réagir :

— Eh bien, figurez-vous que ce n'est pas le cas. Je n'ai pas seulement dû tirer un trait sur mon mariage : moi aussi, je dois remettre en cause ma carrière. Alors, ne croyez pas que je ne comprends pas ce que vous ressentez.

Avec un sourire triste, Dean répondit :

— Je sais que je ne suis pas le seul au monde à souffrir, mais admettez que tirer un trait sur son mariage n'a rien à voir avec la perte de son identité. Pas de nos jours.

— Je n'en crois pas mes oreilles ! Vous n'avez jamais été marié, alors vous ne pouvez même pas imaginer ce que l'on peut ressentir en découvrant que votre vie n'est pas ce que vous pensiez. Que la personne que vous avez aimée et à qui vous faisiez confiance depuis seize ans n'était pas celle que vous pensiez. Que votre vie tout entière reposait sur des mensonges et que l'avenir que vous vous prépariez n'était qu'une chimère. Vous n'avez aucune idée de l'effet que cela peut produire sur l'*identité* de quelqu'un, n'est-ce pas ? demanda-t-elle sur un ton chargé d'émotion et de colère.

— Non, en effet. Mais je sais que l'on peut faire beaucoup de mal au nom de l'amour.

L'étrange mélange de vulnérabilité et d'agressivité qu'Annie avait perçu la première fois qu'elle avait rencontré Dean assombrit de nouveau le regard de celui-ci ; mais elle était trop en colère pour y prêter attention.

— On peut aussi faire beaucoup de bien. Et l'on peut toujours trouver ce que l'on cherche dans la vie. Si vous avez décidé de penser que la vie est injuste, alors vous en trouverez la preuve tout autour de vous. Je commence une nouvelle vie, moi aussi, mais à la différence de vous je suis contente d'avoir au moins cette chance. Vous savez, j'avais travaillé dur. Dur, et longtemps. Et du jour au lendemain j'ai dû dire adieu à tout, et malgré moi. Par-dessus le marché, dans quelques mois, ma fille va me quitter. Mais je refuse de me considérer comme une victime. Alors, rendez-moi un service : même si vous vous sentez déprimé, épargnez-moi vos plaintes et rappelez-vous que les autres n'ont pas toujours une vie facile non plus.

Dean sourit, mais c'était un sourire froid.

— On dirait que vous pensez que je me lamente, alors que j'essaie seulement d'être réaliste. Maintenant, vous comprenez peut-être mieux pourquoi je préfère ne pas parler de mon passé.

Il n'attendit pas qu'Annie réponde et disparut dans la nuit. Après son départ, Annie comprit qu'Irma avait raison. La douleur expliquait sans doute les changements d'humeur de Dean, mais elle aurait parié tout ce qu'elle avait que la doulcur physique n'expliquait pas tout.

Dean resta assis sur une souche, à la lisière du bois, pendant ce qui lui parut une éternité après qu'Annie eut claqué la porte de la cuisine, et il était partagé entre l'amusement et la colère, l'admiration et l'agacement. Il éprouvait de la colère contre elle pour avoir évoqué des sujets qui méritaient plutôt d'être ignorés, et agacé contre lui-même pour la manière dont il avait réagi. Il n'arrivait pas à croire tout ce qu'il avait reconnu avant de pouvoir enfin s'arrêter. Il aurait dû respecter sa promesse d'oublier le base-ball et de ne plus jamais reparler de l'accident, mais il semblait oublier beaucoup de ses promesses quand Annie Holladay se trouvait à proximité.

Déterminé à mettre un peu de distance entre elle et lui, il se mit à marcher sans but. Il n'aurait pas dû laisser ses inquiétudes au sujet de Carol et son incapacité à résoudre les problèmes de Tyler le toucher autant, mais il n'avait pas d'autre famille et il se sentait parfois écrasé par son sens des responsabilités. Cela lui semblait naturel d'associer Carol, qui s'était remise à boire, à la femme qui avait causé son accident. Il repensait à cette nuit fatale depuis des heures quand il avait engagé la conversation avec Annie.

Il lui devait de toute évidence des excuses, mais quoi dire ? Qu'il était désolé, mais que pour la première fois depuis des heures, il

123

avait réussi à ne plus penser à cette conductrice ivre parce que les yeux et les cheveux d'Annie l'en avaient distrait ? Qu'il n'avait pas voulu se montrer grossier, mais qu'il ne pensait qu'à l'embrasser alors qu'elle le harcelait de questions sur son accident ?

Il rit, et son rire résonna dans la nuit. Certes, Annie était très attirante. Et gentille. Et vive. Il commençait à s'attacher à elle. Mais en théorie, elle était toujours mariée, et elle avait une fille qui avait besoin d'un père. Il s'agissait de deux points que Dean ne pouvait se permettre d'ignorer. Même s'il avait eu envie d'une aventure avec Annie, il n'aurait pu choisir pire moment : le ranch ouvrait le lendemain et il avait besoin de se consacrer entièrement à son travail. Son avenir dépendait en effet du succès d'Eagle's Nest.

Des éclats de rire parvinrent des écuries. Il reconnut le rire de Gary, devina que le rire féminin devait être celui de Nessa, et il supposa que Tyler devait être avec eux. Il ressentit alors de la jalousie envers Gary, qui avait réussi à se lier si rapidement et facilement avec Tyler, et aussi envers la relation qu'Annie partageait avec Nessa.

Il passa une main sur son visage et leva son regard vers le ciel, dans le fol espoir d'y voir apparaître les réponses à ses questions. Parce qu'il avait beau se répéter qu'il n'avait pas envie de se marier ni de fonder une famille, tout en lui semblait lui crier le contraire.

Quatre jours plus tard, Dean repoussait toujours le moment de présenter ses excuses à Annie. Il ne cessait d'y penser, mais toutes les explications qu'il aurait pu lui offrir lui paraissaient insignifiantes ou lamentables. De toute manière, il refusait de s'excuser en présence d'un tiers, et leurs journées avaient été tellement remplies depuis l'arrivée des premiers clients qu'ils n'avaient pas eu l'occasion de se retrouver seuls.

Et il ne voulait pas non plus la faire venir dans son bureau, car les autres auraient pu se méprendre — et cela aurait aussi pu lui donner de mauvaises idées. Il essayait toujours de déterminer s'il avait réellement envie d'une aventure à ce stade de sa vie ou bien s'il était seulement victime d'un béguin passager.

Il ne doutait pas que l'occasion de parler avec Annie se présenterait bientôt et, ce jour-là, il serait prêt. Mais en attendant, il avait d'autres sujets de préoccupation. Gary avait trouvé une fuite dans les douches des hommes avant le petit-déjeuner, et Dean devait la réparer. Il était dans la remise, à mesurer un bout de tuyau, quand le bruit parvint jusqu'à lui.

Il s'arrêta de travailler et écouta les pulsations qui semblaient battre au même rythme que son cœur. Se demandant ce qui se passait, il sortit et écouta un peu plus attentivement. Il ne lui fallut qu'une fraction de seconde pour comprendre que ces pulsations rythmiques provenaient d'une chaîne stéréo dont le volume était poussé à fond — et il devina rapidement de quelle chaîne il s'agissait.

Dean s'était imaginé avoir apprivoisé Tyler suite à leur dernière conversation, mais il avait dû rêver et les occasions de parler avec son neveu s'étaient faites rares.

Plus d'une fois, Dean avait remarqué une légère odeur de cigarette qui imprégnait les vêtements de Tyler, ce qui prouvait que l'adolescent avait toujours des réserves. Pire, Tyler semblait tout faire pour s'assurer que Dean sache qu'il fumait toujours.

La veille, Dean avait tenté d'en discuter avec lui, mais Tyler avait alors affiché une expression choquée et plaidé l'innocence, rappelant à Dean que l'un des clients fumait. Il ne restait plus à Dean qu'à trouver une preuve incontestable de ce qu'il avançait avant d'en reparler avec Tyler.

Mais ce matin, Tyler pourrait difficilement feindre l'innocence, et la musique était si forte qu'on devait l'entendre jusqu'à Whistle River. Dean n'avait pas envie de se disputer avec Tyler devant les clients, mais il ne pouvait pas non plus ignorer cette nouvelle provocation.

Jurant entre ses dents, il posa ses outils et essaya de déterminer d'où provenait la musique. Quand il comprit qu'elle venait des écuries, sa colère monta d'un cran. Les Carter avaient en effet prévu de partir en randonnée cet après-midi, et si Tyler effrayait les chevaux, Dean l'étriperait.

Il était presque arrivé aux écuries quand Hugh Morrison, du bungalow trois, l'arrêta pour lui demander des renseignements sur une sortie. Dean essaya de rester aimable, et il lui conseilla de s'inscrire auprès d'Irma avant de repartir. Une fois arrivé aux écuries, il ouvrit la porte d'un coup de pied et entra. Un poste de radio était posé sur une balle de foin, et le volume était si fort que les outils accrochés aux murs tintaient en rythme.

Dean regarda autour de lui à la recherche de Tyler, s'attendant à le trouver avec un grand sourire provocateur aux lèvres. Mais à sa plus grande surprise, le bâtiment semblait désert. Même les boxes étaient vides. Au moins, Tyler n'avait pas torturé les animaux en les laissant au milieu de tout ce boucan.

Toutefois, cela ne calma pas la colère de Dean. Il éteignit la musique, et le silence soudain se fit presque aussi assourdissant que la musique. Entendant des pas se rapprocher en courant, il se tourna au moment où Gary entrait.

Le visage de son ami exprimait de l'inquiétude, mais quand il aperçut le poste de radio, il posa ses poings sur ses hanches et dit :

— Eh bien, jeune homme. Combien de fois devrais-je te répéter de ne pas mettre le son aussi fort ?

— Très drôle, rétorqua Dean en passant près de lui. As-tu autorisé Tyler à apporter ce poste ici pendant qu'il travaille ?

— Non, il ne m'a pas demandé. Mais comment…

— Une idée, comme ça, l'interrompit Dean.

Une fois dehors, il contourna les écuries et se rendit compte que quelqu'un avait emmené les chevaux dans l'enclos, derrière le paddock, à une distance suffisante pour ne pas les effrayer avec cette prétendue musique.

Il ignora la petite voix qui lui soufflait de ne pas réagir trop violemment : ce n'était pas la première fois que Tyler se moquait de lui, et Dean ne pouvait l'ignorer.

— J'aimerais savoir ce qu'il a en tête, gronda-t-il entre ses dents. Il aurait pu paniquer les chevaux.

— Ce n'est pas si grave, dit Gary en le suivant jusqu'au paddock. Ces chevaux sont certainement habitués au bruit. Et puis comment…

— Pas à *autant* de bruit.

— Je ne sais pas. J'ai déjà entendu des ouvriers écouter de la musique à fond… Et je connais même un cheval qui adorait ça. En fait, il n'y avait que la musique espagnole passée à fond qui arrivait à le calmer.

Agacé par l'optimisme inébranlable de son ami, et par son amitié pour Tyler alors que lui n'arrivait même pas à échanger deux mots avec l'adolescent, Dean se retourna.

— Pourquoi le défends-tu ? Tu sais très bien pourquoi il a fait ça.

Le sourire de Gary s'évanouit et ses yeux perdirent leur éclat malicieux. Redressant les épaules, il demanda :

— Vraiment ?

— Tu prétends le contraire ?

Regardant son ami droit dans les yeux, Gary rétorqua :

— Et si tu me racontais ?

Mais Dean n'était pas d'humeur à jouer aux devinettes.

— C'est évident comme le nez au milieu de la figure, et si tu ne vois rien, tu ferais mieux d'être plus attentif, lâcha-t-il avant de se remettre à marcher.

Gary le rattrapa et vint à côté de lui.

— Et pourquoi tu ne lui lâches pas un peu la bride, à ce gamin ? Même si la musique était un problème, comment veux-tu qu'il le sache ?

— Il le sait, crois-moi.

— Peut-être. Mais laisse-moi te demander…

Avant qu'il n'ait pu terminer, Tyler arriva à toute allure par une barrière ouverte et se cogna dans Dean. Son expression se rembrunit immédiatement.

Dean essaya de garder son sang-froid. Montrer en effet à Tyler que son petit plan avait fonctionné ne pourrait que l'inciter à continuer.

— Où vas-tu comme ça ? Ce silence soudain t'inquiète ?

Tyler se recula, marmonna quelque chose entre ses dents puis fit demi-tour. Pour la première fois, Dean remarqua la présence de Nessa, assise sur une barrière. De nouveau, la voix de la sagesse lui intima la prudence, mais Dean était trop en colère pour laisser Tyler s'en tirer à aussi bon compte.

— Peux-tu m'expliquer ce qui se passe ?

— J'écoute de la musique, répondit l'adolescent par-dessus son épaule. C'est un crime ?

— Est-ce que tu réalises que les chevaux sont très sensibles ? Que tu aurais pu les affoler ? Et qu'il aurait peut-être fallu annuler la randonnée des Carter ?

Les joues de Tyler s'enflammèrent et son regard sembla lancer des éclairs.

— Mais tes maudits chevaux vont bien, non ?

— Tu en es sûr ?

— Si tu ne me crois pas, vérifie par toi-même.

Dean entendit Gary marmonner quelque chose qu'il ne saisit pas, et son énervement augmenta d'un cran.

— Les chevaux sont des animaux sensibles, cria-t-il à Tyler. Même s'ils semblent apprivoisés, tu ne dois pas oublier qu'un rien peut les paniquer. Un cheval affolé peut tuer, et je n'ose pas imaginer ce qui pourrait arriver si tout le groupe s'emballait.

Gary posa une main sur son épaule.

— Du calme, Dean. Il n'a jamais travaillé avec des chevaux, auparavant.

D'un mouvement de la main, Dean dégagea son épaule.

— Il a seize ans, pas six, et il est assez mûr pour réfléchir avant d'agir.

Tyler soupira de dégoût. Gary plissa les yeux. Dean entendit Nessa descendre de la barrière et, une seconde plus tard, elle vint se poster devant lui, sourcils froncés et regard noir.

— C'est franchement pas juste. Vous ne savez même pas ce qui s'est passé.

— J'ai *entendu* ce qui s'est passé, rétorqua Dean. Comme la plupart des gens vivant dans un rayon de cinquante kilomètres.

— O.K., vous avez entendu la musique. Et, oui, le volume sonore était élevé et c'était sans doute stupide. Mais vous n'avez pas le droit de vous en prendre ainsi à Tyler, parce que c'est *mon* poste, et que c'est moi qui ai monté le son.

Dean la fixa pendant qu'elle parlait, et il se sentit soudain très mal à l'aise.

— Toi ?

— Oui. Moi.

Elle avait moins de la moitié de l'âge de Dean et elle lui arrivait à peine à l'épaule, mais elle le regardait droit dans les yeux avec une certaine froideur, et comme si elle s'adressait à lui d'égal à égal. Même si elles n'avaient pas la même couleur de cheveux, elle ressemblait tellement à sa mère que Dean fut incapable de répondre.

— Alors, si vous avez envie de me crier dessus, allez-y, ajouta-t-elle. Mais laissez Tyler tranquille.

La colère de Dean s'évanouit aussitôt, et il se sentit minable. Il essaya de rester en colère, parce qu'en fin de compte, les faits étaient toujours là. Mais en vérité, il devait admettre qu'il s'était avant tout mis en colère contre Tyler, et pas à cause de ce qui s'était passé.

Il n'arrivait pas à se tourner vers Gary, il ne supportait pas d'affronter le regard de Nessa, alors il se força à se tourner vers Tyler.

— Je te demande pardon. Je me suis trompé.

— T'en fais pas, marmonna Tyler en baissant les yeux. J'ai l'habitude.

— C'est que…, commença Dean, ne sachant comment se justifier ni même s'il le pouvait. Je me suis trompé, Tyler. Que veux-tu que je te dise ?

— Rien. Je t'ai dit de ne pas t'en faire.

Ensuite, Tyler lui tourna le dos, lui signifiant ainsi qu'il était inutile de poursuivre la discussion.

Dean sentit son estomac se serrer, et il crut l'espace d'un instant qu'il allait être malade. Lentement, il fit demi-tour et repartit vers les écuries. Il se rendit compte que Gary était toujours à côté de lui, mais il ne dit rien avant d'être hors de vue des adolescents.

Ensuite, il s'arrêta et passa une main sur son visage.

— J'ai l'impression d'être un pauvre type, avoua-t-il.

— Tu veux vraiment décrocher le titre de M. Avenant, n'est-ce pas ?

— D'accord, je me suis trompé, mais je l'ai reconnu.

— Oui. Et pour être honnête, ce gosse te cherche depuis des jours.

— Je lui parlerai plus tard. Quand nous serons tous les deux calmés.

— Bonne idée, répondit Gary. Ce pauvre gamin m'a l'air complètement perdu.

— Oui, en effet.

« Presque autant que son oncle », pensa Dean en lui-même.

— Si au moins je savais quoi faire pour l'aider, reprit-il.

— Tu l'aides.

— Tu parles ! Je passe mon temps à lui crier dessus, et j'attise sa colère contre moi.

— Arrête d'être aussi dur avec toi-même, veux-tu ? Tu lui montres que tu t'intéresses à lui, et d'après ce que j'ai pu comprendre, c'est tout nouveau pour lui. Donne-lui le temps de s'y habituer, et ensuite il commencera peut-être à comprendre qu'il pourra compter sur toi en toutes circonstances. Sois patient.

Reconnaissant de la confiance que lui portait Gary, Dean se remit à marcher lentement.

— J'espère que tu as raison. J'ai déjà l'impression d'avoir laissé tomber Carol, et je ne veux pas le laisser tomber.

— Carol a tout de même une part de responsabilité dans ce qui lui arrive, dit Gary. Alors que tu peux encore sauver quelqu'un d'autre.

Dean avait envie de le croire, mais il se sentait en même temps complètement dépassé. Pour l'instant, il devait s'occuper de la fuite dans les douches, aller voir Tony Carter du bungalow deux pour lui demander s'il avait besoin de quelque chose, et tout cela ne lui laissait guère de temps pour résoudre tous ses problèmes familiaux.

Se rappelant qu'il avait coupé la parole à son meilleur ami un peu plus tôt, il demanda à Gary :

— Au fait, que voulais-tu me dire, tout à l'heure ?

— Quand ?

— Juste avant que nous ne tombions nez à nez avec Tyler.

Gary lui lança un coup d'œil oblique.

— Oh, ça ? Rien d'important.

— Ça devait être important, pour que tu insistes autant.

— Tu veux vraiment savoir ?

— Puisque je te le demande.

Gary haussa alors les épaules et répondit :

— J'allais te demander si tu étais sûr qu'il s'agissait bien du poste de Tyler.

*
* *

Le même soir, après le dîner, Dean fit son habituel tour du propriétaire : il passa près des bungalows occupés, vérifia ceux qui étaient vides, s'assura que personne n'avait oublié d'éteindre un feu de camp, puis il alla fermer la remise à clé pour la nuit. Des criquets chantaient doucement et la lumière qui s'échappait de quelques fenêtres l'aidait à trouver son chemin dans le noir.

Dean connaissait tellement bien le ranch, maintenant, qu'il aurait pu se repérer même dans la nuit la plus noire. Il s'habituait à tous les bruits humains autour de lui : le son d'une radio s'échappant du bungalow trois, le bourdonnement d'une conversation dans le cinq. A cette heure-ci, on pouvait aussi normalement entendre Nessa et Tyler rire ensemble de choses qu'ils ne raconteraient à personne d'autre. Ils devaient être ailleurs, ce soir.

En arrivant devant la remise, il s'arrêta en voyant que quelqu'un était assis sur les marches.

— Salut, dit l'ombre, et Dean reconnut Nessa.

— Salut, répondit-il. Que fais-tu toute seule ici ? Où est Tyler ?

La jeune fille haussa les épaules.

— Je ne sais pas. Sans doute avec Gary, aux écuries. J'avais seulement envie d'être un peu seule.

— Dans ce cas, je pose le cadenas à la porte, et je te laisse.

A sa plus grande surprise, Nessa se décala et posa une main sur l'espace qu'elle venait de libérer.

— Vous pouvez vous asseoir, si vous voulez.

Dean n'avait pas prévu de s'arrêter, mais une intonation dans la voix de Nessa et le fait qu'elle lui adresse la parole malgré l'altercation de l'après-midi lui firent changer d'avis.

— Alors, comment ça va ? demanda-t-il en s'asseyant.

— Ça va. Je réfléchissais.

— A quelque chose en particulier ?

— Beaucoup de choses, répondit Nessa en haussant une épaule.

Dean posa ses mains sur ses genoux et écouta le bourdonnement d'un moustique.

— Tu sais, je suis surpris que tu acceptes de me parler, finit-il par dire.

— Ah oui ?

— J'ai réagi de manière exagérée au sujet de la radio.

Nessa sourit lentement.

— Vraiment ? Et moi, je n'aurais sans doute pas dû la mettre aussi fort, ni vous crier dessus.

Dean sourit à son tour, appréciant la manière dont elle avait classé l'incident et se demandant si elle tenait cette faculté de sa mère.

— Tu as eu raison de me remettre à ma place.

— Mais vous êtes un adulte, et mon père déteste que les enfants soient insolents.

— Si tu peux me pardonner, je le peux aussi, expliqua Dean, qui changea ensuite de sujet. Alors, est-ce que tu te plais ici ?

— Beaucoup.

— Et tu crois toujours que ce serait mieux avec une antenne satellite ?

— Ça ne serait pas superflu.

Dean éclata de rire.

— J'aurais dû m'en douter. Et ta mère se plaît ?

Malgré tous ses efforts pour chasser Annie de ses pensées, il semblait au contraire penser de plus en plus à elle : son rire, sa voix, son sourire, son odeur.

L'expression de Nessa changea légèrement.

— Je crois qu'elle se plaît bien.

— Tu ne penses pas qu'elle regrette d'être venue ?

— Non. En fait, je ne sais pas. Elle n'a rien dit.

Dean essaya de dissimuler sa déception.

— C'est une excellente cuisinière, et la relève sera difficile à prendre.

Nessa se tourna alors pour regarder Dean.

— Et ce que vous avez vu n'a rien de comparable avec ce qu'elle fait d'habitude. Elle est vraiment, vraiment excellente — si vous aimez la cuisine gastronomique, bien sûr. Mon père ne lui a toujours pas trouvé de remplaçant valable au restaurant, et je pense qu'il ne le pourra pas.

« Il aurait peut-être dû réfléchir à deux fois avant de prendre une maîtresse », pensa Dean.

— Le principal, c'est que ta mère soit heureuse.

— Je ne sais pas si elle l'est, répondit Nessa en lui adressant un regard étrange. Elle adore cuisiner, et je ne comprends pas pourquoi elle a soudain choisi de devenir prof. Du reste, ajouta-t-elle en riant, je ne comprends pas la moitié de ce qu'elle fait.

— Comme quoi ?

— Comme quitter Chicago. Comme venir ici. Ne le prenez pas mal, se défendit-elle. C'est super, ici, mais j'ai l'impression qu'elle est bizarre depuis quelques jours.

— D'après ce que je sais, elle a traversé des moments difficiles.

— Ah oui ? Elle n'est pas la seule, répondit Nessa en arrachant un brin d'herbe. Je déteste ce stupide divorce.

La conversation prenait un tour un peu trop personnel pour Dean, et il n'était pas sûr de savoir comment se comporter. Mais il n'y avait personne pour lui souffler comment faire, et il ne pouvait se lever et partir uniquement parce qu'il se sentait mal à l'aise.

— J'aimerais pouvoir te dire que je comprends, mais je te mentirais. J'ai grandi sans père, et j'ignore ce que c'est de vivre avec ses deux parents.

— Ce n'est pas juste, répondit Nessa.

— Oui. Il y a tellement de choses qui ne sont pas justes.

— On croirait entendre ma mère, dit Nessa en levant les yeux au ciel.

— Eh bien, elle a raison, fit remarquer Dean en riant. Quand j'étais enfant, je passais mon temps à souhaiter avoir un père. Je faisais des vœux quand je voyais une étoile filante, quand je soufflais les bougies de mes gâteaux d'anniversaire…

Dean sourit à l'évocation de ses souvenirs. Nessa sourit aussi, et la ressemblance entre la mère et la fille fut si frappante que Dean en perdit le fil de ses pensées. Nessa se tourna alors vers lui et le regarda droit dans les yeux :

— Je suppose que vous voulez me démontrer que ça ne sert à rien de s'entêter à vouloir quelque chose ?

— En effet. Ma mère ne s'est jamais remariée, et je n'ai jamais eu de beau-père.

— Et vous avez survécu.

— Oui, la famille a survécu. J'imagine qu'il existe des familles de contes de fées, mais c'est loin d'être la majorité.

Il pensa alors à la situation de Tyler, et il sentit un étrange pincement au cœur.

— J'ai perdu beaucoup de temps à vouloir quelque chose d'impossible, reprit-il. Je regrette maintenant de ne pas l'avoir compris plus tôt — avant que ma mère ne nous quitte et que ma sœur déménage. Les choses auraient peut-être été différentes si je m'étais montré moins obstiné.

— Comment ?

— J'aurais sans doute passé plus de temps avec ma vraie famille qu'avec ma famille imaginaire. Ma mère serait peut-être morte en sachant que je lui étais reconnaissant de tout ce qu'elle avait fait pour nous. Ma sœur n'aurait peut-être pas mis autant d'acharnement à chercher ce qu'elle avait déjà.

— Quand avez-vous compris ?

— Il y a deux minutes.

Nessa sourit lentement.

— D'accord. Alors, qu'est-ce que je dois faire avec ma mère ? La suivre à Seattle, ou rester à Chicago ?

— C'est la question la plus difficile que tu m'aies posée de la soirée. J'ai envie de répondre que tu dois faire ce qui te semble juste.

— Merci beaucoup, répondit Nessa en exhalant un profond soupir.

— Je t'en prie. Je suis très doué pour ce genre de conseils.

— Je vois ça.

— N'est-ce pas ?

Nessa lui donna un petit coup de genou.

— Vous savez quoi ? Je vous trouve sympa.

— Vraiment ? Moi aussi, tu sais. Maintenant, j'aimerais bien que Tyler s'en rende compte aussi.

— Il le sait.

— Je ne pense pas…

— Mais si. Seulement, il ne sait pas encore qu'il le sait. Mais il finira par comprendre. Il faut juste lui laisser le temps, ajouta-t-elle en se levant.

Dean la regarda s'éloigner en souriant. Après Gary, elle était la deuxième à lui donner ce conseil, et Dean espéra avoir suffisamment de patience.

# 9.

Dean se sentait un peu mieux après sa conversation avec Nessa, mais il hésitait toujours à avoir une discussion avec Tyler tant que les premiers clients ne seraient pas repartis. En fait, il n'était même pas sûr de vouloir s'y risquer alors qu'Annie et les autres employés se trouvaient à proximité.

Plus le temps passait, plus Dean était déterminé à faire un geste envers Tyler, et plus son incapacité à le faire le mettait mal à l'aise — à tel point qu'il se laissait volontiers accaparer par les clients pour repousser l'échéance.

Au fil des jours, Dean se sentait de plus en plus disposé à changer d'avis au sujet du mariage et de la famille. Quand il entrait et trouvait Annie, Nessa et Tyler en pleine conversation, quand il les entendait rire ensemble, ou encore quand il les voyait assis sous le porche à admirer le ciel étoilé, il enviait les liens qui semblaient les unir.

Quand, le soir, Dean prenait place à table avec les clients et le personnel, il se rappelait toutes les soirées solitaires qu'il avait passées à Baltimore. Parfois, pendant qu'il travaillait dans son bureau, il écoutait les bruits de pas au-dessus de lui, les portes s'ouvrir et se fermer, l'eau couler — tous ces bruits qui lui indiquaient qu'il n'était plus seul. Il se demandait alors à quoi ressemblerait sa vie s'il était toujours entouré. Il avait presque réussi à se convaincre qu'il pourrait de nouveau faire partie d'une famille, mais il trouvait cette perspective terriblement effrayante.

Il attendit deux semaines après l'épisode de la radio avant de se décider à parler avec Tyler, et ce temps perdu lui valut de perdre deux autres heures à négocier avec son neveu avant de convaincre celui-ci de l'accompagner en ville. Sans l'intervention de Gary, la discussion se serait certainement éternisée, mais en ce beau matin de juin, Dean roulait enfin en direction de Whistle River, Tyler assis du côté passager.

Le regard rivé sur le paysage, Tyler tapait nerveusement du pied et lançait de temps à autre un coup d'œil furtif en direction de Dean, au cas où celui-ci n'aurait pas compris combien cette promiscuité forcée l'agaçait.

Au bout de dix minutes environ, Dean baissa le volume de la radio.

— J'ai oublié de te remercier, dit-il en regardant Tyler pour guetter sa réaction.

Le jeune homme ne cilla pas.

— Tu travailles dur depuis ton arrivée, reprit Dean, et j'apprécie ton aide.

— Tout le monde travaille dur, reconnut Tyler.

— C'est vrai, mais je tiens à *te* remercier.

Tyler se dandina sur son siège, et s'éloigna un peu plus de son oncle. Néanmoins, celui-ci insista :

— Je voulais aussi te demander une nouvelle fois pardon pour ce qui s'est passé l'autre jour dans les écuries, au sujet de la radio. Je sais que c'est un peu tard, mais j'ai eu tort et je te présente mes excuses.

L'adolescent se tourna alors vers lui, les traits tendus.

— Je t'ai déjà dit de ne pas t'en faire. J'ai l'habitude d'être accusé à tort…

Comme Dean ne se sentait pas encore prêt à aborder cette question, il essaya de changer de sujet.

— Gary m'a dit que Nessa et toi l'avez beaucoup aidé avec les chevaux.

Tyler se replongea dans un silence borné, mais Dean ne se découragea pas.

— Et c'est une très bonne chose, parce que cela me laisse du temps libre pour régler d'autres problèmes.

Ils passèrent le panneau d'entrée dans la ville, et Dean ralentit en approchant du supermarché local.

— Tout le monde m'a donné une liste de courses à rapporter, mais pas toi. Si tu as besoin de quoi que ce soit, dis-le-moi.

— Je n'ai pas besoin de ta charité, répliqua vivement Tyler.

Surpris par sa réaction, Dean répondit :

— Mais je ne te fais pas la charité.

— Comment t'appelles ça, alors ?

Dean n'avait jamais pensé que Tyler considérerait son séjour sous cet angle-là, mais l'expression de détresse qui se lisait dans les yeux de son neveu le toucha au plus profond de son cœur. Il prit alors rapidement une décision et proposa :

— Si tu préfères, je peux te donner une avance et je la déduirai de ton salaire, à la fin de la semaine.

Il ignorait complètement comment il arriverait à payer une personne supplémentaire, mais il aurait dû y réfléchir plus tôt.

Les épaules de Tyler bougèrent légèrement, et il sembla presque intéressé.

— Quel salaire ?

Se félicitant intérieurement de son initiative, Dean répondit :

— Tu ne pensais tout de même pas que j'allais te faire travailler aussi dur pour rien ?

— Tu es sérieux ?

— Evidemment. Tout travail mérite salaire.

— Ça veut dire que tu vas aussi payer Nessa ?

— Elle travaille, n'est-ce pas ? répondit Dean, pris à son propre piège.

— Elle est au courant ?

— Je ne pense pas. Tu sais, Eagle's Nest n'est pas une prison.

— Alors, je peux partir quand je veux ?

Soudain, la déception balaya l'espoir qui commençait à naître en Dean.

— Cela ne dépend pas de moi, mais de ta mère.

— Parce que tu crois qu'elle va accepter...

Dean aurait préféré ne pas parler de Carol. Il ne savait toujours pas quoi penser du fait qu'elle se soit remise à boire, et il n'avait pas décidé ce qu'il pouvait ou devait faire pour Tyler.

— Tu as raison, elle ne serait certainement pas d'accord, répondit-il. Tu sais, je comprends ce que tu ressens. Moi aussi, quand j'avais ton âge, j'en avais assez que ma mère décide de tout pour moi. Je ne pensais qu'à partir de la maison et à courir le monde.

— Tu n'as aucune idée de ce que je pense de ma mère.

— C'est vrai. Mais je sais que la situation chez toi te rend malheureux, et j'aimerais t'aider.

— Pourquoi ?

— Parce que tu es mon neveu, et que je n'aime pas te voir triste.

— Bien sûr, répondit Tyler en riant. Tu t'inquiètes.

— Oui, en effet.

— Tu t'inquiètes que ma mère boive de nouveau ? Que le pauvre type dont elle est amoureuse se drogue, et qu'elle se drogue sans doute aussi ?

Stupéfait, Dean retint son souffle pendant une seconde ou deux.

— Je me doutais pour l'alcool, concéda-t-il enfin, mais je n'avais aucune idée pour la drogue.

— Eh oui, mon vieux. C'est la vie.

Dean cramponna le volant de ses deux mains, et espéra que Tyler ne devine pas sa lassitude sur son visage.

— Ce n'est pas la vie, Tyler. Tout le monde ne mène pas une vie comme celle-ci.

— Nous, si.

— Peut-être, mais il y a d'autres choix possibles.

Puis, serrant encore plus fort le volant, Dean prit une décision qu'il repoussait depuis trop longtemps et proposa :

— Que penserais-tu de rester ici, après l'été ?

Tyler regarda son oncle.

— Nous ne sommes qu'en juin. Je pensais qu'elle attendrait au moins août pour demander.

— Elle n'a rien demandé. C'est mon idée.

Après avoir longuement dévisagé son oncle, Tyler tourna la tête.

— Pourquoi ?

— Parce que je ne pense pas que repartir là-bas soit la meilleure solution pour toi.

— Mais rester ici, oui.

— Je sais que je n'ai pas une grande expérience avec les jeunes de ton âge. En fait, je ne connais rien aux enfants, peu importe leur âge. Mais je pense que ce serait mieux pour toi.

— Oublie ça. Inutile de t'inquiéter pour moi. Ça ira. Ça va toujours.

— Mais je m'inquiète. Tant que je n'étais au courant de rien, je pouvais fermer les yeux et prétendre que tout allait bien. Maintenant, je connais la situation.

Rouge de colère, Tyler le regarda de nouveau.

— Je sais que tu cherches à passer pour un héros aux yeux des autres, mais n'espère pas te servir de moi.

La réaction de Tyler décontenança Dean au point qu'il grilla le seul feu rouge de Whistle River et qu'un coup de Klaxon le ramena à la réalité. La colère prit bientôt la place de la surprise, et il se gara le long du trottoir. Une fois le moteur coupé, il se tourna vers Tyler.

— Veux-tu m'expliquer ce que tu entends par là ?

— Ce que j'ai dit, rien de plus.

— Tu crois que je t'ai demandé de rester pour jouer au héros ?

— Ce n'est pas le cas ?

— Non.

Ouvrant alors sa portière pour sortir, Tyler répondit :

— C'était bien imité, pourtant.

Dean sortit à son tour du véhicule, et il se planta devant l'adolescent, qui était presque aussi grand que lui.

— Tu veux que je te dise, Tyler ? Ton attitude commence à devenir lassante. Pourquoi ne pas me dire franchement ce que tu me reproches ? J'en ai assez d'essayer de comprendre.

Au lieu de répondre, Tyler sortit un paquet de cigarettes de l'une de ses poches et entreprit de l'allumer tout en regardant Dean avec un sourire provocateur.

Dean arracha la cigarette de la bouche de Tyler avant qu'il n'ait eu le temps de l'allumer et l'écrasa sur le trottoir.

— Je t'ai déjà dit que je t'interdisais de fumer tant que tu vivrais sous mon toit.

— Bien, répondit Tyler en prenant une autre cigarette dans le paquet. Dans ce cas, laisse-moi partir.

Dean arracha cette deuxième cigarette.

— Si ta mère est d'accord, je te mets dans le bus cet après-midi.

Tyler semblait sur le point de prendre une troisième cigarette, mais il se ravisa.

— Ah oui ? Pourtant tu sais comme moi qu'elle refusera. Elle ne veut pas que je rentre à la maison, et tu vas être obligé de te coltiner ton horrible neveu pour montrer à tout le monde quel type formidable tu es. Content ?

Ensuite, Tyler tourna les talons, mais Dean l'attrapa par l'épaule et l'obligea à se retourner.

— Si tu savais à quel point tu te trompes.

Tyler haussa les épaules pour se libérer.

— Raconte ce que tu veux. Tu peux même y croire. Mais moi, je sais ce que je vois. Tu n'as jamais eu cinq minutes pour moi de toute ta vie, et aujourd'hui tu t'inquiètes tellement pour moi que tu veux me garder ici ? Et puis quoi, encore ?

Dean se recula et tenta de trouver une explication valable, ou même une excuse. Mais il n'avait pas grand-chose à dire pour sa défense, et la colère devenait de plus en plus visible dans les yeux de Tyler alors que Dean gardait le silence.

— Tu as raison, dit-il enfin. Je n'ai pas été le meilleur oncle du monde. Ma carrière a pris beaucoup de mon temps, et j'ai laissé faire. Mais je me suis toujours soucié de toi.

Tyler rit amèrement.

— Je sais très bien à quel point. N'espère pas me berner avec tes salades. Alors si ce moment d'émotion est terminé, pourquoi ne pas plutôt parler de mon salaire ?

Soudain, Dean regretta lui avoir fait une telle promesse. Tyler pourrait en effet se servir de l'argent pour quitter la ville. D'un autre côté, s'il revenait sur sa parole, il passerait pour un menteur — en plus du reste.

Lentement, Dean sortit alors son portefeuille et compta trente dollars — suffisamment pour permettre à Tyler de faire quelques courses, mais pas suffisamment pour acheter un billet de bus.

— Retrouve-moi à midi, dit-il en posant les billets dans la main tendue de Tyler. J'aurai besoin de toi pour charger le pick-up.

Tyler fourra l'argent dans sa poche et partit d'une démarche assurée sans un mot. Dean le regarda tourner au coin de la rue, puis il exhala un profond soupir. Il s'assit ensuite lourdement sur le pare-chocs de son pick-up et se frotta le visage des deux mains. Il s'était toujours considéré comme quelqu'un de compétent et de capable, mais il était complètement dépassé et il ne savait pas du tout quoi faire avec Tyler.

*
* *

Dean passa les deux heures suivantes à se demander si Tyler serait ou non au rendez-vous. Nerveusement, il observait toutes les voitures qui passaient, pour s'assurer que l'adolescent ne se trouvait pas à l'intérieur, se demandant ce qu'il ferait le cas échéant.

Il appellerait Carol, bien entendu, mais elle ne lui serait certainement pas d'une grande aide. Il pourrait aussi prévenir la police, mais il avait le sentiment que cela ne ferait qu'empirer la situation. Si Tyler essayait de s'enfuir, Dean devrait tenter de le rattraper seul. Peu importe que Tyler n'affectionne pas particulièrement sa compagnie, Dean ne pouvait laisser quelqu'un d'autre s'occuper de lui.

Il espéra juste que le cas ne se présenterait jamais.

A midi, Dean était à cran. Une canette de soda à la main, il faisait les cent pas derrière le pick-up, et quand Tyler apparut au coin de la rue dix minutes plus tard, il éprouva un profond soulagement.

La raison pour laquelle Tyler était revenu importait peu : il était là, et Dean avait donc une nouvelle occasion de se rapprocher de lui. Ne voulant pas que Tyler devine qu'il avait douté de lui, il ouvrit l'arrière du pick-up et commença à faire de la place sur la plate-forme pour les provisions.

Comme Tyler se rapprochait, Dean indiqua un petit sac de plastique blanc que l'adolescent tenait à la main.

— Tu as trouvé tout ce que tu voulais ?

— Je crois.

— Bien. Chargeons tout ça sans traîner. Annie a dit que le déjeuner serait prêt à 12 h 30.

Tyler lui lança un regard étrange, puis haussa les épaules.

— D'accord. Comme tu veux.

— Et si tu montais dans le pick-up ? Je te passerai les provisions.

Tyler haussa une nouvelle fois les épaules, déposa son sac sur le siège avant, puis grimpa sur la plate-forme et attendit, poings sur les hanches, que Dean lui passe les paquets. Jusqu'à présent, son épaule ne le faisait pas souffrir, et il fit attention à ne pas faire de geste imprudent. Ils avaient presque terminé quand une voix de femme les interrompit.

— Dean Sheffield ? C'est bien vous ?

Dean se retourna, et vit Coretta Bothwell, la mère du maire, qui s'avançait vers eux.

Coretta faisait partie de ces gens qui aiment être partout à la fois. Quoi qu'il se passe à Whistle River, on pouvait être sûr de l'y rencontrer — et neuf fois sur dix, elle s'occupait de tout. Dean n'avait aucune idée de ce qu'elle pouvait lui vouloir.

Mettant ses mains en visière devant ses yeux, Coretta répéta :

— C'est bien vous, n'est-ce pas ?

— C'est bien moi. Comment allez-vous, Coretta ?

— Je vais bien, évidemment. Si ça, ce n'est pas une coïncidence, je ne sais pas ce que c'est, ajouta-t-elle. Figurez-vous que je voulais vous appeler dans l'après-midi.

Dean posa le sac de pommes de terre qu'il portait.

— Que puis-je pour vous ?

— Avant, dit-elle en adressant un large sourire à Tyler, présentez-moi plutôt ce jeune homme qui vous accompagne.

— Tyler Bell, répondit Dean en espérant que son neveu serait poli. Mon neveu. Tyler, je te présente Mme Bothwell.

Tyler marmonna quelque chose qui ressemblait à un bonjour, puis il s'assit.

— C'est toujours agréable de voir de nouvelles têtes en ville, dit Coretta. Surtout quand il s'agit de personnes qui envisagent de rester. Combien de temps passerez-vous parmi nous ? J'espère que vous allez rester à Whistle River.

Tyler hocha la tête et réussit même à prendre un ton sincère :

— Je ne sais pas encore. *A priori*, seulement pour l'été.

Coretta sembla déçue, mais Dean tressaillit de joie en entendant la réponse de Tyler : son neveu avait donc décidé de rester.

— Quel dommage, continua Coretta. Il y a tellement de choses à faire pour un jeune de votre âge.

Elle se tourna juste à temps vers Dean pour ne pas voir Tyler lever les yeux au ciel.

— Je vais aller droit au but, Dean. Nous avons besoin de vous.

— Nous ?

— Le comité des fêtes de la ville.

Coretta avait probablement prévu d'organiser un barbecue, comme l'année précédente. Dean y avait participé, et il s'était même surpris à passer un bon moment.

— Je serais ravi de vous aider. Que puis-je faire ?

— Je ne sais pas si vous êtes au courant que Hank et Leslie Miner nous quittent.

Dean essaya de se rappeler de qui Coretta parlait.

— Non.

— C'est bien triste que le lycée de Whistle River perde deux enseignants en même temps, mais Leslie est enceinte, et Hank a accepté un poste à Spokane.

Maintenant, Dean restituait mieux le jeune couple, qu'il ne connaissait que de vue.

— C'est en effet dommage qu'une famille quitte Whistle River, dit-il, mais quel est le rapport avec moi ?

— Vous savez sans doute que Hank entraînait l'équipe de base-ball des moins de douze ans depuis cinq ans.

Les traits de Dean se figèrent. Il comprenait maintenant où Coretta voulait en venir, mais elle faisait fausse route.

— Désolé, mais vous devrez trouver quelqu'un d'autre.

— Je sais que vous êtes occupé à l'hôtel, implora Coretta, mais cela ne vous prendra que quelques heures par semaine.

— Ce n'est pas beaucoup, crut bon d'ajouter Tyler.

Dean lui lança un regard d'avertissement.

— J'aurais bien demandé à quelqu'un d'autre, reprit Coretta, mais tout le monde est très occupé, et vous êtes de loin le plus qualifié de nous tous.

— Désolé, Coretta, persista Dean, en faisant passer le sac de pommes de terre à Tyler. Je ne suis pas intéressé.

— Mais vous savez bien que nous rencontrons tous les ans l'équipe de Red Lodge. Sans entraîneur, nous devrons annuler, et les enfants seront très déçus.

— Peut-être, mais le match se joue en août. Vous avez encore le temps de trouver un entraîneur. Maintenant, si vous voulez bien s'excuser…

— Non, je ne vous excuse pas, rétorqua Coretta en lui lançant un regard désapprobateur. Vous êtes l'homme de la situation, et vous le savez.

— Vous trouverez une bonne dizaine de personnes à Whistle River qui seront meilleures que moi.

Tyler retira alors sa casquette, et passa une main dans ses cheveux. Avec une fausse expression contrariée, il dit :

— Enfin, oncle Dean, tu ne vas tout de même pas décevoir ces pauvres petits enfants ?

— Ils ne seront pas déçus, répondit sèchement Dean.

— Comment le sais-tu ?

Ensuite, Tyler s'adressa à Coretta.

— Vous savez, il ferait un excellent entraîneur. Il sait s'y prendre avec les enfants. C'est juste que vous ne lui avez pas posé la question de la bonne manière. Garantissez-lui qu'il passera pour un héros s'il accepte, et il ne pourra pas refuser.

Dean ne savait pas quel sentiment prévalait en lui : la honte ou la colère. Il lui fallut tout son sang-froid pour ne pas saisir Tyler par le col et le faire descendre du pick-up.

— Quoi que j'aie fait, répondit-il en serrant les dents, quoi que tu imagines que j'aie fait, je ne mérite pas une telle attitude de ta part.

Le regard de Coretta passa de l'un à l'autre, et pour la première fois depuis que Dean la connaissait, elle sembla ne pas savoir quoi dire. Mais elle se reprit rapidement et gronda Tyler.

— Il n'y a aucune raison d'être malpoli, jeune homme.

Ensuite, elle se tourna vers Dean.

— La ville a besoin de vous. Les enfants ont besoin de vous.

— Je ne peux plus me servir de mon épaule, lui rappela alors Dean. Je suis incapable de lancer ou de rattraper une balle. Je ferais un entraîneur lamentable.

— Vous n'avez pas besoin de le faire, mais seulement de leur expliquer comment faire.

Est-ce qu'elle ne se rendait pas compte qu'il était suffisamment occupé avec Tyler sans avoir besoin d'en rajouter ?

— Coretta, comment enseigner le base-ball sans montrer les gestes ? Et vous avez dû vous rendre compte que j'ai déjà du mal avec un enfant, alors toute une équipe…

Coretta balaya son explication de la main.

— Je suis sûre que vous vous y prendrez très bien avec les enfants. Nous devons seulement trouver comment faire avec votre épaule.

Tapotant sa joue avec un doigt, elle se mit à réfléchir, ne donnant pas du tout l'impression de vouloir abandonner. Après quelques instants, son visage s'illumina d'un large sourire.

— J'ai trouvé. J'ai *la* solution. Si vous acceptez de devenir entraîneur, nous nommerons Tyler assistant.

L'adolescent sauta sur ses pieds, avec une expression de panique sur le visage qui était presque comique.

— Hors de question. Hors de question. Je refuse.

— Mais si, vous acceptez, répondit Coretta avec un clin d'œil à Dean. La ville a besoin de votre oncle, votre oncle a besoin de vous, et vous devenez tous les deux des héros.

Pour la première fois depuis l'arrivée de Tyler, Dean eut envie de rire. Pour autant qu'il ait envie d'éviter le base-ball, il avait encore plus envie de se rapprocher de Tyler. Posant un pied sur le pare-chocs du pick-up, il dit :

— Vous savez quoi, Coretta ? Je crois que c'est la meilleure idée que j'aie entendue depuis des jours. Vous avez votre entraîneur, et son assistant.

— Merveilleux ! s'exclama Coretta. Vous ne le regretterez pas. Je vous appelle dans quelques jours pour régler les détails.

Elle lui tapota le bras avec enthousiasme, fit un signe de la main en direction de Tyler, puis s'éloigna.

— Je refuse, cria celui-ci, mais elle sembla ne pas entendre — ou elle n'en montra rien.

Tyler poussa un profond soupir et se tourna vers son oncle.

— Je refuse, répéta-t-il. C'est toi, le super-champion.

— Et toi, tu es le neveu du super-champion. Tu ne vas tout de même pas décevoir ces pauvres petits enfants ? le taquina Dean.

Tyler lui lança un regard mauvais tout en rangeant un sac de farine.

— Je croyais que je n'étais pas en prison, marmonna-t-il entre ses dents.

— Tu n'es pas en prison. Mais tu m'as gentiment poussé à accepter ce travail d'entraîneur, et il est juste que tu m'aides à remplir mes obligations. Et qui sait, ça te plaira peut-être…

Ensuite, Dean se pencha pour attraper un autre sac de pommes de terre qui était posé sur le trottoir mais il oublia de faire attention et fit un mauvais mouvement. Immédiatement, il sentit la douleur bien trop familière lui déchirer l'épaule. Avant même qu'il n'ait eu le temps de réagir, il laissa échapper un gémissement de douleur, ses jambes vacillèrent, et il tomba à genoux sur le trottoir.

# 10.

Furieux contre sa propre faiblesse, Dean serra les dents et tenta de se relever. Malgré l'étourdissement de la souffrance, il vit Tyler sauter du pick-up et venir le rejoindre.

— Ça va ?

Dean avait trop mal pour répondre. Il hocha la tête et posa sa main sur son épaule, mais la douleur empirait au moindre mouvement. Il ferma les yeux et réprima un nouveau gémissement.

— Où sont tes médicaments ?

Tyler semblait vraiment inquiet, et Dean pensa que son imagination devait lui jouer des tours. Il essaya de sortir le flacon de sa poche, mais il fut obligé de renoncer.

— Ne bouge pas, ordonna Tyler, qui prit le flacon dans la poche de son oncle. Combien ? Une gélule ? Deux ?

Dean réussit à lever un doigt.

— Tu as quelque chose pour l'avaler ? demanda Tyler, tout en glissant une gélule entre les lèvres de Dean.

Il disparut un court instant, puis revint et posa le goulot froid d'une bouteille contre la bouche de Dean.

— Avale, avale. C'est bon ? Ça va mieux ?

Dean hocha la tête, et Tyler remit le flacon de médicaments dans sa poche. Ensuite, il s'accroupit à côté de son oncle, l'air véritablement soucieux.

— Pourquoi tu as fait ça ? J'aurais pu charger ce sac moi-même.

L'inquiétude sincère qui était perceptible dans la voix de Tyler toucha Dean. Il essaya de répondre, mais la douleur l'empêchait de se concentrer suffisamment pour parler de manière cohérente.

Tyler vint alors se placer derrière lui.

— Je vais te monter dans le pick-up, et tu resteras assis le temps que je termine de charger. Et c'est moi qui conduis pour rentrer. Où sont les clés ? Sur le contact ?

Dean acquiesça de la tête.

— Bien.

Ensuite, l'adolescent glissa ses mains sous les aisselles de Dean et le releva. La force de Tyler surprit Dean, mais pas autant que sa gentillesse. En effet, s'il avait réellement détesté son oncle, l'occasion aurait été trop belle. Au contraire, il se montrait très prévenant avec lui, et Dean fut presque convaincu que Nessa et Gary avaient raison : Tyler l'aimait peut-être un peu…

Quand ils arrivèrent à Eagle's Nest, la douleur s'était un peu calmée, mais Dean avait toujours l'impression qu'une lame brûlante lui transperçait l'épaule. Tyler ne lui laissa même pas l'occasion de l'aider à décharger le camion, et Dean lui en fut reconnaissant. Ignorant les appels d'Annie pour passer à table, il partit dans sa chambre.

A son réveil, plusieurs heures plus tard, la douleur était moins vive, mais elle était toujours présente. Toutefois, il pourrait reprendre des activités normales à condition de ne pas faire d'imprudences.

Assis sur le bord de son lit, il passa une main sur son visage et réalisa qu'il n'avait rien mangé depuis le petit-déjeuner. Rester le ventre vide ne l'aiderait pas à se remettre sur pieds, et il décida alors de descendre dans la cuisine, à la recherche d'un en-cas.

Par chance, il trouva un peu de poulet, un morceau de fromage et des petits pains qui restaient de la veille. Il prit aussi la part de gâteau à la cerise, et se dit alors qu'il devrait s'excuser auprès d'Annie. Et la remercier de ne pas s'en tenir aux menus qu'il avait planifiés.

Une fois son plateau prêt, il regarda longuement les boîtes alignées sur la paillasse, le long du réfrigérateur. Elles étaient certainement destinées au pique-nique du lendemain.

Il s'apprêtait à en ouvrir une pour en examiner le contenu quand la porte de la cuisine s'ouvrit derrière lui. Il se retourna et se trouva face à Annie, qui se tenait les bras croisés. C'était la première fois qu'il se retrouvait seul avec elle depuis leur conversation sous le porche, et Dean se sentit soudain nerveux.

Le regard d'Annie alla du visage de Dean à son plateau, puis remonta à son visage.

— Vous auriez dû demander. Je vous aurais préparé quelque chose.

— C'est bon, je peux le faire.

— Tyler nous a raconté ce qui s'est passé en ville. Comment va votre épaule ?

Gêné que tout le monde soit au courant de sa faiblesse, Dean répondit :

— Mieux.

— C'est vrai, ou vous n'avez pas envie d'en parler ?

Il rit un peu et se détendit.

— C'est vrai, assura-t-il, en bougeant légèrement son épaule.

— J'espère que vous allez travailler un peu moins dur pendant quelques jours. Cela ne vous vaudra rien de bon de trop forcer, lui conseilla Annie, peu impressionnée.

Hier, Dean se serait senti offensé par sa remarque. Mais aujourd'hui, il se contenta de sourire.

— Je sais, mais je ne suis pas non plus invalide. Je vous promets de faire attention.

Il était difficile de résister au regard inquiet d'Annie. Cela faisait bien longtemps qu'une femme ne s'était pas inquiétée pour lui. Passant une main dans ses cheveux, il se décida à aborder un sujet qu'il repoussait depuis trop longtemps.

— Au fait, commença-t-il, je voulais vous demander pardon. Je me suis montré un peu dur la dernière fois que nous avons discuté…

Surprise, Annie fit un pas en arrière, mais sa bouche esquissa un sourire.

— D'accord. Allez-y. Demandez-moi pardon.

— Mais… Je viens de le faire.

— Non. Vous avez seulement dit que vous vouliez le faire. Ce n'est pas la même chose.

Dean lui sourit à son tour.

— D'accord. Je vous demande pardon. Je me suis montré un peu dur l'autre soir.

— En effet, mais je crois que nous sommes autant coupables l'un que l'autre. Je n'étais pas non plus au meilleur de ma forme.

Cette fois, Dean éclata franchement de rire.

— Je suis heureux d'apprendre que vous n'êtes pas traumatisée à vie, dit-il en pensant que cette femme se situait décidément à l'opposé de Hayley. J'ai du reste bien l'impression qu'il faudrait plus qu'un accès de mauvaise humeur passager pour vous traumatiser.

Annie s'assit alors sur un tabouret, et Dean vint se poster devant elle. La lueur dans ses yeux leur donnait la couleur du ciel. Si elle se maquillait, son maquillage restait très discret. Elle avait attaché ses cheveux en une queue-de-cheval qui frôlait ses épaules quand elle tournait la tête. Et elle était nettement plus belle en jean et T-shirt qu'avec ses vêtements de citadine.

Toutefois, c'était son approche directe, sa sincérité évidente qui le fascinaient réellement. Jamais Hayley ne s'était montrée aussi franche ni directe avec lui, et pas une seule fois elle n'avait accepté d'endosser une part de responsabilité dans l'une de leurs disputes.

Le moindre faux pas de Dean la plongeait dans des bouderies interminables, et Dean devait chaque fois se racheter à grand renfort de bouquets de fleurs et d'invitations au restaurant. Malgré tout, elle continuait à lui rappeler ses erreurs jusqu'à ce qu'il en ait assez de dépenser son argent pour elle. Et c'était généralement là que le cycle infernal recommençait depuis le début.

Il avait peut-être joué le jeu de Hayley parce qu'il avait grandi en se sentant responsable de sa mère et de Carol, et il avait transposé ce sentiment à chacune de ses autres relations.

Annie se contenterait-elle d'une simple excuse ?

Son sourire se figea, sa gorge se serra, et les battements de son cœur s'accélérèrent. Soudain, une seule chose compta : s'assurer que cette femme sache combien il était désolé. Alors, il prit l'une de ses mains et dit en la regardant dans les yeux :

— Je vous demande pardon, Annie. Pour tout, y compris pour avoir douté que vous vous adapteriez ici et pour avoir voulu vous expliquer votre travail alors que vous n'avez pas besoin de moi.

Sous le coup de la surprise, elle battit des cils. Aucune malice ne se lisait plus dans son regard d'azur.

— Merci, dit-elle en posant légèrement une main sur le torse de Dean.

— Ce n'est pas tout, reprit Dean en embrassant doucement la paume de sa main. Vous m'effrayez à un point dont vous n'avez pas idée, Annie Holladay. Je n'ai rien ressenti de tel depuis une éternité, et je suis complètement désemparé.

Annie caressa alors tendrement la joue de Dean.

— Si cela peut vous rassurer, vous me faites peur aussi. Je me débats toujours au beau milieu d'un horrible divorce, et je ne suis pas prête pour m'attacher à quelqu'un d'autre.

— Alors, que faisons-nous ?

Annie hocha lentement la tête et retira sa main.

— Je ne sais pas. Si nous étions intelligents, nous déciderions d'être amis et d'en rester là.

La réponse déçut Dean, mais il savait qu'elle avait raison.

— En effet, ce serait le plus raisonnable.

— Nous ne pouvons ni l'un ni l'autre nous engager dans une relation, reprit rapidement Annie. Vous devez vous occuper d'Eagle's Nest et de Tyler. Moi, je dois me consacrer à Nessa tant qu'elle est avec moi. Et je déménage à Seattle dans deux mois. Oublions tout cela.

Dean écarta une mèche de cheveux du visage d'Annie puis posa une main sur sa joue. Ensuite, déglutissant difficilement, il traça le contour de ses lèvres avec son pouce.

La respiration d'Annie s'accéléra et ses lèvres s'entrouvrirent légèrement. Son regard se chargea de désir, et Dean eut encore plus de mal à rester raisonnable.

Il soupira et s'obligea à se souvenir de ce qu'elle avait dit. Elle partirait. Il serait insensé d'avoir une aventure. Pourtant…

Il se rapprocha jusqu'à ne plus être séparé d'elle que par un souffle. Son corps tout entier réclamait de l'enlacer et de poser ses lèvres sur les siennes, même pour un bref instant. Et il n'avait qu'à observer le regard d'Annie, écouter sa respiration saccadée, ou la sentir trembler un peu quand il caressait sa joue pour deviner qu'elle souhaitait la même chose que lui.

C'est alors qu'Annie passa sa langue sur ses lèvres, et Dean fut incapable de résister plus longtemps. Il se pencha vers elle, retenant son souffle…

— Maman ?

Surpris, Dean sursauta et Annie rouvrit les yeux.

— Maman, où es-tu ?

Des pas résonnèrent alors sous le porche arrière, et Dean eut juste le temps de s'éloigner d'Annie avant que Nessa n'entre dans la cuisine par la porte de derrière. Annie se leva précipitamment, manquant tomber de son tabouret.

Frustré, Dean se dirigea vers le réfrigérateur et resta devant la porte qu'il tint ouverte, espérant que le froid l'aiderait à recouvrer ses esprits.

— Il faut que tu voies ça, maman. Tu peux venir ? S'il te plaît ? A moins que tu ne sois occupée à préparer le dîner ? demanda Nessa, qui sembla ne rien remarquer.

Annie posa une main sur sa poitrine, comme si elle aussi avait du mal à retrouver la réalité. Elle hocha lentement la tête puis s'excusa intérieurement auprès de Dean.

— Bien entendu, je peux venir. Que se passe-t-il ?

— Il faut que tu voies ce que Gary m'a appris. C'est trop cool.

Puis la porte de la cuisine se referma derrière elles, et leurs voix s'évanouirent.

Dean passa une main sur son visage puis referma le réfrigérateur et attrapa son plateau. Il adressa une grimace à sa cuisse de poulet froid et partit dans son bureau. Son estomac criait famine, mais ce n'était rien en comparaison de la faim qu'il éprouvait en présence d'Annie.

Et il ignorait combien de temps il devrait attendre avant d'être rassasié.


Dean ne se souvenait pas avoir été aussi nerveux de toute sa vie. Cela faisait quarante-cinq minutes que sa première séance d'entraînement de base-ball avait commencé avec les enfants de Whistle River, et il se sentait lamentable.

Sans compter qu'il se trouvait complètement seul.

Il n'aurait pas dû être surpris que Tyler refuse de l'accompagner. Le fléchissement qu'il avait constaté l'autre jour en ville dans l'attitude de son neveu avait disparu presque aussi rapidement que la douleur dans son épaule. Toutefois, cela avait suffi pour convaincre

Dean qu'il finirait par apprivoiser Tyler. Il lui fallait seulement ne pas se décourager.

Pour l'instant, il devait se concentrer : une douzaine de paires d'yeux étaient rivées sur lui, observant le moindre de ses mouvements, et il se rendait bien compte de son incapacité. Mais pourquoi avait-il accepté ?

Depuis quelque temps, il s'était résolu à prendre régulièrement son traitement. Sa réticence envers les médicaments cédait peu à peu du terrain face à son désir d'être l'homme qu'Annie pourrait admirer, l'oncle dont Tyler avait besoin, l'ami que Gary, Les et Irma méritaient. Malgré tout, ses muscles protestaient au moindre mouvement et il se sentait partagé entre l'amour du sport qu'il s'était efforcé d'oublier et une légère jalousie en voyant tout ce que ces enfants pouvaient faire.

Il prit une lente et profonde inspiration, puis vérifia que les enfants avaient bien tous pris les positions qu'il leur avait désignées. Le capitaine de l'équipe, un jeune garçon aux cheveux châtains et au visage parsemé de taches de rousseur du nom de Rusty, se tenait à la place du lanceur.

Poings sur les hanches, il demanda :

— Et maintenant, on fait quoi ?

Dean réprima son besoin de masser son épaule.

— Maintenant, répondit-il suffisamment fort pour que tout le monde l'entende, vous allez vous lancer la balle les uns aux autres, pour vous entraîner à lancer et à rattraper.

— Je ne veux pas que quelqu'un me lance la balle dessus, protesta la petite Nicole. Et surtout pas Rusty.

— Il ne te fera pas mal, Nicole, tenta de la rassurer Dean.

— De toute façon, je ne sais pas la lancer aussi loin. Et puis je n'ai pas envie de jouer au base-ball, reprit la fillette en s'asseyant par terre et commençant à bouder.

— Arrête de pleurnicher, lança Zoe avec une moue de dégoût.

Nicole répliqua, Rusty leur demanda de se calmer, et Bobby Baker vint lui aussi ajouter son grain de sel. Dean consulta alors sa montre, avec l'impression de vivre l'après-midi le plus long de sa vie.

Il vint se poster au milieu du terrain et dit :

— Bon, vous êtes prêts ? Nicole, tu fais ce que tu peux. Si tu préfères, tu peux lancer la balle à Chris qui est plus près de toi.

« A condition que Chris veuille bien rejoindre l'équipe au lieu de chercher des trèfles à quatre feuilles dans l'herbe… »

— Quoi ? demanda l'intéressé, qui venait d'entendre son nom.

— Sur le terrain, s'il te plaît.

— Pourquoi ?

— Parce que nous sommes ici pour jouer au base-ball.

Dean prit deux balles dans un sac de sport, les donna à Rusty, et pria intérieurement pour qu'un orage se déclenche subitement et mette un terme à son supplice.

— Pourquoi vous ne nous lancez pas les balles ? demanda Rusty. C'est ce que notre ancien entraîneur faisait toujours.

— Parce que je ne suis pas votre ancien entraîneur et qu'il faudra vous habituer à quelques changements.

— Mais c'est stupide de lancer des balles comme ça.

Dean resta silencieux quelques secondes, se demandant quelle attitude adopter face à un garçon de neuf ans. Il regarda les autres membres de l'équipe qui l'observaient — à l'exception de Chris, toujours à quatre pattes dans l'herbe.

Dean se tourna alors un autre garçonnet.

— Zach, si Rusty n'est pas prêt, à toi de commencer.

— Zachary, corrigea celui-ci. Pas Zach.

— D'accord, je m'en souviendrai. Zachary, tu lances la balle à Zoe. Zoe à Bobby, Bobby à Nicole, et ainsi de suite. Chris, debout, ordonna Dean, qui consulta une nouvelle fois sa montre.

A ce moment, Bobby éternua et frotta ses yeux.

— Une seconde. Il faut que je prenne mon médicament contre les allergies.

Il fallut bien cinq minutes à Bobby pour trouver sa boîte de médicaments et avaler son comprimé, et encore dix minutes le temps que l'équipe soit de nouveau prête à jouer. Toutefois, cette interruption n'avait pas suffi à faire changer Rusty d'idée, et il refusait toujours d'obtempérer.

— Je ne sais pas pourquoi ils vous ont demandé de nous entraîner. Vous êtes nul, lança-t-il en jetant son gant à terre.

Vraiment ? Dean aurait pu le lui dire dès le début.

Il ramassa alors le gant de Rusty et l'enfila. Il regarda la balle passer à côté de Chris qui ne réagit pas, grimaça quand Nicole hurla parce qu'il y avait une tache d'herbe sur son short, et soupira discrètement quand un nouvel éternuement empêcha Bobby d'attraper la balle.

Prenant la place de Rusty, il passa les dernières minutes de la séance d'entraînement à désobéir aux médecins. Il ne pouvait pas faire grand-chose et son épaule le brûlait à la fin de la séance, mais il eut l'impression que certains enfants avaient progressé, et il se sentait étrangement mieux qu'il ne l'avait été depuis longtemps.


Annie chantonnait doucement tout en rangeant les provisions qu'elle avait achetées en accompagnant Irma et Les à Whistle River. Elle avait trouvé des poires et des mûres, et elle envisageait de préparer des charlottes aux poires individuelles, accompagnées de crème anglaise et de coulis de mûre — un succès de la carte de Holladay House. Elle espéra que les clients d'Eagle's Nest seraient aussi enthousiastes.

Elle travaillait rapidement, consciente du temps qui passait. Elle avait beaucoup à faire d'ici au dîner, et elle voulait pouvoir prendre son temps pour tout préparer correctement. Malgré tous ses efforts, elle avait le plus grand mal à se concentrer sur son travail depuis que Dean et elle avaient presque échangé un baiser, deux semaines plus tôt.

Elle aurait dû se féliciter que Nessa les ait interrompus. Elle n'était pas prête à s'investir dans une relation — surtout pas avec un homme aussi complexe que Dean, qui ne lui apporterait aucune sérénité.

L'embrasser aurait certes réconforté son ego meurtri, mais c'était bien le seul point positif.

Alors, pourquoi avait-elle tant de mal à oublier ce moment d'intimité, de désir ? Pourquoi le soleil illuminait-il soudain sa vie quand Dean se trouvait à proximité ? Et pourquoi ne pensait-elle qu'à lui dès qu'il n'était plus là ?

Elle s'efforça de se concentrer si fort sur son travail qu'il lui fallut un certain temps avant d'entendre le téléphone sonner. Quand elle comprit qu'Irma devait être sortie, elle courut décrocher.

— Hôtel-Ranch Eagle's Nest.

— Pourrais-je parler à Annie Holladay, s'il vous plaît ?

La voix de Spence finit de ramener Annie à la réalité. Que pouvait-il vouloir ? Déterminée à ne pas déclencher une dispute, elle essaya de ne rien laisser paraître de son agacement.

— C'est moi, Spence.

— Ils te font jouer à la standardiste, maintenant ?

— Ce n'est pas cela, Spence. Je suis assez occupée pour l'instant, alors si tu m'expliquais la raison de ton appel, nous gagnerions tous les deux du temps.

— D'accord, convint Spence, avec un petit rire. Je t'appelle pour parler affaires.

— Comment ça ?

— Bon, je vais être clair : reviens à Chicago travailler avec moi. Même si tu ne veux plus *vivre* avec moi.

Annie lâcha la boîte de conserve qu'elle tenait à la main et répondit :

— Tu plaisantes, j'espère ?

160

— Est-ce que j'ai l'air de plaisanter ?

— Non, mais tu devrais.

— Pourquoi ? Nous avons travaillé ensemble dans ce restaurant pendant des années. Nous l'avons dirigé. Alors, partir comme ça, c'est… stupide de ta part.

— Pas de mon point de vue.

— Ne me fais pas croire que tu te plais dans ton travail actuel, ni que tu vas t'épanouir à enseigner.

Annie aurait voulu lui répondre qu'il se trompait, mais il est vrai qu'elle aurait aimé cuisiner autre chose que des pains de viande ou des daubes. Dean ne s'était pas plaint des améliorations qu'elle avait apportées aux menus, et les clients n'avaient cessé de la complimenter, mais il lui manquait de relever un défi quasi artistique chaque fois qu'elle s'installait derrière les fourneaux. Et elle doutait retrouver son enthousiasme en apprenant à ses élèves comment découper des légumes ou préparer une béchamel. Spence la connaissait trop bien.

— Ce n'est pas la question, dit-elle enfin. Je ne peux pas faire ce que je faisais avant.

— Au contraire, rétorqua Spence. Je t'offre la chance de faire ce que tu faisais avant. Je te le demande, même.

— J'ai coupé les ponts avec Holladay House, et je n'envisage pas de faire marche arrière.

— Serait-ce faire marche arrière que de revenir vers le métier pour lequel tu es faite ?

Annie sentit son ressentiment grandir en elle. Comme il l'avait fait bien trop souvent pendant leur mariage, Spence l'aveuglait par ses belles paroles, semant le trouble dans son esprit et la laissant incapable de réagir. Il lui exposait des arguments parfaitement cohérents, et elle devait s'efforcer de trouver une réponse tout aussi cohérente.

— Et que fais-tu de l'aspect juridique ? demanda Annie.

Mais elle s'en voulut aussitôt d'avoir posé la question, car elle pouvait laisser penser à Spence qu'elle réfléchissait à son offre.

— On peut toujours faire modifier notre arrangement par le juge. Il n'y a aucune raison valable pour que tu refuses de revenir, Annie.

— Il n'y a aucune raison pour revenir, Spence. Tu crois vraiment que je pourrais venir travailler tous les jours avec toi, en sachant que le soir tu pars rejoindre Catherine ?

— Ecoute, répondit Spence en exhalant un profond soupir comme chaque fois qu'il commençait à perdre patience. Je ne suis pas naïf, et je me doute que ça ne sera pas facile. Et crois-moi si tu veux, mais ça ne sera pas facile pour moi non plus. Te voir chaque jour après ce que je t'ai fait...

Il s'interrompit un moment, avant de reprendre :

— Mais c'est au-dessus de nous, Annie. Le restaurant a besoin de nous deux. Nous ne sommes plus des enfants, et nous devrions être capables de surmonter des épreuves difficiles, comme nous l'avons toujours fait.

Annie s'apprêta à lui répondre, mais il ne lui en laissa pas le temps et il reprit :

— Et pense à Nessa. La situation actuelle ne la rend pas heureuse, et tu le sais. Elle a besoin de toi, Annie. Tu es sa mère. Catherine fera de son mieux, mais elle ne te remplacera jamais.

Annie garda pour elle le refus qu'elle s'apprêtait à lui signifier. Spence croyait-il vraiment ce qu'il venait de lui dire, ou bien savait-il que c'était le seul argument susceptible de la faire fléchir ?

— Nous nous écartons du sujet, dit-elle d'une voix mal assurée. Je ne sais pas quoi te répondre.

— Je te comprends, mais au moins écoute-moi. Tu n'es pas obligée de décider maintenant. Prends ton temps pour réfléchir, d'accord ? Si tu choisis de revenir à Chicago, le restaurant indemnisera l'école hôtelière de Seattle pour la rupture de ton contrat. Ce ne serait que justice.

— Spence…

— Réfléchis-y, Annie. C'est tout ce que je te demande.

# 11.

Plus tard dans la soirée, Annie était assise sur un banc, près du feu de camp, et elle essayait de savourer le succès d'un autre repas réussi. Les clients n'avaient en effet pas tari d'éloges sur son bœuf bourguignon et sur les charlottes aux poires, mais leurs commentaires ne suffisaient pas à la satisfaire et elle en voulait à Spence pour le lui avoir rappelé.

Quatre nouvelles familles étaient arrivées dans l'après-midi, et l'ensemble du personnel avait passé la soirée à s'assurer que personne ne manquait de rien. Les clients semblaient contents, et Dean n'avait pas cessé de sourire.

Toutefois, la soirée d'Annie avait été perturbée par l'appel de Spence. Et puis, elle était ici depuis déjà un mois et son projet de se rapprocher de Nessa tardait à se concrétiser. Soit Nessa n'était pas occupée, mais Annie travaillait. Soit Annie avait un moment de libre, mais Tyler se montrait si charmant que Nessa n'arrivait pas à le quitter.

Annie lança un coup d'œil en direction de Dean, qui se tenait de l'autre côté de la clairière avec Gary, à discuter du programme du lendemain. Irma et Les étaient repartis à Whistle River pour la nuit. Elle chercha Nessa du regard et la trouva en train de se promener, au loin, dans la clairière, en compagnie de Tyler. L'adolescente avait cessé de se plaindre qu'elle s'ennuyait, mais sa complicité grandissante avec Tyler préoccupait de plus en plus Annie.

Ce qui avait en effet commencé comme une simple amitié se transformait peu à peu en amourette d'adolescents, et les sentiments qu'Annie éprouvait pour Dean ne la rendaient que plus consciente de l'attirance qui existait entre Nessa et Tyler. Or, à leur âge, ce genre de sentiments pouvaient devenir incontrôlables.

Soudain désireuse de reprendre un peu d'autorité sur leurs vies, Annie appela. Les jeunes gens s'arrêtèrent et se tournèrent vers elle dans un ensemble parfait.

— Quoi, maman ? demanda Nessa en plissant les yeux pour mieux voir sa mère dans la nuit.

— Je vais rentrer. Tu m'accompagnes ?

Même dans le noir, Annie devina la moue de Nessa.

— Pas maintenant. Nous partons nous promener.

— Dans les bois ? A cette heure-ci ?

Lançant un regard derrière elle, vers les bois, Nessa répondit :

— Oui, pourquoi ?

— Peux-tu venir me voir une minute, s'il te plaît ? demanda alors Annie, en s'efforçant de ne pas paraître inquiète.

Nessa hésita, attendit la réaction de Tyler, puis traversa la clairière, Tyler sur ses talons. Quand ils atteignirent le cercle de pierres plates que Dean avait disposé autour du feu, Tyler resta en retrait.

Le feu craqua et des étincelles s'envolèrent vers le ciel. Croisant les bras, Nessa demanda :

— Quoi ?

— Il fait nuit, ma chérie. Tu penses que c'est vraiment prudent d'aller se promener dans les bois ?

— Nous allons seulement jusqu'au ruisseau.

— Et vous ne devez pas traverser les bois pour atteindre le ruisseau ?

— Pas vraiment.

— Si, et je préférerais que vous ne le fassiez pas.

— Et pourquoi ?

— Parce qu'il est tard et que nous devons nous lever tôt demain.

Nessa resta un moment bouche bée avant de rétorquer :

— Qu'est-ce que c'est que cette histoire ? Je me couche beaucoup plus tard que ça depuis que nous sommes ici.

— Ce n'est pas une raison pour s'installer dans cette habitude.

Après avoir observé sa mère, l'adolescente demanda :

— Quel est le problème, maman ? Tu t'es comportée bizarrement toute la soirée.

Annie n'était pas encore prête à parler à Nessa de la proposition de Spence. L'adolescente l'inciterait en effet à accepter, et Annie n'était pas certaine de pouvoir réfléchir sereinement sous la pression de sa fille. Alors, elle préféra orienter la conversation sur l'autre sujet qui la préoccupait.

— Pourquoi est-ce que tu ne t'assois pas une minute ? Je pense que nous devons en parler.

— Parler de quoi ?

— De toi et de Tyler. Je trouve que vous devenez de plus en plus proches, et cela m'inquiète.

— Nous sommes amis, maman. Ça te va ?

— Bien sûr. Tant que les choses restent ainsi.

Nessa lança un coup d'œil furtif vers Tyler puis adressa un regard furieux à sa mère. Baissant la voix, elle dit :

— Pourrais-tu s'il te plaît arrêter de me traiter comme un bébé ? Nous voulons seulement aller jusqu'au ruisseau.

— Je ne te traite pas comme un bébé, répondit doucement Annie. Je te demande seulement de réfléchir deux minutes.

— Que va-t-il se passer, à ton avis ? Tu t'imagines que Tyler va me sauter dessus dès que nous serons hors de vue ?

— Non ! protesta Annie. Je ne m'inquiète pas pour cela.

— Alors, tu penses que c'est moi qui vais lui sauter dessus ?

— Je t'en prie… J'ai seulement peur que tu te trouves dans une situation délicate et que tu ne saches pas comment en sortir.

Nessa releva le menton dans un geste de défi.

— Tu sais, je suis beaucoup plus intelligente que tu ne veux bien le croire.

— Ce n'est pas une question d'intelligence, répondit Annie, en s'efforçant de ne pas élever la voix. Même les personnes intelligentes se trouvent en permanence prises dans des situations qu'elles ne contrôlent pas.

L'adolescente se rapprocha encore un peu.

— Nous voulons seulement nous *promener*. Pourquoi en faire toute une histoire ?

Annie se tourna vers Tyler, qui semblait aussi mécontent que Nessa. Ensuite, elle lança un regard en direction de Dean et de Gary, qui discutaient un peu plus loin. Il était vrai que ni l'un ni l'autre ne semblaient s'inquiéter que les deux adolescents se promènent dans la nuit, ensemble. D'un autre côté, ni l'un ni l'autre n'avaient pour eux des sentiments maternels…

— Je sais que tu ne comprends pas mon inquiétude, dit-elle à Nessa. Tu comprendras peut-être le jour où tu seras mère à ton tour. Mais pour l'instant, tu dois m'obéir.

Les yeux de Nessa lancèrent des éclairs de colère, d'embarras et de douleur.

— Ce n'est pas juste.

— Je sais que c'est ce que tu penses, commença Annie.

Mais Nessa ne l'écoutait pas, et elle lança :

— C'est dans des moments comme ça que je suis impatiente d'aller vivre avec papa !

A l'instant même où elle prononça ces paroles, elle les regretta. Toutefois, cela ne l'empêcha pas de partir comme une flèche en direction des bois, Tyler sur ses talons.

Gary était rentré se coucher, et Dean resta à observer discrètement la scène. Il comprit l'inquiétude d'Annie tandis que les deux adolescents disparaissaient dans la nuit, mais il attendit quelques instants avant de la rejoindre.

— Ça va ? demanda-t-il doucement.

— Je pense, répondit-elle en hochant doucement la tête. Vous avez entendu ?

— Et oui…

— Et moi qui pensais rester discrète…

— Les voix portent, la nuit.

— Je m'en souviendrai, répondit Annie en frissonnant légèrement. Je me demande si j'ai dit quelque chose d'aussi blessant à ma mère quand j'avais l'âge de Nessa.

Dean décida de détendre l'atmosphère.

— Bien sûr que non. Et moi je ne me suis jamais montré insolent. Nous étions de véritables petits anges, j'en ai la certitude.

Annie rit et écarta une mèche de cheveux de son front.

— Merci.

Ils restèrent ensuite assis quelques instants en silence avant qu'elle ne reprenne :

— Vous avez oublié votre réplique. C'est maintenant que vous devez me dire de ne pas m'inquiéter. Que Tyler est un gentil garçon et que vous lui faites entièrement confiance.

Dean se pencha alors légèrement vers l'avant.

— Tyler est un gentil garçon, dit-il avec beaucoup de sérieux. Et je lui fais entièrement confiance.

Lui lançant un regard oblique, Annie s'enquit alors :

— Vous le pensez vraiment ?

— J'espère. Je ne pense pas qu'ils soient partis trop loin. Et Tyler semble vraiment apprécier Nessa. Je ne crois pas qu'il ait des intentions malhonnêtes.

Annie laissa échapper un profond soupir.

— Ce n'est guère réconfortant…

— Je sais, mais en vérité, je connais à peine Tyler. Je pense que c'est un gentil garçon et je lui fais confiance *jusqu'à un certain point*. Nous n'avons pas passé beaucoup de temps ensemble et je n'ai pas de garanties absolues à vous offrir.

— J'ai remarqué que les relations semblaient un peu tendues entre vous deux, mais on dirait que cela va mieux depuis deux semaines, n'est-ce pas ?

— Disons que ce n'est pas pire. Et c'est un progrès considérable.

Annie sourit légèrement.

— Je m'interroge sur vos relations, je ne cherche pas à mettre mon nez dans vos affaires.

— Peur que je vous en veuille ?

— Vous n'êtes pas susceptible à ce point, répondit-elle avec un sourire plus chaleureux. Et maintenant que je sais de quelle manière vous vous excusez, je suis prête à tenter ma chance — si vous êtes d'accord, bien entendu.

Dean hocha lentement la tête, ne sachant trop comment s'y prendre pour lui parler de sa famille, et un peu inquiet de sa réaction.

— C'est une longue histoire, commença-t-il.

— J'ai tout mon temps. Je ne pense pas que Nessa ait envie de me faire des confidences ce soir, et je crois qu'il vaudrait mieux la laisser se calmer avant de lui reparler. Alors, parlez-moi de vous deux. Tyler semble vous en vouloir, parfois, et je ne comprends pas pourquoi il est ici.

— Dans ce cas, nous sommes deux.

Dean fut étonné par la compassion et le soutien qu'il lut dans les yeux d'Annie. Il ne la connaissait que depuis un mois, mais il avait pourtant l'impression de la connaître depuis toujours. Et il ressentit un besoin profond de se confier à elle, et de l'écouter se confier à lui.

— La mère de Tyler et moi-même sommes les deux seuls enfants de la famille, dit-il enfin. Notre père est décédé peu de temps après la naissance de Carol. Et ma mère a disparu alors que j'avais vingt et un ans et que Carol était encore au lycée.

Annie afficha alors une expression grave.

— Je suis désolée. Je ne savais pas.

— C'était il y a longtemps, répondit Dean en haussant les épaules.

— Oui, mais…

Dean n'était pas prêt à se replonger aussi loin dans ses émotions. Il garda son regard fixé sur le feu et essaya de se concentrer sur ce qu'il pouvait confier à Annie.

— Cela a été très dur pour nous deux de perdre maman, mais je pense que Carol a encore plus souffert que moi. Avant que le cancer de maman ne soit diagnostiqué, Carol était une élève et une jeune fille modèle. Mais après… On aurait dit que Carol se sentait responsable de la maladie de maman. Que la perdre lui avait révélé une vérité terrible sur elle-même.

Le feu crépita et une bûche roula. Dean se pencha et la remit en place du bout de sa botte.

— En fait, Carol a beaucoup plus souffert que je ne l'ai pensé à l'époque. Je terminais juste l'université, très sûr de moi et déterminé à devenir quelqu'un. J'avais obtenu une bourse d'études grâce au base-ball, et à ma sortie on m'a proposé une place en première division. J'ai accepté.

— Et vous avez réussi ?

Il acquiesça.

— C'est alors que soudain Carol et moi nous sommes retrouvés seuls. J'étais l'aîné et je me sentais responsable, mais j'étais à moitié mort de peur de ne pas être à la hauteur.

Il marqua alors une pause, surpris par ce qu'il venait de reconnaître à voix haute. Personne, pas même ses amis les plus proches, ne savait à quel point il avait eu peur.

— Carol m'assurait qu'elle allait bien, et c'était plus facile de la croire. Alors, j'ai investi toute mon énergie et aussi mes frustrations dans ma carrière, pendant que Carol investissait les siennes dans l'alcool et les hommes.

Annie tourna une nouvelle fois son regard vers celui de Dean. Les flammes du feu de camp se reflétaient dans ses yeux, et la peau de son visage était rosie par la fraîcheur de la nuit et la chaleur du feu.

— On dirait qu'elle avait besoin que l'on s'occupe d'elle.

— Peut-être. Sans doute.

Dean regarda autour de lui, pour s'assurer que Tyler n'était pas revenu, puis il reprit à voix basse :

— On aurait cru qu'elle attirait tous les paumés de la planète. Elle s'est rapidement retrouvée enceinte de Tyler. Ensuite, elle n'a pas arrêté de changer de petit ami, et je ne savais jamais avec qui elle était quand je l'appelais. Mais j'avais toutes les chances de la trouver avec un homme, et soûle.

— Cela ne devait pas être facile pour vous d'assister à cela, dit Annie en posant doucement sa main sur le bras de Dean.

Il tourna alors sa main et attrapa celle d'Annie.

— Ce n'était pas facile, en effet, et c'est la raison pour laquelle je n'ai rien vu.

Cet aveu surprit Dean autant que le premier. Il sourit alors d'un air penaud et baissa son regard vers leurs mains jointes.

— Je détestais la voir gâcher sa vie. Me demander si son petit ami était marié, ou s'il se droguait, ou bien s'il la frappait. Elle ne tenait pas compte de cc que je lui disais, et me reprochait de plus en plus de vouloir me mêler de sa vie.

— C'est une réaction naturelle, d'en vouloir à ceux qui vous obligent à voir la vérité en face.

Dean s'était comporté de la sorte à plusieurs reprises, et il hocha la tête en y repensant.

— Vous avez raison. La situation a duré pendant quelques années et, un jour, Carol a rencontré un homme très bien et l'a même épousé. Elle semblait heureuse, enfin stabilisée, et il était un bon beau-père pour Tyler. Moi, j'étais ravi. Ma carrière décollait véritablement, et réclamait toute mon attention.

Il se détendit comme la conversation s'éloignait de ses propres erreurs.

— Tyler avait onze ans quand le mari de Carol est parti, et tout a recommencé. Il n'a pas contacté Tyler depuis des mois. Je ne connais pas son nouvel ami, mais Tyler ne l'aime pas. Carol pense que Tyler vole, mais Tyler soutient que c'est Randy le voleur.

Annie tourna son regard vers l'hôtel et dit :

— Et maintenant Tyler est ici, blessé que sa mère ne lui fasse pas confiance, en colère parce que le seul père qu'il connaisse ne veut pas de lui, et furieux contre vous parce que vous n'avez pas passé suffisamment de temps avec lui ces dernières années.

Annie avait vu tellement juste que Dean laissa échapper un petit rire gêné.

— Parfois, je me sens responsable pour ce que Carol et son ex-mari, Brandon, ont fait. Mais je ne peux pas combler le vide qu'ils ont créé dans la vie de Tyler, même avec la meilleure volonté du monde. Et ce n'est pas que je ne voulais pas passer de temps avec lui. Je ne pouvais simplement pas. L'équipe partait en déplacement pendant plusieurs semaines d'affilée, et Carol et Brandon déménageaient souvent. Il y avait même des moments où je ne savais pas où ils étaient.

Annie serra doucement sa main et lui adressa un regard oblique.

— L'histoire est bien jolie, mais est-ce la vérité ?

— C'est la vérité, affirma Dean.

— Vous ne pouviez pas passer de temps avec lui ? Ou bien vous vous serviez de votre carrière comme d'une excuse ?

— Je ne le pouvais pas, insista-t-il.

— Dean, Tyler est un garçon intelligent. Suffisamment intelligent pour comprendre que les gens ne font que ce qu'ils veulent bien faire. Nous nous trouvons des excuses uniquement pour rendre nos décisions plus faciles à accepter. Malgré ce que vous dites, je pense que si aviez vraiment voulu passer du temps avec lui, vous l'auriez trouvé. Et vous le savez comme moi.

La remarque d'Annie réduisit à néant toutes les excuses que Dean s'était inventées. Il s'efforça alors de chercher une réponse qui ne semblerait pas égoïste, mais il en fut incapable.

— Vous avez sans doute raison, concéda-t-il enfin. J'aurais pu prendre l'avion pour aller le voir. Je gagnais suffisamment bien ma vie.

— Vous auriez aussi pu lui offrir un billet d'avion.

Repensant aux accusations que Tyler lui avait jetées à la figure quand ils étaient en ville, Dean acquiesça d'un signe de tête.

— Je n'ai jamais eu une minute pour lui. C'est ce qu'il m'a dit.

— Bien. Maintenant, vous savez pourquoi il vous en veut autant. Qu'allez-vous faire ?

— C'est là tout le problème : je n'en ai aucune idée.

— Bien sûr que si. Vous êtes un bien meilleur oncle que vous ne le pensez.

Elle n'avait certainement aucune idée de l'effet que cette marque de confiance produisit sur Dean.

— Je pense que je devrais continuer à faire ce que je fais… J'essaierai de parler avec Carol et de me rapprocher de Tyler. Mais si vous avez d'autres suggestions, je vous écoute.

— Il a peut-être seulement besoin d'entendre la vérité. Répétez-lui ce que vous venez de me dire.

— Vous croyez que je ne l'ai pas déjà fait ? Je lui ai déjà tout raconté, sauf ce qui concerne sa mère. Je m'y refuse, même si elle m'a terriblement déçu.

Annie laissa quelques secondes s'écouler, puis elle se tourna vers Dean pour lui faire face.

— Pendant tout le temps que nous avons passé à parler, j'attendais que vous me disiez que vous aimiez Tyler, mais vous ne l'avez pas dit. Et je me demande s'il ne l'a pas remarqué, lui aussi.

Dean se raidit.

— Il devrait le savoir. Il est le fils de ma sœur.

— Quand le lui avez-vous dit pour la dernière fois ?

— Que je l'aime ? commença Dean.

Mais il se rendit compte qu'il était incapable de répondre, et il se tut. Il se souvint que Hayley se mettait souvent en colère parce qu'il n'arrivait pas à lui dire les paroles qu'elle attendait. Combien elle était en colère le soir de l'accident. Il sentit alors ce serrement familier au cœur, comme chaque fois que quelqu'un le pressait de parler de ses émotions.

— Ce n'est pas le genre de choses que je dis facilement, reconnut-il. Je n'ai jamais pu.

— Pourtant, c'est très important, répondit simplement Annie. Et j'ai le sentiment que Tyler n'entend pas souvent dire qu'on l'aime.

Elle avait probablement raison.

— Je ne suis pas sûr que Tyler veuille entendre ces mots de ma bouche, dit-il pourtant.

— Tout le monde aime entendre que quelqu'un l'aime. Et il est évident que vous l'aimez beaucoup, ce ne serait pas un mensonge. Si cela peut changer sa vie, est-ce que cela ne vaut pas la peine de prendre le risque ? Je le dirais mille fois par jour si cela pouvait inciter Nessa à changer d'avis et à vivre avec moi.

Dean saisit l'occasion de changer de sujet. Il lâcha alors sa main et passa un bras autour des épaules d'Annie.

— Est-ce maintenant que je dois vous assurer que tout va bien se terminer ?

Annie éclata de rire et se laissa naturellement aller contre lui.

— Ce serait en effet agréable à entendre, même si je n'y crois pas.

— Croyez-moi, Annie. Tout se terminera bien.

Annie plongea son regard dans celui de Dean et essaya de deviner ses pensées les plus secrètes. Elle exhala un petit soupir et ferma les yeux.

— J'aimerais tellement vous croire.

Dean suivit alors le contour de ses lèvres avec le pouce, comme il l'avait fait l'autre soir, dans la cuisine. Le désir enflammait ses reins, et il la voulait tellement qu'il pouvait à peine respirer.

— Je pourrais essayer une autre tactique pour vous en persuader.

Ouvrant grand ses yeux, Annie sentit ses lèvres se réchauffer sous le pouce de Dean.

— C'est une idée.

Submergé par l'émotion, Dean se pencha vers Annie et caressa sa bouche de ses lèvres. Ce n'était rien de plus qu'une caresse légère comme une plume, mais qui provoqua en lui un éclair de chaleur. Elle se fondit contre lui et caressa son dos, le serrant et l'attirant contre elle.

Son empressement à lui répondre attisa le brasier qui consumait Dean, mais il s'obligea à un peu de retenue. Il fit courir sa langue légèrement entre les lèvres d'Annie. Et quand elle répondit en entrouvrant ses lèvres pour l'inviter à plus d'audace, Dean soupira de plaisir et ressentit le soupir d'Annie au plus profond de son être.

Le désir de se coucher avec elle sur le sol et de lui faire l'amour était presque insupportable, mais savoir que n'importe qui pouvait les surprendre l'en dissuada. Il aurait pu passer le reste de la soirée à l'embrasser, mais il s'obligea à reculer. Sa respiration était haletante et irrégulière, son cœur cognait dans sa poitrine. Il observa le regard et le visage d'Annie, aperçut son pouls qui battait à la base de sa gorge, et il dut se retenir pour ne pas déposer un baiser à cet endroit.

Il lui fallut quelques secondes pour recouvrer ses esprits et dire :

— Je pensais que nous étions seulement amis.

Avec un sourire, Annie répondit :

— C'était plutôt amical, non ?

— En effet, répondit-il tout en s'efforçant de garder son sérieux. Je n'avais aucune idée de toutes les surprises qu'une simple amitié pouvait réserver.

Annie se blottit contre lui.

— Moi non plus. Mais nous ne devrions pas recommencer.

— Et pourquoi pas ? demanda Dean en prenant un peu de recul.

— Il y a Nessa. Et Tyler. Et Eagle's Nest. Et…

— J'ai demandé, une bonne raison, pas une dizaine de mauvaises, protesta Dean en la faisant se lever. C'est vraiment ce que tu veux ?

Annie hocha la tête.

— Oui. Nessa a beaucoup de mal à s'adapter au divorce, et je ne peux pas lui imposer une nouvelle relation aussi rapidement. Et Gary… Gary adore me taquiner, et ce serait lui tendre le bâton pour me faire battre.

Dean l'attira alors loin du feu, vers la pénombre, et il se pencha pour l'embrasser de nouveau. Mais Annie l'arrêta.

— Tyler est suffisamment perturbé et blessé. Ce serait étrange et gênant pour tout le monde si toi et moi commencions à nous voir… de cette manière.

Dean exhala un soupir rempli de regret.

— Sans parler du fait que tu n'es pas encore officiellement divorcée.

— Ce sera fait en août. Mais… Tu as raison, répondit Annie en soupirant doucement. Nous pourrions avoir de gros ennuis.

— Alors nous sommes d'accord ? On s'en tient là ?

— Absolument. On arrête.

Toutefois, avant qu'il n'ait eu le temps de réagir, elle se hissa sur la pointe des pieds et prit la bouche de Dean dans un autre baiser étourdissant. Puis elle se recula pour qu'il voie la lueur de malice au fond de ses yeux.

— Mais pas tout de suite.

— Qu'est-ce qui t'arrive ? demanda Gary le lendemain matin, alors que Dean était dans la cuisine depuis seulement trente secondes.

Celui-ci s'arrêta de siffler et regarda son ami, l'air surpris.

— A moi ? Rien. Pourquoi ?

— Pourquoi ? Regarde-toi dans un miroir, vieux. On dirait que tu n'es plus le même, ce matin.

Mal à l'aise, Dean rit et essaya de ne pas croiser le regard d'Annie. Même s'ils avaient convenu d'être un peu plus que des amis la veille, toutes les raisons pour garder leur relation secrète prévalaient toujours — et elles étaient notamment assises avec eux à la table du petit-déjeuner.

— Quel est le problème ?

— Je ne parlerais pas de problèmes, expliqua Gary en haussant un sourcil. Mais il y a quelque chose de changé.

Dean referma la porte du réfrigérateur et se tourna, trouvant quatre autres paires d'yeux qui le scrutaient de près. Tyler avait arrêté de beurrer son toast, Nessa tenait un verre de jus d'orange à mi-chemin de sa bouche, Irma gardait sa cuillère remplie d'œufs brouillés au-dessus de son assiette, et Les avait arrêté de mâcher. Annie, qui venait subitement de se découvrir une passion pour la préparation de la pâte à pain, était la seule personne de la pièce à ne pas le dévisager.

— Quoi ? demanda-t-il. J'ai du dentifrice sur la joue ?

Nessa fut la première à se reprendre. Après avoir avalé une gorgée de jus d'orange, elle posa son verre et dit :

— Non, mais Gary a raison. Vous êtes différent.

— Et tu sifflotais, ajouta Tyler.

Dean éclata de rire.

— Tu sais bien que j'adore siffler.

Irma se servit des œufs brouillés et donna un coup de coude à Les, qui se remit à mâcher.

— Pas cette chanson, précisa-t-elle.

Gary reprit la chanson que sifflait Dean quelques instants plus tôt, et celui-ci rougit jusqu'aux oreilles. Il pensa alors à ce vieux proverbe, selon lequel il y a deux choses qu'un homme ne peut pas cacher : quand il est soûl, et quand il est amoureux. Il ne pensait pas que ses sentiments pour Annie soient aussi profonds, mais un homme avait peut-être tout autant de mal à cacher qu'il avait flirté près d'un feu de camp.

Tout en se promettant intérieurement de faire plus attention à l'avenir, il prit un air dégagé et se dirigea vers la table.

— C'est un très beau jour, aujourd'hui, annonça-t-il. Nous avons trois bungalows occupés et aucune des cartes de crédit de nos clients n'a été refusée. Que demander de plus ?

— Peu importe la raison, dit Irma avec un coup d'œil furtif vers Annie. Ça fait plaisir de te voir aussi joyeux.

Dean prit deux toasts et changea de sujet :

— Est-ce que quelqu'un sait si les Jorgensen se sont décidés pour la randonnée à cheval, aujourd'hui ?

— Ils veulent y aller tous les quatre, répondit Gary. Et les Feeneys les accompagnent. Je pensais emmener Nessa et Tyler pour m'aider, si c'est d'accord. Plus ils acquerront d'expérience avec des petits groupes, plus ils seront efficaces quand nous aurons de plus grands groupes.

Un même large sourire s'afficha sur les visages des adolescents. Ils semblaient tous les deux très excités à cette perspective, et Dean eut spontanément envie d'accepter. Toutefois, il n'en fit rien par respect pour Annie.

Il la regarda pour la première fois depuis qu'il était entré dans la cuisine, remarqua son jean moulant et son T-shirt, et il s'efforça de garder une voix neutre quand il demanda :

— Vous êtes d'accord pour que Nessa y aille ?

Annie ne répondit pas avant d'avoir mis sa pâte à pain à reposer, puis elle les rejoignit.

— Je suis d'accord pour que tu y ailles, dit-elle enfin à Nessa. Mais fais attention. Tu n'as pas l'habitude de monter en montagne.

Gary assura qu'il garderait un œil sur les adolescents, mais le cri de joie de Nessa couvrit ses paroles. Elle bondit de sa chaise, passa ses bras autour du cou de Dean, et lança à Annie un regard qui exprimait autant le ressentiment qu'elle éprouvait encore pour la dispute de la veille qu'un pardon imminent. Elle partit, et Dean en profita pour poser la main sur l'épaule de Tyler — naturellement, comme s'il le faisait tous les jours.

Tyler se crispa un peu et il ne regarda pas directement Dean, mais au moins il ne tenta pas de se dégager. Notant avec satisfaction cette première victoire, Dean retira sa main et se remit à petit-déjeuner comme si de rien n'était. Mais à en juger par les coups d'œil furtifs que Tyler n'arrêtait pas de lui lancer, il avait fait quelque chose de très bien… ou commis une erreur irréparable.

# 12.

Annie gardait un œil sur la porte tout en attachant ses cheveux. La vapeur créée par la douche flottait au-dessus de sa tête et s'échappait par une fenêtre entrouverte. En ce début juillet, l'air était encore frais le matin et elle frissonna légèrement.

Néanmoins, cela n'avait aucune importance, car elle avait bien d'autres choses en tête, ce matin. Elle n'avait cessé de penser à la proposition de Spence, et elle ne savait toujours pas quoi répondre. Certes, la perspective de retourner travailler à Holladay House était tentante, mais uniquement parce qu'elle se serait sentie en sécurité et en terrain connu. En revanche, l'idée de retrouver Spence après tout ce qu'il lui avait fait subir paraissait beaucoup moins tentante.

Quant à son projet d'enseigner la cuisine dans une école hôtelière et de déménager à l'autre bout du pays, il lui paraissait chaque jour un peu moins attirant — mais ce devait avant tout être une question de peur.

Et pour tout arranger, Annie s'était surprise à plusieurs reprises en train de rêver à Dean pendant la journée… Elle avait de plus en plus de mal à prétendre devant les autres qu'elle n'éprouvait rien pour lui, et du reste elle en avait assez de faire semblant.

Toutes les raisons qu'elle avait trouvées pour garder leur relation naissante secrète semblaient s'évanouir dès qu'ils s'asseyaient autour de la même table pour les repas. Elle adorait l'observer s'occuper de ses clients — leur indiquer le meilleur coin de pêche sur une carte, ou leur apprendre à nettoyer un fusil. Elle se sentait réconfortée par le son de sa voix et la chaleur de son rire profond, et elle appréciait le voir se décontracter un peu plus de jour en jour.

Seulement, Annie se demandait si elle avait envie de révéler ses sentiments au reste du monde parce qu'ils étaient sincères, ou uniquement parce qu'elle se remettait encore mal de la trahison de Spence et qu'elle cherchait une sorte de revanche.

Riant doucement, elle observa son visage dans le miroir et sortit son pot de crème hydratante de sa trousse de toilette. C'est à ce moment que la porte s'ouvrit et que Nessa entra.

— Bonjour, dit Annie.

— 'Jour.

— J'espérais bien te voir avant le petit-déjeuner. Tu as des projets pour aujourd'hui ?

Nessa se glissa dans le vestiaire et tira le rideau.

— Comme d'habitude. Pourquoi ?

— Comme il n'y a que deux familles à l'hôtel, nous pourrions peut-être passer un peu de temps ensemble.

— Pour faire quoi ?

— Ce que tu voudras. Nous avons été tellement occupées dernièrement que j'ai l'impression de seulement te croiser.

— Mais nous nous voyons tout le temps.

— Oui, mais il y a toujours quelqu'un d'autre avec nous. J'aimerais que nous passions du temps seulement toi et moi. En vérité, j'ai l'impression d'avoir laissé certaines questions sans réponse entre nous, et j'en ai assez de cette situation.

— Comme quoi ?

— Comme ce que j'ai dit l'autre jour au sujet de Tyler et de toi. Comme ce que tu as dit au sujet de ton choix d'aller vivre avec ton père.

Nessa resta silencieuse pendant un long moment, et au moment où Annie allait renoncer à obtenir une réponse, l'adolescente dit :

— Tu sais, je ne voulais pas dire ça…

— Je sais, répondit Annie, soulagée.

— J'étais seulement en colère contre toi. Que reproches-tu à Tyler, au fait ? demanda Nessa en ouvrant partiellement le rideau.

— Je ne lui reproche rien. Je l'aime bien.

— Alors, pourquoi es-tu contre lui ?

— Je ne suis pas contre lui. Et si c'est l'impression que j'ai donnée, j'en suis désolée.

— D'accord, je te crois.

— Je n'ai rien contre Tyler, répéta Annie. Seulement, je m'inquiète de vous voir aussi proches l'un de l'autre parce que je sais ce qui peut se passer. L'attirance physique entre deux personnes peut parfois aveugler au point de faire oublier le sens des réalités.

Nessa, qui avait complètement ouvert le rideau du vestiaire, croisa ses bras.

— Bref, tu ne me fais pas confiance.

— Ce n'est pas vrai. Je trouve que tu passes un peu trop de temps avec Tyler, c'est tout. Mais je comprends ce que tu ressens, et pourquoi.

Sans doute un peu trop bien, se dit Annie. Mais elle chassa Dean de ses pensées, pour se consacrer à Nessa.

— Et puis, il est possible que je me sente aussi un peu mise de côté.

Pour la première fois depuis le début de la conversation, Nessa regarda sa mère droit dans les yeux :

— Tu veux dire, tu es *jalouse* ?

— Peut-être, répondit Annie, en fourrant ses mains dans les poches de son peignoir. Ma mère me disait souvent que ce n'est pas toujours facile de regarder ses enfants grandir… Avant cet été, je ne comprenais pas ce qu'elle entendait par là. Quand tu étais petite et que tu avais constamment besoin de moi, j'étais la personne la plus importante de ta vie. Maintenant, je ne suis plus en tête de ta liste, et j'ai parfois un peu de mal à l'accepter. Je suis très heureuse que tu aimes travailler avec les chevaux, et que tu t'entendes aussi bien avec Gary. Et je suis même contente que Tyler soit là. Seulement, j'aimerais bien avoir moi aussi une place dans ton emploi du temps.

— Quand ?

— Je ne sais pas. Nous pourrions prévoir de dîner ensemble une fois par semaine, ou tu pourrais rester avec moi un après-midi, pour que nous parlions pendant que je cuisine. Ou nous pourrions encore partir en randonnée, ou même aller en ville pour un après-midi de shopping entre filles.

— Tu n'as rien de plus excitant à me proposer ? demanda Nessa avec un petit sourire en coin.

— Qui sait ? Peut-être que nous pourrions nous amuser.

— Maman, je connais Whistle River… Bien que je déteste cuisiner, je veux bien passer un après-midi avec toi, si tu acceptes de faire ce que je te demande en échange.

Surprise, Annie dit :

— J'ignorais que tu détestais cuisiner.

— Et pourtant si. A ton avis, pourquoi est-ce que je n'ai jamais proposé de t'aider ?

— Parce que tu as quinze ans ?

— Aussi. Mais je t'aiderai à condition que tu apprennes enfin à monter à cheval.

— Tu es sérieuse ? demanda Annie, en riant.

— Oui.

Mal à l'aise, Annie passa une main dans son cou. Ces gigantesques chevaux la rendaient toujours aussi nerveuse, mais elle ne pouvait résister au regard suppliant de Nessa.

— Je pourrais sans doute essayer, si tu insistes…

— Aujourd'hui ?

— Pourquoi attendre ?

— Génial ! s'exclama l'adolescente. Attends que je l'annonce aux autres. Gary va en tomber à la renverse !

Annie rit nerveusement.

— Je n'en doute pas. Demande-lui seulement de me choisir un gentil cheval bien calme.

— Pas de problème.

Ensuite, Nessa entra dans la douche et fit couler l'eau. Après avoir rangé ses affaires, Annie sortit de la salle de bains. Elle n'avait pas envisagé de monter à cheval aujourd'hui, mais elle le ferait avec plaisir si cela pouvait l'aider à se rapprocher de Nessa.

Gary pénétra dans la cuisine avec la discrétion d'un troupeau d'éléphants, et il demanda à Annie :

— Prête ?

Annie, qui essuyait une casserole, hocha la tête.

— Je ne sais pas, Gary. Je ne suis pas sûre de...

— Ah oui ? Et pourquoi donc ?

— Parce que je ne suis jamais montée à cheval avant, et je ne sais pas comment m'y prendre avec les animaux. Je sais seulement qu'ils sentent quand on a peur — et je suis terrifiée.

Gary haussa les épaules en riant.

— Crois-moi. Cette vieille Maisie aura encore plus peur que toi.

— J'en doute...

Prenant la main d'Annie, Gary l'entraîna vers la porte.

— Allez, suis-moi. Tout le monde t'attend.

Sachant que Nessa attendait, Annie ne tenta pas de résister.

— Si je me blesse, je ne te le pardonnerai jamais.

— Tout ira bien.

— Comment peux-tu le savoir ?

— Je le sais. Allez, courage, fillette ! Je suis ton cousin préféré, et je ne te pousserais pas à monter si je pensais que tu courais le moindre risque.

— Et si j'ai l'air idiote ? demanda-t-elle alors qu'ils traversaient la clairière.

— Et pourquoi aurais-tu l'air idiote ?

— Parce que contrairement à vous tous, qui semblez monter depuis votre naissance, je ne sais pas monter.

Gary s'arrêta alors, vérifia sa tenue, puis il dit en hochant la tête, l'air satisfait :

— Tu es parfaite. On pourrait presque croire que tu es née dans le Montana.

— C'est seulement une impression, répondit Annie. Je me sens mal à l'aise et pas du tout dans mon élément.

— Sottises ! Je connais des gens qui vivent ici depuis des années et qui ne se sont pas aussi bien adaptés que toi.

— Merci, c'est un gentil mensonge, dit Annie en riant.

— Je t'en prie, dit-il avec un clin d'œil. Au fait, comment ça va ? Tu t'entends bien avec tout le monde ?

Annie hocha la tête et le suivit.

— J'aime beaucoup Irma et Les. Irma ne mâche pas ses mots, n'est-ce pas ?

— Pas franchement, en effet.

— Les est plus discret, mais très gentil.

— Il ne parle pas beaucoup, convint Gary. Il n'en voit pas l'utilité. Et Dean ?

Les joues d'Annie rougirent immédiatement, et elle tourna rapidement la tête avant que Gary ne puisse deviner son embarras.

— Nous nous entendons bien. Pourquoi ?

— Pour rien. Je voulais juste m'assurer que tout allait bien, puisque c'est moi qui t'ai fait venir ici.

Soulagée que Gary ne soupçonne rien, Annie sourit.

— Tout va bien, assura-t-elle.

Heureusement, ils arrivaient aux écuries. Mais quand Annie aperçut cinq chevaux sellés qui attendaient dans le paddock, elle adressa un regard anxieux à Gary.

Celui-ci fit comme s'il n'avait rien remarqué.

— Donne-nous cinq minutes, et nous t'aiderons à monter en selle.

Annie sentit son pouls cogner dans sa poitrine et ses mains devenir moites. Tous les autres semblaient tellement à l'aise qu'elle se sentit ridicule, mais quand elle s'approcha de Maisie, ses oreilles se mirent à bourdonner sous l'effet de la panique.

Maisie la regarda avancer avec ses grands yeux noirs, et elle ne bougea même pas quand Gary prit la main d'Annie et la posa sur le large dos de l'animal.

— Tu vois ? Elle est parfaitement inoffensive.

— Elle attend le bon moment, c'est tout.

Avec un grand éclat de rire, Gary répondit :

— Décidément, tu es trop forte pour moi, cousine. Nous avons en effet échafaudé un plan très élaboré pour te tuer, et c'est le plus gentil cheval de la création qui se chargera du sale boulot. Nous n'avons pas trouvé de meilleur alibi.

Annie était tendue, mais elle laissa sa main en place. Quand elle se décontracta suffisamment pour sentir l'étrange douceur de la robe aux poils raides, elle bougea doucement ses doigts. L'imposante musculature de l'animal l'impressionnait toujours, mais Maisie tourna la tête pour regarder en arrière et même Annie dut convenir qu'elle avait le regard le plus doux qu'elle ait jamais vu.

— Bonjour, Maisie, dit-elle.

L'animal répondit en s'ébrouant gentiment, et Annie se sentit un peu plus rassurée.

— Es-tu d'accord pour me laisser survivre à cette expérience nouvelle pour moi ?

Maisie bougea sa tête et Annie retira brusquement sa main. La jument lui adressa alors un regard qui sembla désapprobateur, et Annie reposa sa main.

— Désolée, s'excusa-t-elle.

— On dirait que vous venez de vous faire une nouvelle amie.

Entendant la voix de Dean, Annie se retourna brusquement, et quand elle le vit avec son vieux jean délavé et sa chemise de chambray, elle décida de monter Maisie uniquement pour avoir l'occasion de passer un peu plus de temps avec lui.

— Je ne sais pas si nous sommes amies. J'essaie de la convaincre de ne pas me piétiner.

— Maisie ? Elle ne ferait pas de mal à une mouche. N'est-ce pas, Maisie ?

Dean sortit une carotte de sa poche et la tendit de manière à ce que la jument puisse la sentir. Ensuite, Maisie retroussa ses babines et mordilla la carotte avec une étonnante délicatesse pendant quelques secondes. Ensuite, elle coupa la carotte en deux d'un coup de dents.

Annie frémit face à la puissance de l'animal mais ne put s'empêcher de rire en voyant la lueur triomphante qui animait ses grands yeux noirs.

— J'espère qu'elle saura faire la différence entre moi et cette carotte.

— Ne vous inquiétez pas, lui assura Dean en se rapprochant. Je ne vous quitterai pas des yeux.

Ses yeux semblaient promettre à Annie un peu plus qu'une leçon d'équitation, et elle se sentit parcourue par une vague de chaleur réconfortante.

— Je n'en doute pas, répondit-elle.

Avant que Dean n'ait eu le temps de répondre, Tyler cria quelque chose qui mit fin à la magie de cet instant hors du temps.

— Prête ? demanda alors Dean.

Annie hocha la tête et se concentra quand Dean lui expliqua comment se hisser sur la selle.

— Posez votre pied sur l'étrier et poussez avec l'autre pied. Vous devrez utiliser la force de vos bras pour grimper et passer l'autre jambe par-dessus le dos de Maisie. Tout va bien se passer.

À écouter Dean, monter en selle paraissait un jeu d'enfant. Elle suivit consciencieusement ses instructions et fit appel à toutes ses forces, mais elle retomba à deux reprises. Elle commença à regretter de n'avoir jamais pris le temps de s'inscrire dans un club de sports, quand elle était à Chicago.

— Encore une fois, l'encouragea Dean. Je sens que vous allez y arriver.

— J'en doute. Je manque de force dans les bras.

Il se rapprocha alors d'elle et lui glissa à l'oreille :

— Essaie encore. Tu vas réussir, je te le promets.

Son souffle tiède caressa le cou d'Annie et envoya un délicieux frisson dans tout son corps. Elle pouvait sentir la chaleur de sa présence contre elle, et elle regretta de ne pas pouvoir voler quelques instants en tête à tête pour l'embrasser, au lieu d'essayer de se hisser sur le dos de Maisie. Elle leva alors son regard vers celui de Dean, et resta plongée pendant un long moment dans son regard sans fond.

Il faudrait certainement une vie entière pour explorer tous les coins et les recoins, tous les secrets de l'âme et du cœur de Dean. Une femme aurait peut-être cette chance, et l'espace d'un instant, Annie espéra être cette femme. Toutefois, elle n'avait pas sa place à Whistle River et Dean n'en partirait jamais.

Soudain triste, elle se retourna vers Maisie et fit une nouvelle tentative. Comme elle se soulevait de terre, les mains puissantes de Dean se posèrent dans le bas de son dos et la poussèrent. Surprise, elle lança sa jambe libre par-dessus le dos de la jument et s'agrippa des deux mains au pommeau de la selle.

— Ça va ? s'enquit Dean, avec un grand sourire.

— Parfait.

Elle bougea pour s'installer plus confortablement, mais elle ne se sentait pas très à l'aise, cette posture n'étant ni habituelle, ni naturelle pour elle.

Les yeux de Dean scrutaient son visage pendant qu'il lui montrait comment tenir les rênes et diriger Maisie. Ses mains frôlaient Annie à chaque mouvement. Enfin, il la jugea prête pour faire le tour du paddock au pas.

Nessa monta en selle comme si elle avait fait cela toute sa vie. Tyler, gonflé de fierté parce qu'il avait réussi à convaincre Dean de lui laisser monter un cheval un peu fougueux, se débrouillait comme un vrai cow-boy. Quelques minutes plus tard, Dean et Gary étaient eux aussi en selle et prêts.

Annie retint son souffle quand Gary prit la tête de la petite troupe et sortit du paddock. Nessa se trouvait en deuxième position, suivie de Tyler. Annie cramponna ses rênes de toutes ses forces tout en murmurant des paroles apaisantes à Maisie. Toutefois, elle n'avait aucune raison de s'inquiéter : Maisie suivait tranquillement le cheval de Tyler, comme s'ils étaient reliés l'un à l'autre.

Dean fermait la marche, et Annie sentait ses yeux dans son dos pendant qu'ils traversaient la clairière. En quelques minutes, la brise, l'air frais et le paysage capturèrent bientôt son imagination et elle commença à se décontracter. Seuls le bruit des sabots sur le sol, les doux reniflements des chevaux venaient troubler le silence. Comme ils montaient la première la colline, Eagle's Nest disparut, et Annie se crut presque revenue un siècle en arrière, à l'époque des pionniers.

Les odeurs des pins et de la terre chargeaient l'air, et le charme de la forêt commença à opérer. La sensation des muscles de Maisie, qui ondulaient sous les cuisses d'Annie, était étonnamment apaisante et elle se laissa peu à peu bercer par le rythme nonchalant de la marche.

Elle comprenait maintenant pourquoi Gary aimait cet endroit, et pourquoi Dean l'avait choisi pour se construire une nouvelle vie. En fait, elle pouvait presque s'imaginer rester ici pour toujours.

*
* *

Deux heures plus tard, Dean s'assit à côté d'Annie, au bord de la rivière qui descendait la colline en serpentant, et il observa Nessa et Tyler qui barbotaient un peu plus loin. Le soleil chaud de juillet faisait scintiller l'eau, mais cette partie de la berge était partiellement abritée par un bosquet de saules.

Les éclats de rire des adolescents résonnaient dans le calme. Annie s'installa plus confortablement sur le rocher qui lui servait de siège, et Dean fut alors submergé par une sensation qu'il n'avait plus éprouvée depuis sa jeunesse : l'impression d'être ensemble, proches les uns des autres, et de former… une famille.

Il s'intima intérieurement de se reprendre et d'oublier cette sensation, mais il n'était pas sûr d'y parvenir. Pourtant, dans quelques semaines, presque tout le monde serait reparti. Le silence retomberait sur Eagle's Nest, et Gary et lui reprendraient leur vie de vieux garçons solitaires.

Il n'y a pas si longtemps, cette vie lui convenait parfaitement. Aujourd'hui, elle lui paraissait pathétique.

Annie bougea une nouvelle fois et étendit une jambe. Elle était si belle, assise au bord de l'eau, avec le soleil dans ses cheveux et ses yeux de la même couleur que l'eau, que Dean croyait rêver tout éveillé.

— Nous n'aurions jamais dû nous arrêter, dit-elle en grimaçant. Je suis toute courbatue et je ne pense pas réussir à remonter en selle — même si tu m'aides.

Dean s'obligea à ne plus penser à l'avenir pour se concentrer sur le moment présent.

— Désolé. Pour être franc, j'avais oublié combien monter pouvait être inconfortable, les premières fois. J'aurais dû te prévenir.

— Heureusement que tu n'en as rien fait, parce qu'autrement, je ne t'aurais jamais laissé me pousser sur le dos de Maisie.

Annie sourit tendrement en regardant Nessa et Tyler, et Dean se dit qu'elle semblait un peu moins inquiète au sujet de leur amitié.

Refoulant un nouvel accès de nostalgie, Dean tenta de se réconforter en observant le paysage : le vert tendre des saules, les feuilles de tremble frissonnant dans le vent, et les pins vert bleuté qui montaient jusqu'au sommet des montagnes.

— Si tu étais restée en bas, tu aurais manqué tout ça.

Annie suivit le regard de Dean.

— Et j'aurais eu tort. Tout cela me manquera quand nous partirons.

Dean se mordit la langue pour ne pas lui suggérer de rester. Il avait en effet passé toute sa vie comme un vieux garçon, et six mois plus tôt, il n'imaginait pas sa vie autrement. Aujourd'hui, Annie et les enfants l'incitaient à se remettre en question, mais il n'en ferait rien à moins d'avoir la certitude absolue qu'il pourrait supporter les changements. Dans de telles conditions, il jugeait préférable de les laisser partir qu'essayer de les retenir en leur faisant des promesses qu'il n'était pas sûr de tenir.

— Tu penses que Gary en a pour longtemps ?

Reconnaissant, Dean manqua l'embrasser pour avoir changé de sujet. En fait, il aurait trouvé n'importe quelle excuse pour l'embrasser mais il préférait se tenir tranquille tant qu'il n'avait pas la certitude de se trouver seul avec elle. Alors, il se contenta de répondre :

— Il devrait en avoir pour une heure environ — à moins qu'il ne mette moins de temps pour pêcher suffisamment de truites.

Il regarda Annie masser les muscles endoloris de ses cuisses, et il réprima son envie de lui proposer un massage de son corps entier.

— Je suppose que tu n'as pas très envie de préparer le dîner, n'est-ce pas ?

— Non, mais je le ferai. Si je m'immobilise, j'ai peur que mes muscles soient incapables de repartir, ensuite. Je prendrai un peu d'aspirine en rentrant, et ça devrait aller.

— C'est à cause de nous que tu es dans cet état. Laisse-nous nous occuper du dîner.

Avec un petit sourire, Annie répondit :

— En fait, c'est à cause de Maisie, et même si je suis tentée par une soirée de repos, je n'ai pas très envie que ce soit elle qui se mette aux fourneaux.

— Dans ce cas, répondit Dean en riant doucement, nous préparerons le dîner au nom de Maisie.

— Et qui serait ce « nous » ?

— Gary et moi.

— As-tu l'habitude de le nommer volontaire d'office ?

— Tu connais ton cousin : j'ai plus de chance qu'il accepte dans ces conditions. Et je sais très bien qu'il n'hésiterait pas à faire de même avec moi.

— Connaissant Gary, je suis sûre que tu as raison. Mais je me demande s'il est capable de faire bouillir de l'eau.

— Juste, mais il n'est pas nécessaire de faire bouillir de l'eau pour préparer des truites.

— Tu veux vraiment que je vous laisse tous les deux aux fourneaux ? demanda Annie.

Arquant un sourcil dans une expression de sérieux feinte, Dean dit alors :

— Je ne suis pas certain d'apprécier votre comportement, Mme Holladay. Insinuez-vous que vous êtes la seule personne à Eagle's Nest capable de cuisiner ?

— Pas du tout. Je sais très bien qu'Irma est une excellente cuisinière, répondit Annie, sur le même ton.

— Et maintenant, tu tiens des propos sexistes.

— Mes doutes n'ont rien à voir avec ce genre de considérations. Certains des meilleurs chefs au monde sont des hommes, mais j'ai la faiblesse de croire que Gary et toi n'appartenez pas à cette catégorie. Et rien ne nous garantit que Gary reviendra avec des truites.

Dean balaya son argument d'un revers de la main.

— A moins que la rivière ne soit à sec, Gary rapportera du poisson. Ne t'inquiète pas.

— Je te crois. Et j'adorerais avoir une soirée de libre.

De nouveaux éclats de rire attirèrent l'attention de Dean juste au moment où Tyler perdait l'équilibre et tombait dans l'eau. Il tenta d'entraîner Nessa dans sa chute, mais elle lui échappa et Tyler, qui était de nouveau sur ses pieds, la rattrapa. Il sortit de l'eau et rejoignit Nessa sur le rocher qu'elle avait choisi pour se sécher au soleil. Il s'allongea à côté d'elle — jeunes, innocents et parfaitement à l'aise.

Les relations entre Dean et Tyler s'étaient améliorées, mais la crainte de commettre une erreur et de tout gâcher avait empêché Dean de prendre de nouvelles initiatives. Toutefois, il devait y avoir quelque chose de magique dans l'air, aujourd'hui, parce que Dean ne put résister à l'envie de crier à l'intention de son neveu :

— J'ai proposé à Annie que Gary et moi préparions le dîner, ce soir, mais elle semble nous en croire incapables. Qu'en penses-tu, Tyler ? Tu veux nous aider à lui montrer qu'elle se trompe ?

Tyler releva la tête, son visage affichant des sentiments mêlés pendant qu'il réfléchissait à la proposition.

— Que préparez-vous ?

— Des truites, et ce qui conviendra comme accompagnement. Tu t'y connais un peu en cuisine ?

Tyler prit appui sur un coude et mit une main en visière devant ses yeux.

— A ton avis, qui cuisine à la maison ?

Ce n'était pas la réponse que Dean attendait, mais il n'aurait pas dû s'en étonner. Si Carol s'était remise à boire, elle ne pensait certainement pas beaucoup à manger. S'efforçant de garder le sourire, il demanda :

— Alors, tu es de la partie ?

Tyler hocha lentement la tête, jeta un coup d'œil à Nessa pour avoir son avis et afficha enfin un demi-sourire.

— D'accord. Pourquoi pas ?

Dean s'adossa alors contre un rocher et sourit comme il se sentait une nouvelle fois envahi par le sentiment de faire partie d'une famille.

Comme Dean l'avait promis, Gary revint avec un seau rempli de magnifiques truites arc-en-ciel, qu'Annie s'imagina faire griller et servir avec une sauce à base de citron et de câpres.

Elle proposa bien ses services à Dean et Gary sur le chemin du retour, mais les deux hommes firent semblant d'être très vexés et elle dut se contenter d'apprendre à Tyler comment améliorer un riz pilaf traditionnel.

Il régnait dans la cuisine une ambiance bon enfant. Tyler semblait décontracté et il participa volontiers au chahut général. Dean avait l'air tellement heureux qu'Annie faillit en pleurer de joie. Elle se demanda à une ou deux reprises si elle ne devait pas s'éclipser avec Nessa, mais cela faisait tellement longtemps qu'elles n'avaient pas partagé de fous rires ensemble… La soirée rappela à Annie combien le rire pouvait être important dans une relation, et elle dut convenir que Spence et elle n'avaient pas ri ensemble depuis bien longtemps.

Donc, elle se décida à rester dans la cuisine, pleura de rire, et apprécia chaque bouchée de son dîner — même si la truite était un peu trop cuite, que le riz collait, et que les haricots verts préparés par Gary étaient un peu trop croustillants.

Quand elle monta se coucher ce soir-là, elle se dit que la perfection n'était peut-être pas là où on le croyait…

# 13.

Encouragé par la formidable soirée passée avec son neveu et ses amis, Dean se glissa dans son bureau le lendemain matin, une fois son petit-déjeuner terminé, et il composa le numéro de Carol. Le téléphone sonna avant que quelqu'un ne décroche… et ne lâche le combiné. Dean entendit une voix masculine marmonner des jurons avant de répondre enfin :

— Ouais ?

L'homme semblait soit soûl, soit drogué, soit les deux, et Dean se glaça.

— Vous êtes Randy ?

— Désolé. J'connais personne qui s'appelle comme ça.

Carol avait-elle déjà changé de petit ami ? Après avoir inspiré profondément, Dean demanda :

— Est-ce que Carol est là ?

— Carol ? répéta l'homme.

Ensuite, il couvrit le téléphone d'une main, mais Dean distingua une voix de femme dans le fond.

— Carol est pas là, répondit enfin l'homme. Qu'est-ce que vous lui voulez ?

Dean ignora la question.

— Où est-elle ?

— Partie. Sortie.

Instinctivement, Dean consulta sa montre. Il n'était que 6 h 30 en Californie — un peu tôt pour commencer la tournée des bars. Il se mit à jouer nerveusement avec un stylo.

— Qui êtes-vous ?

— Un ami de la famille. Pourquoi ?

— Parce que je veux parler soit à Carol, soit à Randy. Peu importe lequel.

— Vous êtes un huissier, ou un truc du genre ?

— Non, je suis le frère de Carol. Et je dois lui parler de son fils.

L'homme éclata de rire, et le ton de sa voix changea immédiatement.

— Fallait le dire plus tôt ! T'appelles au sujet de Tyler ? Comment y va, ce petit salaud ?

— Tyler va bien, répondit Dean d'une voix tendue. Qui êtes-vous ?

— D'accord, je t'ai menti. C'est bien moi. Mais je ne savais pas qui t'étais, expliqua Randy de sa voix pâteuse d'alcoolique. T'aurais pu être un des potes de ma femme.

Dean arrêta de jouer avec le stylo et ferma les yeux.

— Vous êtes marié ?

— Moi non, mais ma femme l'est, répondit Randy en riant de sa plaisanterie. Sérieusement, mon pote, je suis séparé. Et dès que le divorce sera prononcé, toi et moi on sera comme frangins. Il faudrait peut-être qu'on fasse connaissance, non ?

Dean eut la désagréable impression d'être projeté dans le passé. Seulement cette fois, les choix de Carol n'affectaient pas qu'elle.

— Carol est avec vous ?

— Bien sûr.

La voix de Randy s'atténua et Dean imagina qu'il tendait le téléphone à Carol. Une main se plaqua une nouvelle fois sur l'appareil et il devina une discussion animée qu'il ne pouvait comprendre. Enfin, Carol prit le téléphone avec un petit rire embarrassé :

196

— Salut, Dean, ça va ?

Dean manqua demander à Carol combien de verres elle avait déjà bus, mais il se ravisa. Ce matin, il voulait s'entretenir avec elle de l'avenir de Tyler, et le moment était mal choisi pour provoquer sa colère.

— Cela fait des semaines que je n'ai pas eu de tes nouvelles. Je me demandais comment tu allais.

Carol laissa échapper un petit rire méfiant :

— Tu me surveilles à distance, c'est ça ?

— En fait, non. Je t'appelle au sujet de Tyler.

— Que se passe-t-il encore ?

D'une voix posée, sachant qu'il devait absolument aborder la question de la bonne manière sous peine de se faire raccrocher au nez, il dit :

— C'est un garçon bien, Carol. Je suis heureux de l'avoir avec moi.

— Vraiment ? Il ne ment pas, ne vole pas, ne jure pas et ne passe pas son temps à menacer de partir ? Parce que c'est ce qu'il fait sans arrêt avec moi.

— Il l'a fait au début, reconnut Dean, mais il s'est calmé.

— Comment t'y es-tu pris ?

— Je ne pense pas que ce soit moi. Je crois plutôt qu'il se sent bien ici. Eagle's Nest est un endroit formidable pour un garçon de son âge. Il passe beaucoup de temps avec les chevaux et il y a tellement d'espace qu'il est difficile de se sentir prisonnier.

Carol exhala alors un long soupir et ses paroles se firent un peu plus distinctes.

— Exactement comme ce dont tu rêvais, n'est-ce pas ?

— Moi ? Je ne m'en souviens pas.

— Vraiment ? Tu es sérieux ? Tu te rappelles l'été que nous avions dans l'Iowa, avant le décès de grand-mère ?

— Je me souviens avoir séjourné dans l'Iowa, mais c'est tout.

— Eh bien moi, je me souviens que tu n'arrêtais pas de répéter que tu deviendrais cow-boy et que tu habiterais un ranch. Je m'en souviens, parce que moi aussi j'avais décidé que je voulais devenir cow-boy. Comme j'étais trop petite pour monter à cheval, grand-mère m'avait donné un manche à balai, et j'avais passé la semaine à faire semblant que c'était mon cheval.

Dean s'appuya contre le dossier de son fauteuil et essaya de se rappeler.

— Je ne devais pas avoir plus de neuf ans, à l'époque.

— Oui, parce que j'avais quatre ou cinq ans.

Soudain, une image de Carol petite fille, chevauchant un manche à balai, lui revint à la mémoire, et il sentit des larmes lui brûler les yeux. Il les essuya du revers de la main et regretta alors l'enfance qu'ils n'auraient jamais plus, et l'innocence perdue en chemin.

— J'avais oublié tout cela, dit-il quand il fut capable de parler de nouveau. Je voulais rester chez grand-mère pour toujours.

— Oui, moi aussi.

— Eh bien, Eagle's Nest est presque aussi beau, annonça Dean. Tu peux venir, si tu veux.

— Je ne pense franchement pas que ma place soit là-bas.

Ensuite, la voix de Carol changea légèrement.

— Mais Tyler va bien ?

— Tyler va bien, et c'est pour cela que je t'appelle… Carol, j'aimerais qu'il reste.

— Définitivement ?

— Aussi longtemps que nécessaire.

— Pourquoi ?

Dean prit une profonde inspiration et choisit attentivement ses mots, pour ne pas blesser Carol.

— Il a l'air heureux, ici. Et d'après ce que tu m'as raconté, ce n'est pas le cas chez vous.

— Seulement depuis que j'ai rencontré Randy.

N'ayant pas envie de parler de Randy, Dean préféra éluder la question.

— Quelle qu'en soit la raison, vous avez tous deux connu des moments difficiles. Si son séjour ici peut aider à détendre vos relations, je ne demande pas mieux que Tyler reste.

— A t'entendre, je suis une horrible mère.

— Ce n'est pas ce que j'essaie de te dire. C'est que… Carol, nous formons une famille et je commence seulement à comprendre ce que cela signifie. Tu n'es pas la seule responsable du bonheur de Tyler. Je suis moi aussi responsable. S'il n'est pas heureux, je ne peux pas tourner le dos et faire semblant de ne rien voir. Je me suis comporté ainsi pendant trop longtemps, et ce n'est pas juste envers vous.

— Alors tu vas essayer de le sauver ?

La question désarçonna Dean, et il chercha comment répondre.

— Ce n'est pas ce que je suis en train de te dire.

— Mais si. Dean-le-sauveur est de retour, comme après le décès de maman. Mais il ne t'est jamais venu à l'esprit que nous n'avions peut-être pas besoin d'être secourus ?

— Je n'essaie de secourir personne, protesta-t-il. Je ne suis pas venu te demander de m'envoyer Tyler pour l'été. C'est toi qui m'as supplié de le prendre. Et j'ai accepté. J'ai passé les six dernières semaines avec lui, à l'observer et à apprendre à le connaître parce que tu me l'as demandé. Alors tu ne peux pas me reprocher d'avoir quelques idées sur ce qui pourrait être bien pour lui.

— Tu sais quoi, vieux ? Si je suis un tel boulet, je pars.

Surpris, Dean releva la tête et trouva Tyler qui se tenait sur le seuil de la pièce, bras croisés et les yeux lançant des éclairs. Dean était tellement concentré sur sa conversation avec Carol qu'il n'avait même pas entendu la porte s'ouvrir. Il se leva d'un bond puis s'immobilisa net, essayant de décider ce qu'il allait dire à Carol et à Tyler.

— Ce n'est pas ce que je voulais dire, assura-t-il sincèrement.

— Je m'en fiche. Quand je pense que je commençais vraiment à te faire confiance, lança Tyler avant de disparaître et sans laisser à Dean le temps de réagir.

Il partit à sa suite, tenant toujours le téléphone à la main. Il réalisa que Carol était en ligne et souhaitait certainement savoir ce qui se passait, mais n'ayant pas de temps à perdre en explications, il dit :

— Carol ? Je te rappellerai.

— C'était Tyler ?

— Oui, c'était lui. Et il faut vraiment que je lui explique ce qu'il vient d'entendre.

— Attends une minute, Dean…

— Je te rappelle, promit-il avant de raccrocher.

Ils auraient tout le temps de discuter plus tard. Pour l'instant, il devait rattraper Tyler et parler avec lui avant que tous les progrès de ces dernières semaines ne soient réduits à néant.


Grâce à Gary, Dean retrouva Tyler assis sur un rocher près de Wolf Creek, et jetant des pierres dans l'eau. L'adolescent semblait tellement abattu que Dean le regarda en silence un long moment tout en cherchant comment convaincre Tyler qu'il avait mal compris ce qu'il avait entendu.

Au bout de quelques minutes, Dean se décida enfin à s'avancer :

— Tyler ?

— Je me demandais pendant combien de temps tu allais rester dans mon dos à m'espionner, répondit Tyler sans se retourner.

— J'aurais dû me douter que tu m'avais entendu arriver. Je ne suis pas la personne la plus discrète au monde. Nous devons parler de la conversation que tu as entendue, ajouta Dean en s'asseyant près de Tyler.

— Parler de quoi ?

— Pour commencer, tu n'as entendu qu'une partie de ma conversation avec ta mère.

— J'en ai entendu assez, répliqua Tyler, avec un coup d'œil en coin.

— Non, si tu crois que je ne voulais pas de toi ici.

— Vraiment ? Tu as pourtant dit que ma mère t'avait supplié de me laisser venir. Qu'est-ce que je suis censé comprendre ?

— Je reconnais avoir dit cela, mais il te manque le contexte. J'ai appelé ta mère ce matin pour lui demander si tu pouvais rester.

— Pourquoi ?

— D'une part parce que j'apprécie ta présence, et que tu vas me manquer quand tu partiras. Nous passons de bons moments ensemble, n'est-ce pas ?

Tyler plissa les yeux mais ne répondit pas.

— Et d'autre part je n'aime pas trop l'idée de te renvoyer chez ta mère alors qu'elle boit et que Randy traîne dans les parages.

Après une courte pause, il ajouta :

— J'ai eu la « chance » de parler à Randy pour la première fois ce matin.

— Ton avis ? demanda Tyler, avec un petit sourire en coin.

— Je l'ai trouvé désagréable.

Tyler se tourna alors vers son oncle et dit, avec une moue de dégoût :

— Et tu ne l'as pas encore vu.

— Je m'en remettrai, crois-moi. Mais s'il épouse ta mère, je ferai certainement sa connaissance, répondit Dean sans grand enthousiasme. Et ce que j'ai entendu me confirme que tu as raison à son sujet.

Inclinant sa tête, Tyler regarda fixement son oncle.

— Tu dis ça parce que tu me crois, ou parce que tu ne l'aimes pas ?

Dean éclata de rire :

— M'en voudras-tu si je t'avoue qu'il y a des deux ?

Tyler hocha la tête et resta un moment silencieux, le regard perdu au loin. Dean décida de lui laisser le temps de digérer toutes ses émotions.

— Je n'arrive pas à comprendre pourquoi ma mère croit tout ce qu'il lui raconte…

— Moi non plus, reconnut Dean.

— Si l'amour rend aussi stupide, je préfère ne tomber jamais amoureux.

— Ce n'est pas de l'amour, lui assura Dean. C'est autre chose. De l'obsession. Ou de la faiblesse. J'aime ta mère, mais je suis le premier à reconnaître qu'elle n'est pas la femme la plus équilibrée ni la plus forte du monde. C'est en partie parce que ta grand-mère est morte alors que ta mère était encore très jeune et que je ne savais pas quoi faire. Alors j'ai commencé à me cacher derrière ma carrière pour ne pas voir ce qui n'allait pas, et je commence juste à comprendre mon erreur.

— Les problèmes de ma mère ne sont pas de ta faute, ni de la mienne, dit Tyler en hochant gravement la tête.

— Comment en es-tu venu à cette conclusion ?

— Je crois que c'est Nessa qui m'a aidé à comprendre. Elle est très intelligente.

— Sa mère aussi.

Dean lança une pierre, qui ricocha trois fois sur l'eau avant de couler.

— Alors ? Si ta mère accepte que tu restes ici, ça t'intéresse ?

— Je ferai quoi ? demanda Tyler, en haussant les épaules.

— Tu iras au lycée. Tu emprunteras mon pick-up pour aller draguer les filles. Tu travailleras en ville le week-end pendant les mois d'hiver, ou tu feras tes devoirs devant le feu, et tu me demanderas de l'argent de poche. Que des choses normales, en fait.

Se rappelant alors sa conversation avec Annie, Dean rassembla son courage et ajouta :

— Je t'aime, Tyler, et je veux que tu restes. Si tu acceptes, on réglera les détails au cas par cas.

Tyler observa son oncle pendant un long moment, avant de demander :

— Tu me laisseras vraiment emprunter ton pick-up pour aller draguer les filles ?

Soulagé, Dean éclata de rire :

— Je ne vois aucune raison de refuser, à moins que tu ne te montres pas digne de ma confiance.

L'adolescent sembla intéressé et prêt à accepter pendant quelques secondes, puis l'étincelle dans son regard mourut et son sourire s'effaça.

— Mais si je reste, maman se retrouvera seule avec Randy. Je ne peux pas faire ça.

— Tyler, ta mère est adulte. Même si toi et moi ne sommes pas d'accord avec ses choix, nous ne pouvons décider à sa place. Je suis bien obligé de reconnaître qu'elle a un comportement auto-destructeur depuis qu'elle a à peu près ton âge. Nous pouvons essayer de lui trouver de l'aide et l'encourager à accepter, mais nous ne pouvons pas l'obliger à aller mieux. Et tu ne peux pas sacrifier ton avenir pour quelque chose que tu ne peux pas changer.

— Alors, je suis censé laisser tomber ma mère ?

— Je ne te dis pas cela. Mais tous nos choix ont des conséquences et parfois nous ne sommes pas les seuls à en souffrir. La femme qui conduisait la voiture qui m'a percuté avait choisi de boire et de conduire, et j'ai perdu ma carrière à cause d'elle. Je ne veux pas qu'il t'arrive quelque chose de semblable.

Dean changea légèrement de position, de manière à mieux voir Tyler, puis il reprit :

— Ta mère fait des choix qui pourraient avoir d'importantes conséquences sur ton avenir, surtout si tu choisis de suivre le même chemin. Moi, je t'offre un chemin détourné. Si tu décides de rester ici, tu pourras voir ta mère aussi souvent que possible, et tu pourras

203

l'appeler quand tu le souhaiteras. Et si la situation s'arrange chez toi, tu pourras y retourner quand tu voudras.

Tyler passa les mains dans ses cheveux, et demanda :

— Je peux y réfléchir ?

— Bien sûr. Aussi longtemps que nécessaire. Je sais que c'est une décision importante.

Après une courte pause, Dean ajouta :

— Tu n'as peut-être pas le cœur à ça, mais j'ai un entraînement de base-ball avec les moins de douze ans dans quelques minutes, et j'aimerais beaucoup que tu m'accompagnes.

— Pourquoi ?

— Parce que j'ai peur de ne pas m'en sortir tout seul. J'ai essayé, mais j'ai besoin de ton aide.

— Vraiment ?

— Vraiment. Je suis sûr que tu sauras comment t'y prendre avec les enfants.

Avec un haussement d'épaule, Tyler accepta :

— Si tu crois que je peux être utile…

Dean se leva.

— Tu sais, ça ne sera pas facile. Le plus dur, c'est d'attirer leur attention.

Tyler se leva à son tour et suivit Dean. Alors qu'ils se dirigeaient vers la remise pour prendre le sac de sport, Dean se dit qu'il venait juste d'avoir l'une des plus importantes conversation de toute sa vie.


Quelques jours plus tard, Annie marchait tranquillement le long de la rivière en compagnie de Gary. Quelques touristes se promenaient dans les bois, et leurs voix étouffées parvenaient jusqu'à eux. Nessa et Tyler s'occupaient de quelques enfants autour du feu de camp, et on entendait de temps à autre des éclats de rire. Dean était parti vérifier l'installation électrique dans l'un des bungalows avec Les, et Irma discutait sous le porche avec Mme Gunderson, du bungalow cinq.

Annie avait donc la chance de passer un peu de temps avec son cousin, et elle profita pleinement de ce moment avec lui. Elle soupira doucement alors que la petite brise venue des canyons faisait trembler les feuilles, et elle ferma sa veste.

— Je n'aurais jamais pensé que la forêt puisse être aussi calme, le soir. Quand je suis arrivée ici, je m'attendais à être effrayée.

Gary sourit, et ses dents blanches ressortirent dans la pénombre.

— Et pourquoi donc ?

— A cause des lions, des tigres et des ours...

— Il n'y a pas de tigres dans le coin. Il y a bien quelques couguars et des ours, mais ils descendent rarement aussi bas, sauf en période de sécheresse. Néanmoins, il vaut mieux rester sur ses gardes. Si jamais tu croises un animal sauvage, tiens-toi à distance, et tout ira bien.

— Ne t'inquiète pas, lui assura Annie. Je ne devrais pas avoir de mal à garder mes distances.

Une nouvelle fois, elle inspira profondément.

— Gary, merci de m'avoir proposé cette place. Tu ne devineras jamais quelle aubaine c'était de quitter Chicago.

— C'était la solution idéale pour tout le monde. Alors, tout va bien ?

— Oui. Pourquoi cette question ?

— Pour rien. J'ai seulement l'impression que Dean et toi semblez jouer au chat et à la souris, depuis quelque temps.

Annie glissa un coup d'œil en direction de Gary, mais elle n'arriva pas à déchiffrer son expression dans la pénombre. Etait-ce une question innocente, ou savait-il quelque chose ?

— Nous ne jouons à rien, protesta-t-elle. Du moins, pas moi. Je ne sais pas pour Dean.

— Tu oublies seulement que je connais Dean presque aussi bien que je me connais moi-même. Et s'il ne se passe rien entre vous deux, je veux bien me faire moine !

Annie ne put s'empêcher de rire, mais le soudain besoin de se confier à quelqu'un lui fit monter les larmes aux yeux. En effet, la proposition de Spence, son attirance pour Dean, sa panique croissante à l'idée de se séparer de Nessa à la fin de l'été et ses doutes de plus en plus prononcés concernant son poste d'enseignante à l'école hôtelière l'empêchaient de dormir la nuit, de se concentrer le jour, et elle était à bout de nerfs.

— Tout est si compliqué, finit-elle par dire.

— Examine la situation point par point, calmement. C'est toujours ce que je fais quand j'ai un problème à résoudre. Tu élimines tout le superflu, tu fermes les yeux sur tes préjugés, et tu reprends tout à zéro.

— Plus facile à dire qu'à faire.

— Au début, mais c'est une question d'habitude. Tu veux commencer par Dean, ou par autre chose ?

— Pourquoi penses-tu que Dean soit le sujet le plus facile à aborder ? C'est un homme plutôt complexe.

— Pas vraiment. C'est un homme comme un autre. Il a des bons et des mauvais côtés, mais il est honnête. Et ça mérite d'être signalé.

Annie hocha lentement la tête.

— Il ne cache rien, et c'est sans doute cela qui me fait peur. J'ai plutôt l'habitude de gratter les couches de vernis pour découvrir la vraie personnalité des gens. Dean, lui, est celui qu'il paraît être…

— Sûr qu'il ne cherche pas à se faire passer pour ce qu'il n'est pas, répondit Gary avec un petit rire.

— Il est tellement différent de Spence. Je ne sais pas exactement quoi penser de lui, comment réagir… Et si nous parlions plutôt d'autre chose ? Nessa semble aimer travailler avec toi.

Heureusement, Gary ne protesta pas qu'elle change de sujet.

— Elle se débrouille plutôt bien.

— Vraiment ? demanda Annie en souriant. Je sais qu'elle s'amuse beaucoup, mais je suis contente de savoir que tu es satisfait de son travail.

— Plus que satisfait. Elle sait s'y prendre avec les chevaux, et elle peut leur faire faire presque n'importe quoi.

Annie ralentit son pas et se tourna en direction des écuries, bien que celles-ci soient dissimulées par la pénombre.

— Tu sais, je suis vraiment ravie que nous soyons venues ici car autrement, nous n'aurions jamais découvert ses talents cachés.

— Et toi ? As-tu des talents cachés ?

— Pas que je sache, répondit-elle en riant doucement.

Une rafale de vent tourbillonna autour d'eux, portant avec elle la voix de Dean. Annie ne pouvait comprendre ce qu'il disait, mais elle aurait reconnu sa voix n'importe où. Se retournant vers Gary, elle dit :

— Voilà, cousin. J'ai parlé. A ton tour, maintenant.

— Que veux-tu savoir ?

— Tu t'es installé dans la région après avoir épousé Shannon, et vous sembliez si amoureux. Que s'est-il passé ?

— Je l'ignore. Je n'aurais jamais pensé que nous nous séparerions. La première fois que je l'ai vue, j'ai su qu'elle serait ma femme, commença Gary d'une voix indiquant qu'il aimait toujours Shannon. Nos relations ont commencé à se dégrader après le décès de son père. Je n'ai peut-être pas été aussi présent que j'aurais dû… Tu sais, Annie, à une époque je pensais savoir ce qui était juste. Mais tout est sens dessus dessous maintenant, et je ne sais plus qui a eu tort et qui a eu raison.

— Je suis désolée, Gary, dit Annie en posant une main sur l'épaule de son cousin. Vit-elle toujours dans les environs ?

— Non, mais je suis resté parce que j'espère toujours qu'elle finira par revenir et me donner une autre chance. Mais il faudrait d'abord qu'elle divorce de son nouveau mari.

— Je n'étais pas au courant de tous les détails…

Avec un pauvre sourire, Gary répondit :

— Je ne raconte pas tout à ma mère.

Ils marchèrent pendant quelques minutes, avant que Gary ne brise le silence :

— Tu crois que tu te remarieras un jour ?

— Je ne sais pas. Et toi ?

— Il m'arrive d'y penser, mais je ne crois pas être fait pour le mariage.

— Ce n'est pas l'un de mes talents cachés non plus, reconnut Annie.

La voix de Dean parvint une nouvelle fois jusqu'à eux, un peu plus proche, et elle trébucha. Quand elle se rendit compte que Gary l'observait, elle décida de l'interroger tout en essayant de garder un ton léger.

— Pourquoi ne s'est-il jamais marié ?

— Qui ? Dean ? Pourquoi me poses-tu la question ?

— D'accord, répondit Annie. Si tu ne veux pas faire des commérages sur ton meilleur ami, je lui demanderai moi-même. Est-ce que tu le connaissais à l'époque de son accident ?

— Je l'ai rencontré pendant sa convalescence, juste avant qu'il ne décide de s'installer ici pour de bon.

Gary s'assit sur un rocher, et reprit :

— Dis-moi la vérité, Annie. Pourquoi es-tu si curieuse ? Raconte-moi ce qui se passe réellement entre Dean et toi.

Annie essaya de reprendre le ton de plaisanterie.

— C'est pour cela que tu m'as parlé de Shannon ? Pour que moi aussi je te confie un secret ?

— Pas exactement, mais si ça peut marcher…

— Eh bien, tu as perdu ton pari, cousin. Il n'y a rien à dire.

Gary imita le bruit du buzzer, comme dans un jeu télévisé.

— Mauvaise réponse. Vous pouvez utiliser votre joker, même si ce n'est pas conseillé. Tout mensonge vous vaudra cinquante points de pénalité.

Avec un sourire, Annie répondit :

— Je choisis les cinquante points.

Ensuite, elle inclina sa tête vers l'arrière et observa les étoiles à travers les branches, mais cela réveilla en elle des souvenirs de cette soirée où elle avait parlé avec Dean, sous le porche. Elle ferma alors les yeux, et se demanda pourquoi elle n'avouait pas simplement la vérité à Gary.

Il connaissait Dean aussi bien, voire mieux que personne, et il la connaissait. Il pourrait l'aider à comprendre les sentiments contradictoires qui la déchiraient.

Elle rouvrit les yeux et trouva Gary en train d'attendre, comme s'il avait lu dans ses pensées et savait qu'elle allait changer d'avis.

— Si tu veux tout savoir, je pense que je suis en train de tomber amoureuse de lui.

— Et ?

— Quoi ? demanda Annie en riant. Ce n'est pas assez ? Je ne suis pas encore divorcée. J'essaie toujours de gérer les sentiments provoqués par la trahison de Spence. J'ai perdu la carrière que j'avais mis ma vie entière à construire. Ma fille veut que je sauve mon mariage, mais je refuse de le faire même pour lui faire plaisir. Dans quelques mois, je serai célibataire et je vivrai seule dans un nouvel Etat où je ne connais personne. Bref, je ne pense pas que ce soit le meilleur moment pour m'enticher d'un homme.

Une fois son énumération terminée, Annie exhala un profond soupir.

Gary hocha lentement la tête.

— Personne n'a dit que tu étais dans une situation confortable.

— Non, en effet.

— Et je comprends que tu aies des choses à régler. Je ne peux pas te dire quoi faire, Annie. Mais je sais que l'amour ne se rencontre pas tous les jours. Dean est un type bien. L'un des mieux que tu puisses rencontrer. Il est honnête, fidèle, et aussi digne de confiance qu'une personne puisse l'être.

Annie entendit des pas derrière elle, et devina qu'il s'agissait de Dean. Ses sens avaient identifié immédiatement sa présence : son après-rasage, la chaleur qui émanait de son corps, et elle distingua son ombre à côté d'elle.

Gary déposa alors un baiser sur la joue de sa cousine, et lui murmura à l'oreille :

— Ne laisse pas la peur t'empêcher d'être heureuse. Crois-moi, vivre avec des regrets n'apporte rien de bon.

# 14.

Annie se tourna lentement et se trouva face au regard de Dean, qui l'observait avec intensité.

— Vous aviez l'air bien sérieux, dit-il en regardant Gary, qui s'éloignait.

— Nous parlions juste de la vie, de décisions et de regrets.

Le sourire de Dean s'effaça.

— Je suppose que nous en avons tous quelques-uns.

— Certains en ont certainement plus que d'autres, répondit Annie. Et Gary me conseillait de les éviter.

— Ah oui ? demanda Dean en haussant les sourcils et en se rapprochant.

Le col entrouvert de sa chemise révélait un peu de la toison recouvrant son torse, et les fragrances subtiles de savon, d'après-rasage et d'air frais emplissaient l'espace entre eux.

— Et selon lui, que vas-tu regretter ? s'enquit Dean, en se rapprochant encore.

— Il pense que je regretterai de partir d'ici.

— Il a raison ?

— Je ne le saurai avec certitude que le jour où je partirai, mais il pourrait bien avoir raison.

Dean prit alors la main d'Annie et l'attira vers lui.

— Il te conseille donc de rester ?

Annie hocha la tête et essaya d'ignorer l'attraction presque magnétique qu'il exerçait sur elle.

— Oui, mais je ne suis pas sûre que ce soit la bonne solution. Et c'est là tout le problème. Je ne suis sûre de rien.

Elle n'avait pas prévu de tout raconter à Dean, mais elle avoua malgré elle :

— Spence m'a demandé de revenir à Holladay House.

Le regard de Dean s'assombrit immédiatement :

— C'est ce que tu souhaites ?

— Oui et non. Holladay House était le projet de ma vie, et mon seul véritable succès — à part Nessa. Je me suis investie corps et âme dans ce restaurant, et Spence a tout emporté avec lui. Je ne veux pas dire que Spence ne travaillait pas dur, au contraire. Parfois, il travaillait même peut-être un peu trop. Mais au moins, il lui reste quelque chose.

Elle retira sa main de celle de Dean et se détourna un peu.

— L'idée de travailler de nouveau avec lui n'est pas particulièrement engageante, mais au moins je ne perdrais pas Nessa. Alors que si je pars…, commença-t-elle en se retournant vers Dean — et elle évita de croiser son regard douloureux. J'ai essayé d'être rationnelle, mais ça ne marche pas. Je ne pense pas être capable de prendre de décision importante pour l'instant.

Dean tendit la main vers elle, et elle se réfugia dans son étreinte.

— Je n'essaierai jamais de t'influencer, promit-il doucement. Tu dois faire ce qui te semble le mieux. Mais avant que tu ne prennes une décision, tu as le droit de savoir exactement ce que je ressens.

Il avait raison, même si cela ne faisait que compliquer son choix.

— Que ressens-tu ? murmura-t-elle.

Les traits de Dean s'adoucirent et il avoua :

— Je t'aime.

Annie eut soudain la sensation de suffoquer. Elle essaya de respirer, mais il était trop proche, son regard trop noir, son expression trop intense. Avec une lenteur désespérante, il fit remonter une main sur le bras d'Annie.

— Je ne pense plus qu'à toi. Je veux que tu restes et que tu m'aides à diriger Eagle's Nest.

— C'est aussi ce que je veux quand je me tiens près de toi dans un moment comme celui-ci. Mais si je reste, je me retrouverai dans la même situation qu'avec Spence, et cela m'effraie. J'ai postulé à l'école hôtelière parce que je *veux* réussir — ou échouer — par moi-même. Seule.

L'attirant contre lui, Dean répondit :

— Nous pourrions trouver un arrangement, si tu restais.

— Mais Eagle's Nest n'est ouvert que la moitié de l'année. Cela ne suffira jamais à nous faire vivre tous les deux, et je m'ennuierais à mourir le reste du temps.

— Dans ce cas, nous pourrions ouvrir en automne pour les chasseurs et en hiver pour les amateurs de neige. Nous pouvons faire d'Eagle's Nest ce que nous voulons.

Annie savait qu'il prenait un risque énorme et que cela lui coûtait énormément de lui faire une telle proposition. Le contact de sa main et l'expression de son regard auraient presque suffi à l'inciter à accepter. Toutefois, Annie savait aussi qu'il était très dangereux de laisser le clair de lune et le romantisme influencer sa décision.

Dean se pencha vers elle, et elle devina qu'il allait l'embrasser. Elle s'intima alors de se dégager et de s'éloigner avant qu'ils ne fassent quelque chose qu'ils regretteraient l'un et l'autre, mais elle fut incapable de bouger.

— Dean, non, protesta-t-elle faiblement.

— Non, quoi ? demanda-t-il, en promenant ses mains sur les épaules d'Annie.

— Non, ne fais pas cela.

Elle essaya de se rappeler toutes les raisons logiques pour lesquelles elle ne voulait pas qu'il influence son jugement, mais elle oublia tout quand il déposa un tendre baiser sur son front.

— Je n'arrive pas à réfléchir quand tu fais ça. Je ne vais pas prendre de décision…

Il coupa court à ses protestations en posant ses lèvres sur celles d'Annie. La raison d'Annie lui ordonnait de résister, mais le flux d'émotions qui l'envahissait balaya toute tentative de résistance. Elle savait qu'elle devait se reculer, mais pourtant elle ne bougea pas.

Un doux gémissement s'échappa de sa gorge comme la langue de Dean tenta de s'immiscer entre ses lèvres. Et quand il l'enlaça, l'écrasant quasiment contre lui, elle voulut encore plus. Une onde de chaleur rayonna dans tout son corps depuis son ventre et elle crut que la terre se dérobait sous ses pieds.

Elle se laissa emporter. Plus rien ne comptait. Plus personne n'existait. Elle noua alors ses bras autour du cou de Dean et passa ses doigts dans ses cheveux. La langue de Dean testa doucement sa bouche, donnant et prenant à la fois. Les mains d'Annie s'agrippèrent aux épaules de son compagnon. Si l'une de ses épaules avait été blessée, elle ne l'aurait jamais deviné. Les muscles de Dean ondulaient en effet sous sa peau et son torse, dur et musclé, lui inspirant à la fois un troublant sentiment de sécurité et de danger imminent.

Comme Dean plongeait ses doigts dans sa chevelure, Annie s'abandonna au merveilleux plaisir de se sentir désirée. Le moment était si intense que toutes ses craintes s'évanouirent et qu'elle s'accrocha à lui avec une ardeur qui l'étonna elle-même.

Bien trop tôt, il relâcha son étreinte et recula.

Surprise, elle rouvrit les yeux, trop hébétée pour se sentir blessée. Dean avait le regard fixé sur quelque chose, juste derrière elle, et l'expression de son visage la glaça jusqu'aux os. Annie se tourna alors pour voir de quoi il pouvait bien s'agir… et elle n'eut que le temps de lire l'horreur sur le visage de Nessa avant que celle-ci ne fasse demi-tour et parte en courant en direction de l'hôtel.

Annie eut alors l'impression de recevoir un poids énorme sur les épaules, et elle fut incapable de la suivre.

— Qu'a-t-elle vu ?

Dean hocha la tête.

— Je ne sais pas. Je me suis rendu compte de sa présence quand j'ai rouvert les yeux.

Annie sentit qu'elle avait la nausée. Elle était déchirée entre le désir de rester et la nécessité de partir, entre la crainte que Dean ne se méprenne sur sa décision si elle suivait Nessa et que Nessa tire une mauvaise conclusion si elle ne le faisait pas.

— Elle est encore trop bouleversée à cause du divorce, se décida finalement Annie. Je suis désolée, mais je dois faire quelque chose.

— Tu as raison. Va la voir, admit Dean en faisant un geste en direction de l'hôtel. Elle a besoin de toi.

Annie déposa un baiser rapide sur la joue de Dean, regrettant de ne pouvoir rester avec lui mais profondément reconnaissante qu'il se montre si compréhensif. Elle partit alors en courant, observant la pénombre autour d'elle au cas où Nessa se serait arrêtée en chemin. Elle n'avait aucune idée de la manière dont elle expliquerait à sa fille ce qu'elle venait de voir, mais elle devait essayer.

Arrivée dans la clairière, elle aperçut Nessa qui courait en direction des écuries comme si elle avait le diable à ses trousses. En se rapprochant, Annie la vit se précipiter dans les écuries et… dans les bras de Tyler.

Annie s'arrêta net et observa les jeunes gens, n'osant en croire ses yeux quand Tyler passa ses bras autour de Nessa et embrassa tendrement ses cheveux. De toute évidence, ce n'était pas leur première étreinte, et Annie sentit son cœur se serrer. D'un autre côté, elle devait reconnaître qu'elle assistait à une scène forte et émouvante.

Elle se pencha vers l'avant en posant ses mains sur ses genoux, essayant de reprendre son souffle et de réfléchir. Nessa était trop jeune pour avoir une relation sérieuse avec un garçon. Trop jeune. Pourtant, avec tous les sentiments qu'Annie éprouvait en ce moment, avait-elle le droit de lui faire le moindre reproche ?

Annie resta immobile pendant quelques minutes, pendant que Nessa parlait et que Tyler écoutait. Ensuite, quand il glissa un bras autour de la taille de la jeune fille et qu'ils partirent vers l'hôtel, Annie se dissimula sous un pin. Ils partageaient un moment d'une telle tendresse et d'une telle sincérité qu'elle n'était plus aussi sûre de ce qu'elle voulait dire à Nessa.

Il n'y avait pas si longtemps, Nessa venait vers sa mère dès qu'elle avait le moindre problème. Aujourd'hui, elle se tournait vers quelqu'un d'autre, et c'était Annie le problème. Annie eut alors la désagréable sensation que plus elle essayait d'arranger la situation, et plus celle-ci se compliquait.


Juste après 23 heures ce même soir, Annie frappa doucement à la porte de Nessa. Tôt ou tard, elle devrait parler avec elle du baiser que l'adolescente avait surpris et de l'étreinte qu'elle-même avait surprise entre Nessa et Tyler. Plus elle attendrait, plus la discussion risquait de devenir délicate.

Comme Nessa ne répondait pas, Annie frappa une deuxième fois. Sans réponse après sa troisième tentative, Annie tourna la poignée et entra dans la chambre. Dans un premier temps, elle crut que Nessa dormait déjà, mais le silence trop parfait de la pièce n'était pas naturel : il n'y avait en effet aucun bruit de respiration, aucun froissement de draps. En fait, il n'y avait pas le moindre bruit.

Le cœur cognant à ses tempes, Annie alluma la lumière et trouva ce qu'elle craignait : le lit de Nessa n'était même pas défait, et Annie éprouva un nouveau malaise. Elle descendit en courant dans la salle de bains, mais là encore il n'y avait personne.

L'étreinte qu'elle avait surprise entre Nessa et Tyler lui revint alors à la mémoire, et elle ressentit de la culpabilité pour avoir malgré elle provoqué Nessa en embrassant Dean. Toujours en courant, elle remonta, se répétant à chaque pas qu'elle ne devait pas tirer des conclusions trop hâtives. Toutefois, Tyler ne répondit pas plus quand elle frappa avec insistance à sa porte.

Cela ne présageait pas nécessairement du pire, tenta-t-elle de se persuader. Elle aurait plutôt dû se sentir soulagée que les adolescents ne se trouvent pas tous deux dans la même chambre. Ils pouvaient se trouver n'importe où, en train de faire quelque chose de parfaitement innocent : grignoter dans la cuisine, discuter sous le porche, se promener dans les bois…

Annie envisagca de frapper à la porte de Dean ou de Gary, mais elle ne voulait pas passer pour une idiote ni inquiéter quiconque inutilement. A la place, elle fit le tour de hôtel. Personne.

Le vent sifflait dans les branches, ce qui rendit Annie encore plus nerveuse. Serrant les pans de son peignoir devant elle, elle prit une lampe torche dans le placard de la cuisine et sortit par la porte de derrière. Elle marchait difficilement sur les cailloux pointus avec ses tongs et pensa à faire demi-tour pour enfiler des chaussures, mais s'il était déjà trop tard ? Et si…

Une forte rafale de vent la fit frissonner — ou bien était-ce seulement la perspective que Nessa soit peut-être sur le point de prendre une décision susceptible d'influencer son avenir, alors qu'elle était encore trop jeune pour savoir ce qu'elle voulait ? Annie se souvint alors de ce que Dean lui avait raconté au sujet de Carol, ce qui ne fit qu'accroître sa nervosité. Non, elle ne pouvait pas laisser Nessa commettre ce genre d'erreur.

Après ce qui lui parut une heure, elle arriva à la porte des écuries et entra. Elle resta sur le seuil et promena le faisceau de sa lampe sur le sol jonché de foin et les boxes de bois.

Les odeurs de poussière et de paille, mélangées à celles des chevaux, la firent éternuer. Elle resta immobile, tendant l'oreille pour percevoir d'éventuels pas précipités ou des murmures surpris. Mais elle n'entendit que les chevaux qui s'ébrouaient, et qui ne semblaient guère apprécier cette visite nocturne.

Annie décida alors d'entrer et elle referma la porte derrière elle. Au bout de quelques secondes, ses yeux commencèrent à s'habituer à la pénombre et ses oreilles aux bruits des animaux. Soudain, il lui sembla distinguer des voix qui paraissaient relativement proches.

Elle écouta attentivement, mais elle était incapable de comprendre ce qu'ils se disaient. Alors, elle se rapprocha doucement, se préparant au pire et espérant le meilleur. Les voix devenaient de plus en plus fortes, et au moment où elle atteignit la porte du paddock, elle put saisir des bribes de conversation.

— Et je ferais quoi, si je reste ? demanda Tyler. Une fois les touristes partis, il n'y aura plus grand-chose à faire à Whistle River — à part peut-être du rodéo.

— Ça a l'air rigolo, répondit Nessa. Plus que de se promener dans un centre commercial.

— T'as raison…

— Je suis sérieuse. Je veux bien me mettre au rodéo, si tu t'y mets.

Annie se dit que la conversation semblait relativement innocente, mais pour s'en assurer, elle s'approcha et essaya de regarder par un interstice, entre deux planches. Malheureusement, la fente était trop petite et elle ne pouvait voir que la lueur faible d'une lampe torche.

Tyler rit et leurs voix baissèrent. L'un des deux adolescents bougea et, tout d'un coup, Annie put voir Tyler, qui se tenait légèrement à l'écart de Nessa. Elle laissa alors échapper un soupir de soulagement, constatant qu'il n'y avait vraiment pas lieu de s'inquiéter. Il était tard et les deux adolescents auraient dû être couchés, mais au moins ils ne faisaient rien de répréhensible.

Alors qu'elle se demandait comment les faire rentrer à l'hôtel sans leur donner l'impression qu'elle les espionnait, une rafale de vent souleva un nuage de poussière qui vint lui piquer les yeux. Poussant un petit cri, Annie recula dans le mur derrière elle, faisant s'entrechoquer les outils de métal.

Avant qu'elle n'ait eu le temps de s'enfuir, la porte s'ouvrit, et les silhouettes de Nessa et de Tyler se découpèrent dans la pénombre.

— Maman ? Que fais-tu ici ?

Annie cligna des yeux à plusieurs reprises.

— Je suis allée te voir dans ta chambre, et je ne t'ai pas trouvée.

— Alors, tu es partie à ma recherche ?

Résistant à l'envie de frotter son œil, Annie répondit :

— Je voulais m'assurer que tout allait bien. Il est tard, et vous devriez tous les deux être couchés.

Nessa afficha alors une expression encore plus contrariée :

— Quoi ? Il n'est pas encore minuit.

— Nous ne faisions rien de mal, assura Tyler.

— Je n'ai rien dit de tel, Tyler. Mais il est tard et tout le monde est couché. Il est l'heure de rentrer.

— Je n'y crois pas, rétorqua Nessa en passant à côté de sa mère. Tu nous espionnais, n'est-ce pas ?

— Je ne vous espionnais pas. Je voulais savoir où tu étais.

— Dans ce cas, pourquoi ne pas avoir poussé la porte et être entrée, au lieu de nous regarder en douce ?

La dispute avec Dean, la poussière dans son œil et le sentiment de ne jamais rien faire qui satisfasse Nessa vinrent à bout de la patience d'Annie.

— Je n'ai pas d'explications à te donner, jeune fille. J'ai le droit de partir à ta recherche si tu ne te trouves pas là où tu es censée te trouver à cette heure de la nuit.

Nessa poussa une sorte de grognement mécontent et sortit des écuries. Annie la suivit, espérant que Tyler rentrerait à l'hôtel, et trop inquiète au sujet de Nessa pour attendre qu'il se décide.

Vers le milieu de la clairière, Nessa s'arrêta et fit volte-face. Le vent ébouriffait ses cheveux.

— Est-ce que je faisais quelque chose de mal ?

— Non, répondit Annie en continuant à marcher, espérant réduire la distance entre elles. Mais ce n'est pas la question.

Comme Annie se rapprochait, Nessa repartit et cria par-dessus son épaule :

— Tu ne me fais pas confiance. As-tu la moindre idée de ce que je peux ressentir ?

A proximité des bungalows dans lesquels dormaient les clients, Annie essaya de baisser la voix.

— Mais si, je te fais confiance. Et à Tyler aussi. C'est la situation qui me rend nerveuse.

— Quelle situation ?

— Toi et Tyler, seuls au milieu de la nuit.

Annie arriva alors à la hauteur de Nessa, et elle posa ses deux mains sur les épaules de sa fille avant de reprendre :

— J'ai eu quinze ans avant toi, Nessa.

Nessa tenta de se dégager. Quand elle comprit qu'Annie n'était pas disposée à abandonner, elle se calma mais l'expression de son regard trahissait toute sa colère et son amertume.

— Et alors, que cherches-tu à me dire ? Que tu couchais avec tout le monde à mon âge ?

— Non, bien sûr que non !

— Mais tu crois que je le fais ? accusa Nessa. Merci, maman. Je me sens vraiment mieux, maintenant. Ça fait plaisir de savoir ce que tu penses de moi.

— Ce n'est pas ce que je voulais dire, et tu le sais, protesta Annie.

220

En jetant un coup d'œil derrière elle, elle vit Tyler quelques mètres plus loin. Intérieurement, Annie lui fut reconnaissante de ne pas intervenir, et aussi de s'inquiéter pour Nessa.

— Je veux seulement te dire que je sais combien on peut facilement perdre le contrôle, et particulièrement avec une personne que l'on apprécie vraiment.

— Ah oui ? Eh bien ça ne m'étonne pas, répondit Nessa, qui revint se planter face à sa mère. Je vais te dire une chose, maman : apprends d'abord à te contrôler, et ensuite on discutera. D'accord ?

Si la question précédente avait fait à Annie l'effet d'une gifle, celle-ci la poignarda en plein cœur. Elle ignorait si elle se sentait plus blessée qu'en colère, mais elle savait qu'elle devait lever tout malentendu.

— Ce que tu as vu…, commença-t-elle.

— Je t'ai vue embrasser Dean. Tu ne vas tout de même pas me faire croire qu'il te faisait du bouche-à-bouche ?

— Tu as raison, répondit Annie en tentant de garder son calme. Nous nous embrassions.

— Pourquoi ? Tu es toujours mariée, tu te souviens ?

— Je suis séparée de ton père, Nessa. Et dans quelques semaines, nous serons divorcés. Je suis une adulte. Je reconnais qu'il aurait été plus sage d'attendre que le divorce soit prononcé, mais il le sera de toute manière. Je ne veux plus vivre avec ton père, et il ne veut plus vivre avec moi.

— Papa *veut* vivre avec toi. Il t'aime toujours et il veut que tu reviennes.

— Je sais que tu aimes ton père, ma chérie. Et c'est tout à fait normal. Le divorce ne doit en rien changer vos relations, mais il a fait des choix qui ont mis fin à notre mariage.

— C'est toi qui as déposé la demande de divorce.

— Parce qu'il a décidé qu'il y avait des choses plus importantes que notre engagement l'un envers l'autre.

Une lumière s'alluma dans l'un des bungalows, et Annie se rendit compte qu'elle parlait un peu trop fort. S'efforçant de baisser la voix, elle reprit :

— Je sais que tu souffres à cause du divorce, et je veux te donner le temps d'accepter cette situation. Je suis même prête à faire presque n'importe quoi pour t'aider. Mais il y a une chose que je ne peux pas : c'est revenir avec ton père, et il va falloir que tu l'acceptes.

— C'est pour ça que tu as une aventure avec Dean ?

— Non, ce que tu as vu ne signifie pas que Dean et moi sommes ensemble. Je ne suis pas prête à être avec qui que ce soit. Il est encore trop tôt.

Avec un petit sourire amer, Nessa demanda alors :

— Mais il n'est pas trop tôt pour l'embrasser ?

Prenant la main de sa fille, Annie répondit :

— Toi et moi partirons dans quelques semaines. Nous reprendrons le cours de nos vies et nous ne reverrons jamais ni Dean ni Tyler. C'est aussi l'une des raisons pour lesquelles je ne veux pas que tu t'engages dans une relation trop sérieuse avec Tyler.

A la plus grande surprise d'Annie, Nessa serra fort sa main et dit d'une voix étranglée par l'émotion :

— Je ne veux pas partir, maman. Je suis bien, ici.

— Evidemment, et moi aussi. Mais nous savons depuis le début que nous devrons repartir à la fin de l'été.

— Je ne veux pas.

— Tu ne voulais pas non plus venir ici, tu t'en souviens ?

— J'avais tort.

Malgré un espoir naissant, Annie connaissait trop bien sa fille pour croire qu'elle ne changerait pas d'avis.

— Une fois à Chicago, tu seras heureuse de revoir tes amis et de retourner à l'école.

Avec un regard en direction des écuries, Nessa répondit :

— J'ai enfin trouvé quelque chose que j'aime, maman. Je ne veux pas partir.

— Tu aimeras de nombreuses autres choses, et tu as toute la vie devant toi pour les découvrir.

— Maman, c'est ce que je veux faire, et ce que j'aime.

— Il faut du temps pour découvrir ses passions, tu sais. Je n'ai compris ce que je voulais faire qu'après ta naissance.

— Je sais ce que je ressens, insista Nessa. Et je sais ce que je veux faire. Tu veux savoir pourquoi j'aime autant Tyler ? C'est parce qu'il m'écoute, lui. Il n'est pas comme toi.

— Mais si, je t'écoute.

— Non. Tu veux régir la vie de tout le monde. Quand vas-tu comprendre que je ne suis pas un prolongement de toi ?

— Je le sais, lui assura Annie d'une voix faible.

Mais Nessa avait déjà monté en courant les marches du porche, et elle claqua la porte d'entrée derrière elle sans écouter sa mère. Annie se retrouva alors seule au milieu de la nuit, tandis que Tyler passait à côté d'elle et entrait à son tour.


La tempête éclata le lendemain matin, et les clients comme les employés cherchèrent comment s'occuper.

Gary fit de son mieux pour remonter le moral de tout le monde, et Annie n'en eut que plus d'admiration pour lui, maintenant qu'elle connaissait la douleur qu'il cachait au fond de son cœur. Pour sa part, elle s'affaira toute la matinée dans la cuisine, préparant des en-cas, du thé glacé et du chocolat chaud. A chaque fois qu'elle apportait quelque chose dans le salon, elle entendait Dean ou Gary assurer aux clients que la pluie ne durerait pas.

A 14 heures, quand même Gary fut forcé de reconnaître que la pluie n'était pas près de cesser, la tension était presque palpable. Irma avait pris les enfants en charge, et elle leur lisait des histoires. Nessa et Tyler s'étaient réfugiés dans un coin de la pièce, et ils déployaient de grands efforts pour ne croiser le regard de personne — et notamment celui d'Annie. Gary organisa des parties de cartes, tandis que Dean et Les allumaient un feu dans l'immense cheminée.

Comme tout le monde était occupé, Annie profita de quelques minutes de calme pour se glisser dans le bureau de Dean afin de téléphoner. Cela faisait bien longtemps qu'elle n'avait pas parlé avec sa mère, et après sa conversation de la veille avec Nessa, elle avait besoin d'entendre une voix amicale.

Elle ferma la porte du bureau et s'installa dans le fauteuil en cuir de Dean, espérant absorber de cette manière un peu de sa force. D'une main tremblante, elle composa le numéro en priant pour que sa mère soit chez elle. Lorsque l'on décrocha, Annie manqua éclater en sanglots.

— Chérie ! s'exclama sa mère. Quelle merveilleuse surprise. Tout va bien ?

— Oui. C'est juste que tu me manques.

— Toi aussi, tu me manques. Comment va la vie, dans le Montana ?

— Bien, répondit Annie, en entortillant le fil du téléphone autour d'un doigt. Il faudrait que tu viennes, un jour. C'est magnifique.

— As-tu pris des photos ?

— Pas encore, mais je le ferai. D'un autre côté, des photos ne rendraient pas justice à cet endroit. Il faut que tu le voies de tes propres yeux.

— Je t'envie. Comment se passe ton travail ?

— Bien, bien. C'est assez différent de ce que je fais d'habitude, mais je m'en sors et j'aime assez.

— Comment va Gary ?

— Tu ne le reconnaîtrais pas ! Il est devenu un cow-boy plus vrai que nature, et un homme vraiment bien maintenant qu'il a grandi.

Sa mère éclata de rire.

— Gary est en effet quelqu'un de très bien. Et Nessa ? Que pense-t-elle de la vie dans un ranch ?

Annie ne put réprimer un soupir.

— Tu te rappelles qu'elle ne voulait pas du tout venir ? Et bien maintenant, elle a décidé qu'elle ne voulait pas repartir.

— Connaissant Nessa, cela ne me surprend pas vraiment. Mais que fait-elle de ses amis de Chicago ?

— Elle ne semble pas s'en soucier. Elle s'est découvert une nouvelle passion pour les chevaux, et elle m'a annoncé hier soir qu'elle voulait travailler dans des écuries pour le reste de sa vie.

— Vraiment ? Au fond, cela n'a rien d'étonnant. Elle a toujours aimé les animaux.

— Les chatons et les chiots, mais les chevaux sont un peu différents…

— Evidemment, ils sont plus gros, et il doit être plus compliqué d'avoir un cheval en ville. Je me demande quelle caution exigerait un propriétaire…

Annie appréciait habituellement la capacité de sa mère à plaisanter de tout, mais elle ne se sentait pas d'humeur à rire, aujourd'hui…

— Maman, s'il te plaît. J'ai un réel problème.

D'une voix plus sérieuse, la mère d'Annie demanda :

— Elle envisage vraiment de rester ?

— C'est ce qu'elle dit.

— Et toi, que penses-tu ?

— Je suis énervée et en colère.

— Je voulais dire, as-tu toi aussi envie de rester ?

— Ce n'est même pas envisageable, répondit fermement Annie. Je commence à travailler à Seattle dans quelques semaines, et j'ai déjà fait expédier mes meubles et mes vêtements.

— Annie, tout est possible si tu le souhaites. Et l'enthousiasme avec lequel tu me parles de cet endroit m'interroge. Penses-tu que ton patron te garderait ?

Annie en voulut à sa mère de se laisser emporter aussi facilement.

— Maman, tu parles comme si tu trouvais que rester serait une bonne idée.

— Je pense que tout ce qui peut te rendre heureuse est une bonne idée. Je ne t'ai pas beaucoup vue heureuse, ces derniers temps.

— J'étais heureuse, lui rappela Annie, jusqu'à ce que Spence décide d'aller voir ailleurs.

— Annie, tu n'étais pas heureuse.

— Mais si.

— Non. Peut-être pas malheureuse, mais pas heureuse.

— Et comment le sais-tu ?

— Je suis ta mère. Je te connais depuis toujours. Je suis capable de reconnaître le bonheur dans ton regard et dans ta voix, et tu n'étais pas heureuse.

Agacée, Annie s'enfonça dans le fauteuil, mais elle avait la désagréable impression que sa mère avait raison.

— Bon. Peut-être. Mais ça ne veut pas dire que je doive déménager à l'autre bout du pays et embrasser un style de vie radicalement différent.

— Est-ce que ce n'est pas ce que tu allais faire à Seattle ?

— Ce n'est pas pareil. Rester ici serait trop radical.

— Et qu'y aurait-il de mal à un changement radical ?

— J'ai une vie, maman.

— Oui, en effet. Et si tu m'en parlais, de cette vie ?

Annie ouvrit la bouche, mais ne savait pas trop par où commencer. Elle finit par dire :

— Tu le sais. Mais je ne crois pas qu'un changement radical soit la solution. En fait, Spence m'a demandé de revenir travailler à Holladay House.

— Tu as refusé, bien entendu.

— Oui, mais il veut tout de même que j'y réfléchisse.

— Je vois… Et toi, qu'en penses-tu ?

— Je ne sais pas, reconnut Annie. Je ne sais pas si je peux travailler avec lui, sachant qu'il vit avec Catherine. Mais si je reste à Chicago, Nessa ne sera plus obligée de vivre avec Spence. Et puis, je ne suis pas sûre de vouloir enseigner. J'aime trop cuisiner moi-même.

— J'ai l'impression que le moment est venu de faire un choix.

— Je sais ce que je veux. Je veux une vie normale. Je veux une fille qui ne me déteste pas et un travail dont je sois fière.

« Et quelqu'un à aimer », pensa-t-elle, mais elle préféra garder cette pensée pour elle.

— Je veux surmonter mon divorce, reprit-elle, et avoir les idées claires avant de prendre des décisions importantes.

— Reprenons ta liste depuis le début, suggéra sa mère avec calme. Nessa ne te déteste pas. C'est seulement une adolescente, en proie à ses contradictions.

Malgré la tension, Annie éclata de rire.

— En proie à ses contradictions ? Maman, à t'entendre, on croirait qu'elle ne contrôle rien.

— C'est parfois le cas. Les émotions sont démultipliées, à cet âge. Rappelle-toi tes quinze ans !

— Bien sûr.

— Combien tu appréciais que je te donne mon avis ou des conseils…

— Je ne réagissais pas comme Nessa aujourd'hui. Et je ne te parlais certainement pas comme elle m'a parlé hier soir.

Sa mère éclata soudain de rire, ce qui ne fit qu'ajouter à l'agacement d'Annie.

— Annie, sur quelle planète vis-tu ? Tu n'acceptes toujours pas de m'écouter, et je me souviens de quelques disputes pas piquées des hannetons !

— Pas moi, répondit Annie en fronçant les sourcils.

— Vraiment ? Laisse-moi te rafraîchir la mémoire. J'avais refusé de te laisser partir traverser le pays en bus avec quelques amis de ton âge, et tu m'as accusée à plusieurs reprises d'être la plus mauvaise mère du monde.

Après un court silence, Annie demanda :

— J'étais vraiment aussi difficile ?

— Oui, et certaines de tes paroles m'ont blessée, tout comme Nessa t'as blessée.

— Pourquoi as-tu toléré une telle attitude ?

— Parce que tu étais malheureuse, chérie. Tu étais perdue et tu essayais de trouver ton chemin dans la vie. Nessa ressent la même chose aujourd'hui, et elle doit en plus gérer votre divorce.

— Ce serait plus facile si elle l'acceptait.

— Elle le fera, mais pour l'instant sa vie est complètement bouleversée. Spence et toi avez tout changé, et elle n'a pas eu son mot à dire. Mets-toi à sa place. Elle n'est pas un prolongement de toi.

S'entendre dire la même chose deux fois en moins de douze heures ne fit qu'ajouter à la tension d'Annie.

— Je sais, je sais. Mais pourquoi devrais-je me réconcilier avec Spence uniquement pour qu'elle se sente mieux ?

— Personne ne te le demande, Annie. Je n'essaie pas de te dire que les enfants ont tous les droits mais que les relations évoluent — et l'apprentissage de la vie peut être très douloureux. On dirait que tu continues à te croire face à une petite fille.

— Mais *c'est* une petite fille.

— Non, Annie. Elle n'est plus une petite fille. Nessa est une jeune fille, et bientôt une adulte. C'est une personne à part entière qui peut être d'accord avec toi sur certains points, mais plus souvent en désaccord. Il t'incombe uniquement de lui apprendre à prendre des décisions. Pas de les prendre à sa place.

A cet instant, toute l'adolescence d'Annie resurgit. Elle se rappela combien elle se rebellait contre les contraintes de l'enfance, et combien elle en voulait à son père de ne pas lui laisser le dernier mot.

— C'est tellement difficile, dit-elle dans un soupir.

— Oui, je sais, répondit sa mère d'une voix plus douce. Mais c'est aussi très gratifiant de voir ses enfants devenir des adultes et de savoir qu'ils feront les bons choix.

Ce qu'elle entendait par là ne faisait pas de doute.

— Comment es-tu devenue aussi sage ?

Sa mère rit.

— C'est inné, ma chérie. Et je suis heureuse que tu le reconnaisses. Je te promets que si tu écoutes ton cœur, tu y arriveras toi aussi, et tu sauras alors instinctivement quoi faire.

S'appuyant contre le dossier du fauteuil, Annie ferma les yeux et pria de tout son cœur pour que sa mère ait raison.

# 15.

Vers la mi-août, Dean éprouvait une grande nervosité. Ses relations s'étaient améliorées avec Tyler, mais celui-ci n'avait toujours pas décidé de rester, et ses dernières conversations téléphoniques avec Carol avaient été tout aussi insatisfaisantes. Irma et Les projetaient de rendre visite à leurs petits-enfants à l'automne, Gary parlait d'aller voir sa mère une fois les derniers clients partis, et Dean ne pouvait faire aucun projet. On aurait dit que sa vie était suspendue aux décisions des autres.

Sa relation avec Annie ne faisait pas exception. Il savait qu'elle était sollicitée de toutes parts et il faisait de son mieux pour n'exercer aucune pression sur elle, mais l'attente devenait de plus en plus insupportable. C'était sans doute le prix à payer pour avoir perdu autant de temps avant de s'engager. Si Hayley avait connu le même enfer en attendant qu'il fasse le point sur ses sentiments, il comprenait qu'elle ait fini par le quitter…

Et pour tout arranger, il avait quelques difficultés financières. Le registre des réservations était quasiment vide pour la semaine suivante, et le téléphone restait silencieux. Ses anciens équipiers connaissaient une saison brillante — ce qui était une excellente chose pour eux, mais pas pour les affaires de Dean, puisque chacune de leurs victoires réduisait les chances de les voir séjourner à Eagle's Nest.

230

Dean consulta sa montre et avala un antalgique, puis il pianota sur sa calculatrice et fit une grimace quand le résultat s'afficha. Il recommença au cas où il aurait fait une erreur, mais obtint un résultat identique. A ce rythme-là, il ne savait pas où il trouverait l'argent pour ouvrir l'hôtel-ranch la saison suivante… Et il n'avait aucune idée de ce qu'il ferait, le cas échéant.

Finalement, Gary avait peut-être raison : il fallait trouver le moyen de faire la différence ; Eagle's Nest devait se distinguer de ses concurrents et proposer plus et surtout mieux. Le destin avait mis sur sa route un véritable chef gastronomique, et cela aurait pu être la solution… Hélas, il était trop tard pour faire de la publicité dans ce sens cette année, et Annie ne serait pas là la saison prochaine. Et puis, il refusait de se servir d'Annie pour gagner de l'argent.

C'est alors que le bruit d'un moteur de voiture vint le tirer de ses réflexions et il se leva. Gary avait emmené un petit groupe pêcher dans la montagne, et Annie était descendue en ville avec Les et Irma. Il s'agissait peut-être de nouveaux clients — au portefeuille bien garni, et ne demandant qu'à dépenser leur argent ?

Avec un large sourire, Dean vit une berline marron cahoter sur le chemin de terre, en direction de l'hôtel. Le véhicule stoppa dans un nuage de poussière, juste devant le porche, et son unique occupant attendit que la poussière retombe avant de sortir.

Dean descendit à la réception pour vérifier le cahier des réservations. Il avait peut-être mal lu, tout à l'heure. Par la porte entrouverte, il aperçut un homme sortir de la voiture et se redresser lentement. Il retira ses lunettes de soleil et observa les bungalows pendant quelques secondes avant de se tourner vers l'hôtel.

Quelque chose chez cet homme déplut immédiatement à Dean, mais il ne savait pas quoi. Peut-être était-ce sa chemise de soie, ou son jean trop net, ou encore ses chaussures de ville ?

Le visiteur remit ses lunettes puis attrapa une housse à vêtement, sur le siège arrière de la voiture et se dirigea vers l'hôtel. Grand, mince, les cheveux bruns, il n'avait pas l'allure d'un homme habitué à la vie de plein air. Toutefois, se rappela Dean, il ne fallait pas toujours se fier aux apparences.

Dean sortit sous le porche et, soudain, il eut la révélation de ce qui lui déplaisait chez le nouveau venu : sa manière d'observer tout autour de lui avec une sorte de dédain amusé — comme si l'endroit prêtait à sourire et n'était pas assez bien pour lui. Dean n'en fut que plus curieux.

Il prit appui contre un pilier et attendit que l'homme ait monté les marches du porche. Après avoir posé sa housse sur la rambarde, l'inconnu lui adressa un regard hautain.

— Vous travaillez ici ?

— Oui, répondit Dean en hochant la tête. Bonjour.

— A qui dois-je m'adresser pour avoir une chambre ?

— Je peux vous aider.

— Vraiment ? demanda-t-il, comme s'il avait du mal à croire qu'un homme habillé comme un cow-boy puisse lire le registre des réservations.

— Combien de temps voulez-vous rester ? s'enquit Dean.

En son for intérieur, il ne lui donnait pas quarante-huit heures avant de repartir en courant vers la civilisation.

— Je ne sais pas encore, répondit le visiteur en reprenant sa housse. Montrez-moi le chemin.

Dean se mit à marcher, l'inconnu sur les talons, et il ressentit une certaine satisfaction quand l'homme s'arrêta bouche bée dans l'entrée, et une bouffée de fierté quand il surprit son regard admiratif sur le paysage.

— C'est impressionnant. Surprenant, vraiment.

— Merci.

Dean avait cru percevoir une pointe de regret dans la voix du visiteur. S'agissait-il d'un concurrent, qui venait l'espionner ? Dans ce cas, il manquait de subtilité.

— Vous n'avez qu'à remplir cette fiche, expliqua Dean, et nous vous trouverons un bungalow.

— Bien sûr. Un bungalow, vous dites ? Il n'y a pas de chambre disponible ici ?

— Désolé, nous n'avons pas de chambre pour les clients, dans ce bâtiment. Elles sont réservées au personnel.

— Dommage. C'est très joli. En toute franchise, je ne m'attendais pas du tout à cela, ajouta l'homme en baissant ses lunettes de soleil sur son nez.

S'obligeant à garder le sourire, Dean réprima son envie de lui demander à quoi il s'attendait…

— Si vous cherchez le style rustique, vous devriez aimer les bungalows.

— Je ne recherche pas particulièrement quelque chose de rustique, s'empressa de préciser l'inconnu. Mais je pense que je m'habituerai si c'est nécessaire.

Il regarda ensuite par-dessus l'épaule de Dean, comme s'il s'attendait à voir arriver quelqu'un d'autre.

— Je suis ici pour voir ma femme et ma fille, expliqua-t-il.

Dean sentit immédiatement son estomac se serrer.

— Elles sont clientes ici ?

— Pas exactement, dit-il en tendant sa main à Dean. Spence Holladay. Ma femme cuisine pour vous.

Dean dut faire un gros effort pour serrer la main tendue, et un plus gros effort encore pour conserver son sourire.

— Vous êtes donc le père de Nessa ?

— Et le mari d'Annie, oui.

Spence remplit sa fiche puis la donna à Dean.

— Alors, je vais où ?

Au diable, aurait voulu crier Dean. Au lieu de quoi, il rangea la fiche dans le tiroir du bureau pour éviter qu'Annie ne la trouve avant qu'il n'ait eu le temps de la prévenir. Ensuite, il prit la clé du bungalow douze, et dit :

— Suivez-moi.

Les questions se bousculèrent dans sa tête : Spence avait-il été invité par Annie ? Par Nessa ? S'agissait-il plutôt d'une visite surprise ? Bon sang, comment Annie allait-elle réagir ?

Et lui, que ferait-il si Annie décidait de renouer avec son mari — et de l'abandonner, lui, ici, à Eagle's Nest ?

Annie attrapa plusieurs sacs de provisions et les emporta dans la cuisine. Petit à petit, elle améliorait les menus de Dean, et il avait cessé de protester. De cette manière, son travail était plus satisfaisant pour elle, mais cela n'égalait toujours pas le plaisir de travailler dans sa propre cuisine, à préparer des plats qui exigeaient tout son talent et toute son inventivité.

L'été tirait à sa fin, Annie ne savait toujours pas ce qu'elle voulait faire, et sa nervosité allait *crescendo*. L'enseignement la tentait de moins en moins, et la perspective de vivre sans Nessa lui paraissait de plus en plus difficile à surmonter. Malgré tout, elle ne pouvait se résoudre à revenir à Holladay House ni à travailler sous les ordres de Spence — sans parler du fait qu'elle y croiserait régulièrement Catherine. D'un autre côté, elle se voyait mal rester à Eagle's Nest en sachant qu'elle y serait frustrée professionnellement. Et elle refusait de prendre une décision qui pourrait un jour lui valoir du ressentiment envers Dean.

Elle avait parlé avec Gary à plusieurs reprises, mais il lui avait conseillé d'écouter son cœur — ce qui ne l'avait guère aidée.

Comme elle semblait incapable de trancher, elle avait consacré les derniers jours à la préparation du dîner de la fête annuelle.

Elle avait acheté des légumes frais chez un fermier, et avait déjà de nombreuses idées de recettes. Elle espérait seulement ne rien avoir oublié en ville, même si le trajet lui semblait moins long qu'avant.

Après avoir posé les sacs sur le comptoir, elle ressortit et aperçut alors une voiture garée devant le bungalow douze.

— Un nouveau client ? demanda-t-elle à Irma.

— Je crois bien. Il a dû arriver pendant que nous étions en ville.

— Sans doute. Dean doit être content. Je vais vérifier combien ils sont, pour le dîner.

— Et moi, je vais m'assurer qu'il y a suffisamment de linge, répondit Irma.

Annie suivit Irma dans la cuisine, où elles déposèrent leurs paquets. Ensuite, elles se rendirent à la réception et Annie chercha la fiche à l'endroit habituel.

— Elle n'est pas là, dit-elle à Irma. C'est étrange…

Irma éclata de rire.

— Enfin, vous devriez savoir qu'avec Dean, tout est étrange ! La voilà, dit Irma en ouvrant le tiroir. Holladay, annonça-t-elle ensuite lentement, en fixant Annie. Spence. Une seule personne…

Les oreilles d'Annie se mirent soudain à bourdonner, et elle crut avoir mal compris. Non, ce devait être une erreur, ou une horrible coïncidence. Elle prit alors la fiche des mains d'Irma et reconnut immédiatement l'écriture.

Certainement une nouvelle coïncidence. Après tout, plusieurs personnes pouvaient avoir la même écriture. Mais comme pour dissiper ses derniers doutes, la voix de Spence lança :

— Bonjour, Annie.

Elle laissa tomber la carte sur le bureau et sentit qu'Irma se raidissait à côté d'elle. Son cœur se mit à cogner dans sa poitrine et la colère gronda en elle. Comment osait-il venir ici ? De quel droit ?

Le balancement de ses épaules, sa silhouette, sa démarche alors qu'il traversait la pièce n'étaient que trop familières. Quoi de plus normal, après tout ? En seize années de vie commune, elle l'avait vu dans toutes les situations imaginables.

Annie sentit le regard d'Irma posé sur elle, lui demandant silencieusement si elle devait rester ou partir.

— C'est bon, Irma. Vous pouvez nous laisser.

Comme Irma partait vers la cuisine, Spence arriva devant Annie et se pencha vers elle comme pour l'embrasser.

Annie eut un mouvement de recul.

— Que fais-tu ici ?

— Toujours aussi directe, à ce que je vois ?

Annie ne se sentait pas d'humeur à jouer avec Spence. Alors, elle croisa les bras et répéta :

— Que fais-tu ici ?

— Je m'inquiétais pour toi, Annie. Je voulais voir où tu te cachais.

Ses yeux avaient-ils toujours été d'un bleu aussi fade ? Et elle ne se souvenait pas qu'ils étaient aussi rapprochés. A une époque, ces yeux la fascinaient. Aujourd'hui, elle lui trouvait… des yeux de fouine ! Secouant la tête, elle s'intima de se concentrer sur la conversation.

— Je ne me cache pas.

— Désolé. Je croyais. Dans ce cas, disons alors que je voulais m'assurer que tu allais bien.

— Je suis touchée, même si je trouve cela un peu déplacé de ta part.

— Enfin, Annie, commença Spence en posant une main sur son épaule. Je sais que tu es en colère, mais tu n'as aucune raison de te comporter de cette manière.

— De quelle manière, Spence ? répondit-elle en se dégageant. Comme une femme trahie par son mari ? Comme une femme dont l'ex-mari se mêle de sa nouvelle vie ? Et du reste, où est Catherine ?

Mal à l'aise, Spence détourna le regard, et Annie sut qu'elle avait touché un point sensible.

— Elle est à Chicago, bien sûr. Nous avons pensé qu'il vaudrait mieux que je vienne seul.

— Comme c'est délicat de votre part.

— D'accord. Je me suis comporté comme un imbécile et je mérite de payer. C'est ce que tu veux entendre ?

— Non, Spence, ce n'est pas ce que je veux entendre. Tu as toujours été très doué pour les belles paroles, mais nettement moins pour la sincérité.

— Là, je suis sincère. Je m'inquiétais à ton sujet. Je ne veux pas que tu te détruises, et je ne suis pas encore ton *ex*-mari. Il nous reste sept jours pour changer d'avis.

Annie éclata d'un rire amer.

— Pourquoi me détruirais-je ? Parce que tu ne m'aimes plus ? C'est te donner bien de l'importance, Spence !

— Mais je t'aime. Je t'ai toujours aimée.

— Et tu me l'as prouvé en couchant avec une autre...

Tout en le regardant, Annie se sentit envahie par la colère et l'amertume.

— Repars chez toi, Spence. Tu n'es pas le bienvenu ici, et nous nous débrouillons très bien sans toi.

Avec dédain, Spence répondit :

— Tu n'as jamais fait une très bonne menteuse. Tu ne veux tout de même pas que je te croie ?

— Je me fiche de ce que tu crois.

— Tu te comportes comme une idiote, Annie. Reviens à Holladay House.

— Pour travailler avec toi ? Non, merci.

— Ouvre les yeux. Tu aimes trop ton métier pour tourner le dos à une brillante carrière.

Fixant Spence droit dans les yeux, Annie rétorqua :

— A t'entendre, ton infidélité n'est qu'un détail insignifiant.

— Et à t'entendre, on croirait que cette liaison a sonné la fin du monde. Mais nom d'un chien, ce n'était qu'une erreur ! Rien de plus !

— Une erreur ? Votre relation durait depuis des mois quand je l'ai découverte, et tu ne m'aurais rien dit si je ne vous avais pas surpris. Et ça dure toujours… A moins que tu ne commences à te lasser de Catherine ?

— Je vais te dire : je suis las de la manière dont tu maintiens notre vie en suspens. Las de la manière dont tu fais souffrir notre famille parce que tu ressens le besoin de me punir.

— Si ta vie te semble en suspens, c'est ta faute et pas la mienne. Je t'ai donné ma réponse une bonne dizaine de fois, seulement ce n'est pas celle que tu as envie d'entendre. Maintenant, pars.

— Pas avant que tout soit réglé.

— Tout est réglé depuis le jour où je t'ai surpris avec Catherine.

Annie prit une profonde inspiration et ajouta :

— Et même avant, et nous le savons. Tu m'as profondément blessée, mais tu avais raison de dire que notre mariage avait coulé depuis longtemps. Nous n'avons rien à sauver, ni sur le plan personnel, ni sur le plan professionnel. Alors, s'il te plaît, conservons le minimum de dignité qui nous reste.

Un cri de joie vint couper court à toute réponse de Spence. Une seconde plus tard, Nessa sautait au cou de son père.

— Papa ! Que fais-tu ici ? Quand es-tu arrivé ? Tu restes ? Oh oui, dis que tu restes ! Je vais tout te montrer.

Spence serra affectueusement sa fille dans ses bras et jeta un coup d'œil à Annie.

— J'aimerais beaucoup. J'ai pris de quoi rester quelques jours, mais il faut que ta mère soit d'accord.

Annie l'aurait bien étranglé pour l'avoir piégée, mais elle se rendit compte qu'il se comportait ainsi depuis des années : à lui le rôle du gentil, et à elle celui de la méchante. Sa colère monta d'un cran, mais Nessa semblait si heureuse qu'elle n'eut pas le cœur de lui refuser la joie de passer un peu de temps avec Spence.

Pour une fois, elle allait laisser le rôle du méchant à son ex-mari.

— Tu as déjà un bungalow, répondit-elle aussi gentiment qu'elle le put. Pourquoi te demanderais-je de partir ?

Annie mettait la touche finale au dîner.

Elle avait passé son après-midi à préparer un repas gastronomique qui prouverait à Spence qu'elle n'avait rien perdu de son talent, même après plusieurs semaines dans le Montana.

Par les fenêtre ouvertes, elle entendit les rires de Nessa et de Spence. Elle comprenait les sentiments de Nessa au sujet du divorce, mais il faudrait qu'elle finisse par accepter. Spence était bien évidemment toujours avec Catherine, et il lui avait proposé de revenir pour des raisons purement professionnelles. Pourquoi Nessa ne pouvait-elle pas le comprendre ? Pourquoi ne pouvait-elle pas comprendre que Spence n'éprouvait aucun remords, que ce soit au sujet de sa liaison ou des conséquences de son comportement pour leur famille ?

Regardant par la fenêtre, Annie souhaita que Spence dise ou fasse quelque chose qui permettrait enfin à Nessa d'ouvrir les yeux. Quelque chose d'égoïste, ou…

— Tu as une minute ?

Annie se tourna en entendant la voix de Dean, qui se tenait sur le seuil de la cuisine et lui adressait un regard si intense qu'elle eut du mal à respirer.

— Tu m'as fait peur. Je ne t'avais pas entendu arriver.

— On peut parler ? demanda-t-il en tirant une chaise.

Cela ne présageait rien de bon, pensa Annie. Elle acquiesça et le rejoignit. Quand elle vit que ses mains tremblaient, elle les posa sur ses genoux et essaya de ne pas paraître inquiète.

— Qu'y a-t-il ?

Il attendit si longtemps avant de répondre qu'Annie crut avoir complètement cessé de respirer.

— J'ai fait la connaissance de ton mari, aujourd'hui, dit-il enfin.

— Ne l'appelle pas ainsi.

— C'est ce qu'il est.

— Seulement sur le papier, et plus pour longtemps. Cela fait des mois que nous sommes séparés.

Dean observa attentivement son visage avant de continuer.

— Tu savais qu'il allait venir ?

— Non.

— Et Nessa ?

— Je ne pense pas. Elle a vraiment eu l'air surprise.

Laissant échapper un soupir, Dean lui adressa un petit sourire.

— Je t'avoue que je suis soulagé de l'entendre. Je voulais t'avertir de sa présence — au cas où tu n'aurais pas été au courant — mais Mme Jennings, du bungalow sept, m'a appelé pour un problème de plomberie, et Spence t'a trouvée avant moi.

Annie résista à son envie de poser sa main sur celle de Dean, mais uniquement parce que Nessa aurait pu surgir à n'importe quel moment.

— Je ne lui ai pas demandé de venir, lui assura-t-elle une nouvelle fois. Et je ne lui aurais même pas permis de rester s'il n'y avait pas eu Nessa.

Dean hocha lentement la tête et se plongea ensuite dans l'étude d'un set de table — comme s'il n'y avait rien de plus important.

— Il lui manque, dit-il enfin. Et elle a besoin de lui.

— Tu as raison, et je préférerais que ce ne soit pas vrai. J'aimerais tellement pouvoir partir quelque part et oublier que Spence existe.

— Tu n'en serais pas capable.

— Non. Bien sûr que non. Je suis seulement en colère et amère. Je comprends bien ce que Nessa ressent pour Spence, mais mon cœur a du mal à l'accepter. Nous formions une famille et il nous a trahies toutes les deux en me trompant avec Catherine. Il a détruit notre famille, mais Nessa semble croire que c'est ma faute.

— C'est une jeune fille intelligente. Elle sait que son père s'est mal comporté mais elle l'aime toujours — et c'est normal. Elle doit être aussi perdue que toi.

— Je sais que tu as raison. Et je suis sûre que je me comporterais de la même manière à sa place.

— Tu veux mon avis ? Il n'a pas l'intention de partir sans toi.

— Peut-être, mais ce n'est pas parce qu'il m'aime. Il veut seulement que son chef revienne, même s'il essaie de me faire croire que c'est pour le bien de ma carrière. Il ne se souciait pas autant de mes ambitions, avant, expliqua-t-elle en se massant les tempes. Il devra repartir sans moi. C'est terminé entre nous — à tous les niveaux.

La voix de Spence pénétra par la fenêtre et Dean tourna son regard dans sa direction.

— Tu sais, maintenant qu'il est là, je me rends compte que je pourrais vraiment te perdre — et ce que je veux avant tout, c'est te convaincre de rester avec moi, déclara-t-il avec un grand sérieux. Ma logique est sans doute aussi égoïste que la sienne, mais je peux accepter l'idée que tu ailles à Seattle, même si cela ne me plaît pas. J'ai l'impression que, toi à Seattle, j'aurai toujours ma chance. Tandis que tu si tu repars pour Chicago, je m'imaginerai constamment que ton mari essaie de reprendre l'avantage.

Annie soupira. Il était si difficile de choisir. Elle voulait affirmer son indépendance et se prouver qu'elle était capable de se débrouiller seule, mais elle entendait encore Gary lui parler de la rareté du véritable amour et de la nécessité de vivre sans regrets, ou Nessa lui annoncer qu'elle voulait rester…

Elle sentit les larmes lui brûler les yeux, l'émotion serrer sa gorge, et elle eut du mal à parler.

— Dean, je…

Mais il leva une main pour l'interrompre.

— Non, Annie. Ne dis rien pour l'instant. Je veux que tu sois absolument sûre de tes sentiments.

— Je vais divorcer, affirma-t-elle, et tu sais pourquoi.

Dean se pencha alors en avant et caressa tendrement la joue d'Annie.

— Oui, mais j'ai besoin de savoir quelle place exacte je tiens dans ton cœur, mais aussi dans ta décision de partir à Seattle ou de rester ici.

Annie réprima les protestations qu'elle était prête à lancer pendant qu'il parlait. Elle prit une des mains de Dean dans les siennes, et la posa contre son cœur.

— Je sais ce que je ressens pour toi, Dean. Je…

Mais il l'interrompit une nouvelle fois.

— Pas pour l'instant, Annie. Tu ne sauras rien tant que tu n'auras pas tout réglé avec Spence, répondit-il, tout en retirant sa main avec une grande douceur. Votre séparation est encore trop récente, et la blessure encore à vif. Et je ne suis pas sûr qu'il soit tout à fait sorti de ton cœur.

Annie sentit sa migraine s'aggraver. Il n'avait donc pas entendu ce qu'elle venait de lui dire ?

— Spence est sorti de ma vie et de mon cœur, lui assura-t-elle. Depuis longtemps déjà. Cela faisait des années que nous nous laissions porter. Nous ne nous embrassions plus, nous ne faisions plus l'amour, nous n'avions plus de vraies conversations. Plusieurs fois, je me suis demandé s'il ne restait pas avec moi à cause du restaurant. Parce que, moi, je restais aussi pour cela.

Soudain trop nerveuse pour rester assise, elle se leva.

— Notre mariage est terminé, Dean. J'ai déposé la demande de divorce et je sais que j'ai eu raison. Je lui en veux parce qu'il s'est montré lâche. Si je n'avais pas découvert sa liaison, ça ne l'aurait pas dérangé de continuer à mener une double vie. D'un côté un mariage usé mais rassurant ; de l'autre, une histoire excitante mais risquée…

Dean l'observait, et il l'écouta sans l'interrompre.

— Tant que tu éprouveras une telle colère envers Spence, dit-il enfin, je tiendrai la deuxième place dans ta vie. Or je veux tout.

Annie hocha la tête. Dean se donna le temps de terminer.

— Crois-moi, je connais la colère et son pouvoir sur un être. Tu ne peux pas te donner entièrement à moi si tu restes si profondément en colère contre ton ex-mari.

Annie était submergée par des sentiments contradictoires qui allaient et venaient comme des vagues sur une plage. Il avait raison. Il avait tort. Il était aveuglément, terriblement injuste. Il était hypocrite. Egoïste. De quel droit osait-il lui parler de sa colère ? Comment osait-il lui demander de chasser Spence de son cœur, alors que la femme qui avait causé son accident le hantait, lui, toujours ?

Toutefois, elle ne voulait pas évoquer ce sujet dans la discussion, redoutant une dispute qui lui aurait demandé bien plus d'énergie qu'elle n'en avait encore.

— La question n'est pas de savoir quel homme je vais choisir, Spence ou toi, expliqua-t-elle enfin. La question est : est-ce que je m'assume seule à Seattle, ou est-ce que je m'associe de nouveau avec un homme, comme à Holladay House avec Spence ?

Dean se leva et s'approcha d'elle — suffisamment pour qu'elle sente cette odeur de savon et de grand air qui n'appartenait qu'à lui — et il déposa un rapide baiser sur sa joue.

— Je sais, Annie. Prends ton temps. Tu sais où me trouver, si c'est ce que tu veux. Je ne vais nulle part.

Annie était sur les nerfs ce soir-là, et tout le monde s'en rendit compte. D'habitude, elle travaillait aisément, sans efforts, et l'observer aux fourneaux équivalait à observer un peintre devant sa toile. Mais ce soir, elle semblait tellement à cran qu'elle manqua lâcher un plat et Dean faillit proposer de l'aider. Toutefois, le regard anxieux qu'elle lança en direction de Spence l'en dissuada.

Elle affichait une expression indéchiffrable, mais Dean devina d'instinct qu'elle en voulait à Spence d'avoir insinué que ses talents étaient sous-exploités, et il jugea préférable de ne pas intervenir.

Après le repas, Dean alla saluer les clients, mais il gardait un œil sur Annie et il n'écoutait que d'une oreille les demandes ou les commentaires des uns et des autres.

Quand il fut seul, Gary demanda :

— Ça va ?

Dean acquiesça, mais il avoua avec une grimace :

— En pleine forme. Pourquoi ? Ça ne se voit pas ?

— Pas franchement. Tu as les traits crispés, comme quand tu oublies de prendre tes médicaments… mais je suis sûr que personne d'autre n'a remarqué. Tu semblais naturel avec les clients.

Dean se tourna alors en direction de la fenêtre et son sourire forcé s'évanouit.

— As-tu parlé avec Annie depuis qu'il est là ?

— Je n'en ai pas eu l'occasion. Elle n'est pas trop d'humeur à discuter, répondit Gary, tout en caressant pensivement sa moustache. Néanmoins, je peux te dire que je l'ai déjà vue plus heureuse.

Dean prit une profonde inspiration, tentant désespérément de recouvrer ses esprits ou d'arriver à comprendre les émotions qui le torturaient. Malgré l'insistance d'Annie, il n'était pas persuadé qu'elle ait renoncé à Spence.

— Tu penses qu'elle va le reprendre ?

— Enfin, Dean, gronda Gary. Tu la connais mieux que ça, tout de même.

— Je sais qu'ils ont vécu beaucoup de choses ensemble, et que ça peut être difficile de tirer un trait dessus.

Après un regard en direction de Nessa, il ajouta :

244

— Surtout quand quelqu'un veut tellement vous réunir.

— Nessa a peur, répondit Gary. Elle ne veut pas que son père sorte de sa vie, et elle ne voit qu'un seul moyen pour le retenir.

— Tu as parlé avec lui ?

— Rapidement.

— Qu'en penses-tu ?

— Il a l'air gentil. Il a commis des erreurs, mais il ne doit pas avoir un mauvais fond. Je pense aussi qu'il a envie de retrouver Annie et qu'il a peur de perdre sa fille. Mais qu'il a encore plus peur de perdre son restaurant si Annie ne revient pas.

Donnant une bourrade dans le dos de Dean, Gary ajouta :

— Tu vas devoir faire confiance à Annie. En fait, tu n'as pas le choix…

Dean dut reconnaître malgré lui que Gary avait raison….

# 16.

Dean profita d'un moment de répit pour rentrer à l'hôtel, et emporter un sandwich et des chips dans sa chambre. Là, il aurait tout le loisir de ruminer ses idées noires concernant Annie et Spence, ou bien de faire quelque chose de plus positif.

Il avait observé Tyler pendant qu'il entraînait les enfants au base-ball, et il avait été étonné par son aisance. Dean ne savait pas si Tyler envisageait ou non de pratiquer le base-ball, mais il semblait suffisamment doué pour faire partie de l'équipe du lycée, voire d'aller plus loin.

Il ne voulait pas influencer Tyler, mais il ne pouvait ignorer le sentiment de fierté qu'il avait éprouvé en se rendant compte que Tyler et lui avaient au moins une chose en commun. En reconnaissance de son talent — ou peut-être aussi pour se racheter — Dean avait décidé d'offrir à son neveu le gant qu'il avait quand il jouait en professionnel. Même si Tyler n'en voulait pas, Dean voulait faire ce geste.

N'étant pas du genre à aimer vivre dans les cartons, Dean s'était empressé de tout déballer après son emménagement à Eagle's Nest. Tout, sauf un carton. Celui que Hayley avait emballé pour lui peu de temps après l'accident. Les affaires qu'elle avait rangées juste avant de partir.

Et il n'avait jamais trouvé le courage de l'ouvrir.

Il savait, parce que Hayley le lui avait dit, que son gant se trouvait dedans. Mais il ignorait ce qu'elle y avait mis d'autre, et il n'était pas sûr de vouloir le savoir. Toutefois, chaque fois que l'envie lui avait pris de mettre le carton directement à la poubelle sans même l'ouvrir, le gant l'en avait empêché.

Aujourd'hui, il ouvrit la porte de son placard et sortit le carton. Il observa un moment l'étiquette portant la délicate écriture de Hayley, s'étonnant qu'elle ait pris autant de soin à rassembler ses affaires à lui alors qu'elle était sur le point de le quitter. Il revit son visage pendant quelques secondes, mais il fut rapidement remplacé par celui d'Annie.

Dean repensa alors à sa rencontre avec Annie — et combien elle lui avait rappelé Hayley. Si les deux femmes se ressemblaient physiquement, Dean savait que leur ressemblance s'arrêtait là. Annie l'avait aidé à oublier le mal que Hayley lui avait fait, et aujourd'hui, il n'éprouvait plus aucune rancœur.

Il se rendait compte qu'il portait une plus grande part de responsabilité dans leur rupture qu'il n'avait jamais voulu l'admettre. Où qu'elle soit aujourd'hui, Dean souhaita à Hayley d'être heureuse, et il espéra qu'elle avait rencontré un homme qui l'aime autant que lui aimait Annie.

Clignant rapidement des yeux, il se dirigea vers le petit bureau, dans un coin de sa chambre. Maintenant qu'il y pensait, il savait qu'Annie ne le laisserait pas seul. Il repensa alors à ses cheveux scintillant dans la lumière du soleil, ses yeux pétillants de malice. Il crut même entendre son rire cristallin résonner dans la pièce. Décidément, il lui fallait trouver le moyen de ne plus penser à elle ou il allait devenir fou.

Se laissant tomber sur son lit, il décolla alors le ruban adhésif et commença à vider le carton. Au-dessus, il trouva des cartes et les lettres reçues pendant son hospitalisation. En voulant un peu à Hayley de les avoir gardées, il prit le paquet et le posa à côté de lui. C'est alors qu'une lettre s'échappa et glissa à terre.

Il se pencha pour la ramasser, et quand il vit le nom de l'expéditeur, il la lâcha comme si elle venait de lui brûler la main.

Comment était-elle arrivée là ? Il avait pourtant demandé à Hayley de la jeter.

Il n'avait touché cette enveloppe qu'une seule fois avant, et n'avait même pas lu entièrement la lettre qu'elle contenait. Pourquoi l'aurait-il fait ? La femme qui avait percuté de plein fouet sa voiture lui offrait de plates excuses, et Dean n'avait pas jugé utile d'aller plus loin. Il avait ordonné à Hayley de la brûler.

Aucun argument ne pourrait en effet excuser le mal que cette femme lui avait fait. Et la peine symbolique à laquelle elle avait été condamnée n'avait pas suffi à la racheter aux yeux de Dean, car comment imaginer comparer une suspension de permis et une amende avec une vie détruite ?

Dean sentit son cœur cogner dans sa poitrine comme il se penchait pour ramasser l'enveloppe. La tenant entre deux doigts, il l'emporta vers la poubelle. Hayley avait dû la conserver en pensant que Dean changerait d'avis. Elle croyait même peut-être ce qu'elle lui disait, à l'hôpital, au sujet du besoin de pardonner cette femme.

Mais Dean n'avait aucune intention de pardonner. Et il n'oublierait jamais. Il s'arrêta à côté de la poubelle et tint la lettre au-dessus, mais il n'arrivait pas à la lâcher.

Maria Hillyard.

Il ne l'avait vue qu'une fois, alors qu'il était sous l'effet des sédatifs, et cela avait suffi. Une petite femme brune, au visage torturé par le chagrin, et qui balbutiait des excuses incompréhensibles. Dean avait refusé de l'écouter, et les infirmières l'avaient fait sortir de la chambre avant qu'elle n'ait terminé.

Alors, pourquoi hésitait-il à jeter la lettre, aujourd'hui ? Par curiosité morbide ? Parce que, tout au fond de son cœur, il souhaitait connaître ses excuses ?

Il froissa rageusement l'enveloppe dans son poing et la tint de nouveau au-dessus de la poubelle, mais le souvenir de cette nuit, sous le porche, avec Annie, lui revint à la mémoire. Annie lui avait rappelé que tout le monde traversait des épreuves dans la vie, qu'il devait arrêter de s'apitoyer sur son sort ou de croire que la vie était plus injuste avec lui qu'avec les autres.

Pourtant, il recommençait.

Dean marcha alors vers la fenêtre, et il regarda la lumière du feu de camp que l'on apercevait à travers les arbres. Annie se tenait au milieu d'une bataille. Elle ne pouvait faire demi-tour et partir en courant, ni jeter Spence dans une poubelle en prétendant qu'il n'avait jamais existé.

Et lui, il l'avait laissée seule là-bas, comme si les problèmes d'Annie étaient moins douloureux que les siens, comme si les décisions d'Annie étaient plus faciles à prendre que les siennes. Il ouvrit alors le poing et observa une nouvelle fois l'écriture sur l'enveloppe.

Si Annie avait le courage d'affronter Spence, lui aurait le courage de lire la lettre. Il avait demandé à Annie d'évacuer sa colère contre Spence. Quel genre de personne serait-il, s'il refusait d'affronter sa propre colère ? D'une certaine manière, Maria Hillyard ferait à jamais partie de sa vie. Pourquoi dans ce cas ne pas connaître aussi ses excuses ?

Alors, il s'assit sur le bord de son lit et repensa à tout ce qu'était sa vie, jusqu'à cette fraction de seconde où tout avait basculé à cause de Maria Hillyard. Il se remémora la joie qu'il avait éprouvée en foulant pour la première fois un terrain de base-ball en professionnel, puis la douleur qui l'avait anéanti quand il avait compris que tout cela était fini.

Qu'était-il devenu, depuis ?

Un peu plus sage, sans doute. Et beaucoup plus cynique. Se frottant la nuque, il tenta d'être honnête avec lui-même. Il était un meilleur ami qu'auparavant. Et il apprenait à être un meilleur oncle et un meilleur frère.

Avant l'accident, il était trop absorbé par sa carrière pour donner à Hayley ce qu'elle attendait, et il l'avait perdue. Trop occupé pour consacrer du temps à sa famille, il avait toutes les peines du monde à revenir vers eux. Trop obsédé par la gloire pour tendre la main à quelqu'un. Toutes ses relations tournaient autour de ce qu'il voulait et recherchait.

Alors oui, il avait peut-être appris quelque chose, et il était peut-être devenu meilleur. Du moins, il en avait la possibilité. Et il pouvait en toute honnêteté affirmer que si on lui en donnait le choix, il choisirait de ne pas rejouer au base-ball si cela devait le ramener au même point qu'avant.

En effet, il n'arrivait pas à imaginer sa vie sans les interventions bienveillantes d'Irma, les conseils avisés de Les, ni l'amitié de Gary. Il ne voulait pas imaginer sa vie sans le sourire d'Annie, le rire de Nessa ni les efforts de Tyler pour être « cool ». Et il n'aurait jamais rien eu de tout ça sans l'erreur de Maria Hillyard.

Le destin était bien ironique...

Il frotta doucement son épaule pendant quelques minutes, puis il souleva le rabat de l'enveloppe et sortit la lettre.


Le lendemain, Dean prit une canette de soda dans la glacière que Tyler et lui avaient apportée pour l'entraînement de base-ball, et il s'assit pour regarder son neveu travailler avec les enfants. Comme il s'agissait du dernier entraînement avant le match contre Red Lodge, Dean avait peut-être un peu trop forcé sur son épaule. Toutefois, la douleur ne le gênait pas autant que d'habitude.

La veille au soir, il avait lu et relu la lettre de Maria Hillyard, et il ne cessait d'y repenser. Si ce qu'elle avait écrit était vrai — et il n'avait aucune raison d'en douter — elle avait commencé à boire peu de temps après la mort soudaine et accidentelle de son époux, environ un an avant l'accident. Ils n'avaient jamais eu d'enfants, et après trente-cinq ans de vie commune, elle s'était retrouvée complètement seule et démunie.

A sa plus grande surprise, Dean avait éprouvé une certaine compassion en lisant sa lettre. Il connaissait en effet ce sentiment de vide, même s'il ne s'agissait pas tout à fait du même type de vide. Et comme Annie le lui avait fait remarquer, chaque douleur était personnelle. Est-ce que le fait de savoir pourquoi Maria Hillyard était ivre excusait ce qu'elle avait fait ? Non. Rien ne le pouvait, et rien ne le pourrait. Mais cela aidait Dean à s'engager sur la voie du pardon, à libérer la colère qu'il gardait en lui depuis si longtemps, et ce pardon ne pourrait lui être que bénéfique.

Maria Hillyard avait commencé à boire par chagrin, et elle avait fini par provoquer un accident. Malgré la colère qu'il éprouvait toujours, il commençait aussi à comprendre que, comme elle, il avait laissé son propre chagrin affecter ses relations avec de trop nombreuses personnes. Il n'était peut-être entré en collision avec personne, mais il se comportait comme un égoïste depuis trop longtemps.

Il n'était pas facile d'admettre que les autres avaient raison, mais il avait enfin compris qu'il était temps d'arrêter de s'apitoyer sur son sort, de laisser l'accident derrière lui, et d'avancer.

Tenant sa canette à la main, il se dirigea vers les gradins qui entouraient le terrain. Tyler lançait des balles à chaque enfant à tour de rôle, et il avait même réussi à persuader Chris d'arrêter de chercher des trèfles à quatre feuilles !

Il n'avait pas fallu longtemps à Tyler pour se sentir à l'aise avec les enfants, et Dean avait même pu se faire une idée du petit garçon qu'il avait été en l'observant. L'un des enfants dit quelque chose qui fit rire Tyler, et Dean s'émerveilla de la métamorphose que les enfants avaient provoquée chez son neveu. Il espéra de tout son cœur que le changement se poursuivrait bien après la fin de l'été.

Comme il posait sa canette à côté de lui, Dean aperçut Chris, qui venait vers lui en courant. Les cheveux du petit garçon étaient mouillés par la transpiration, et ses joues étaient aussi rouges qu'un coquelicot.

Il essuya son front et se laissa tomber à côté de Dean. Celui-ci demanda :

— Ça va ?

Chris hocha la tête et répondit :

— Il fait chaud.

— Oui, en effet.

— Vous avez des boissons fraîches ?

Dean sortit une canette et la lui tendit, en lui conseillant de ne pas boire trop vite.

Après une gorgée, Chris demanda :

— C'est vrai ?

— Quoi donc ?

— Que vous étiez un vrai joueur de base-ball ?

Avec un sourire, Dean répondit :

— Qui t'a parlé de ça ?

— Mon père. Il a lu un article sur vous dans un magazine.

Certainement un vieux magazine, pensa Dean.

— C'est vrai, mais ça remonte à plusieurs années.

Chris but une autre gorgée de soda puis ramassa une balle que quelqu'un avait oubliée et il la fit sauter dans sa main.

— Il a dit que vous aviez arrêté à cause d'une blessure. C'est vrai, ça aussi ?

— C'est vrai aussi.

— Alors, vous regrettez de ne plus pouvoir jouer ?

Dean observa pendant un moment la balle, dans la main de Chris, puis il finir par répondre :

— J'essaie de ne pas y penser.

— Mais pourquoi ?

— Pour des raisons personnelles.

— Comme quoi ?

— Tu sais, quand quelqu'un te répond « pour des raisons personnelles », cela signifie qu'il n'a pas envie d'en parler.

— Pourquoi ?

— Chacun a ses propres raisons…

Mais Chris comptait bien ne pas en rester là.

— Pourquoi vous ne voulez pas en parler ?

Dean réprima son envie de sourire, et il essaya plutôt de froncer les sourcils.

— Si je te réponds, cela veut dire que je t'en parlerais. Et je n'en ai pas envie.

Chris haussa les épaules et se rapprocha de Dean.

— Papa dit que vous étiez drôlement bon.

— Je me débrouillais.

— Il dit aussi que, sans votre blessure, vous auriez joué votre meilleure saison.

— Certaines personnes ont prétendu ça, à l'époque.

Ensuite, dans une tentative de détourner la conversation, Dean montra les autres joueurs et demanda :

— Il est temps d'appeler les autres, tu ne crois pas ?

— Non, pas encore.

Dean vérifia sa montre et vit qu'il restait encore dix minutes d'entraînement. Il montra alors un groupe d'arbres, quelques mètres plus loin.

— Tu veux aller t'asseoir à l'ombre, le temps de te reposer ?

Mais Chris hocha négativement la tête.

— Je préfère parler avec vous. Mon père dit que je dois vous écouter, parce que vous pouvez m'apprendre à jouer vraiment bien.

— Je pense, si tu as envie d'apprendre.

— Il dit que vous pouvez faire de moi un vrai champion.

— Et tu veux devenir un champion ?

— J'sais pas, répondit le petit garçon, en haussant les épaules. Mais je sais que mon père aimerait bien.

Dean n'avait jamais approuvé les parents qui poussaient leurs enfants à pratiquer un sport pour se faire plaisir à eux, et à en juger par le regard de Chris, il était encore moins d'accord.

— Et si ton père te laissait faire ce que tu veux, que choisirais-tu comme métier ?

Après quelques instants de réflexion, il répondit :

— Aucune idée. J'aime dessiner, et j'aime les maths et les sciences.

Immédiatement, Dean ressentit une profonde affection pour le petit garçon.

— Les maths et les sciences. C'est très intéressant. Et qu'est-ce que tu dessines ?

— Des BD, ou des trucs comme ça, répondit Chris, avant de boire une nouvelle gorgée de soda.

— Et tu es bon ?

— C'est ce que dit mon institutrice.

— Es-tu aussi bon en maths et en sciences ?

— Je crois. Je veux devenir inventeur. J'aime bien fabriquer des trucs.

— C'est vrai ?

— Oui, répondit Chris en hochant la tête. Mon institutrice voulait que j'aille dans une colonie de vacances où on fait des sciences, cet été, mais mon père a dit que c'était trop cher. Il dit aussi que c'est mieux pour moi de jouer au base-ball plutôt que d'apprendre les sciences.

Dean tourna la tête pour que Chris ne puisse pas deviner sa contrariété. Après un moment de silence, il répondit :

— Tu peux apprendre beaucoup de choses grâce au base-ball, comme l'esprit d'équipe, ou la manière de gagner ou de perdre avec élégance. Mais les sciences et les maths sont très intéressantes, aussi. Je pense que le monde aurait besoin d'un grand inventeur. Ton père te laissera peut-être aller en colonie de vacances, l'été prochain.

A condition que Dean réussisse à l'en convaincre…

Chris regardait Rusty, qui réussit à attraper une balle difficile.

— Je ne serai jamais aussi bon que lui, n'est-ce pas ?

— Je ne dirais pas cela. Rusty est naturellement doué, et il aime tellement jouer qu'il s'entraîne beaucoup. Tu pourrais sans doute devenir aussi bon que lui si tu le voulais.

— Je ne crois pas. Je n'ai jamais été très bon en sports.

— Moi non plus, au début. J'ai dû travailler dur pour réussir.

— Il faudrait que je travaille dur ?

— Oui, beaucoup.

— C'est quoi, beaucoup ?

— Plusieurs heures chaque jour, même les week-ends et après l'école.

— Chaque jour ?

— Chaque jour. Si tu aimes vraiment jouer, ce n'est pas si terrible.

— Il faut aussi s'entraîner le jour de Noël ?

Dean rit.

— Non. Tu as le droit de prendre un peu de vacances de temps en temps.

— Ah bon, tant mieux. Parce que je ne crois pas que j'aurais envie de m'entraîner à Noël. Ou même quand il neige. Je devrais m'entraîner quand il neige ?

— Je pense que tu pourrais sauter aussi ces jours d'entraîne-ment, le rassura Dean, en posant une main sur son épaule. Tu sais, Chris, nous sommes ici avant tout pour nous amuser. Fais de ton mieux, mais garde des forces, d'accord ? Après tout, le base-ball n'est qu'un jeu.

Chris hocha la tête avec un air sérieux.

— D'accord.

Quand il repartit sur le terrain quelques minutes plus tard, Dean le regarda s'éloigner en souriant. Il se demanda ce que ses anciens coéquipiers auraient pensé en l'entendant.

« Le base-ball n'est qu'un jeu ». Dean n'aurait jamais cru prononcer ces paroles un jour, et encore moins les penser sincèrement.


Plusieurs heures plus tard, Dean se tenait sur la clôture du paddock, et il observait Nessa tenir Maisie par la longe tandis qu'un frère et une sœur — dont il avait oublié le nom — se cramponnaient de toutes leurs forces à la selle. Leur père n'arrêtait pas de les photographier sous toutes les coutures, pendant que sa femme lui donnait des instructions.

— Un peu à gauche, Chuck. Tu les verras mieux.

Il entendit des pas dans son dos, et se retourna pour voir Tyler qui s'approchait de lui. Ils s'entendaient plutôt bien depuis quelques semaines. Tyler ne sortait plus d'une pièce quand Dean entrait, et Dean ne sentait plus l'odeur des cigarettes sur les vêtements de l'adolescent. Toutefois, Tyler s'adressait rarement à son oncle, et celui-ci ne savait toujours pas ce qu'il envisageait de faire à la fin de l'été — bien que Carol ait fini par accepter qu'il reste.

Dean sourit, et dit :

— C'était un bon entraînement, aujourd'hui. Tu te débrouilles très bien avec les enfants.

— Tu trouves ? demanda Tyler, en s'accoudant contre la clôture. Tu sais, ils sont sympas.

Après une pause, il lança un coup d'œil furtif à Dean et dit :

— Au fait, je viens de parler avec ma mère.

Dean tenta de rester stoïque, mais les battements de son cœur s'accélérèrent en attendant la suite.

— Vraiment ? Comment va-t-elle ?

— Bien, je pense. Je suis sûr qu'elle avait bu, mais elle était encore en état de discuter.

Un lourd silence s'installa entre eux. Dean retint son souffle, ne voulant pas brusquer Tyler. Mais comme celui-ci ne parlait toujours pas, Dean demanda finalement :

— C'est toi qui l'a appelée ?

— Non, c'est elle. Tu te rends compte ?

— C'est bien, non ?

— Sans doute. Je ne sais pas. De toute manière, elle n'était pas claire… Randy a appris que tu avais racheté la bague de grand-mère, et maman fait comme si elle n'était pas au courant que tu allais le faire. Elle veut que tu lui rendes.

— Elle l'aura, mais pas tout de suite.

Avec un petit sourire amusé, Tyler dit :

— Je crois qu'elle commence à comprendre que c'est bien Randy qui l'a volée.

— Vraiment ? Et grâce à quoi ?

— De l'argent a disparu de son porte-monnaie, la semaine dernière. Randy est tellement stupide que quand maman lui en a parlé, il a répondu qu'elle avait dû faire tomber l'argent quelque part. Le problème, c'est que l'argent était dans son porte-monnaie quand elle s'est couchée, mais qu'il avait disparu à son réveil. Quel crétin, ajouta Tyler, avec une moue de dédain.

Dean eut soudain envie de prendre l'adolescent dans ses bras, pour le remercier d'être lui-même. Mais il se contenta de poser une main sur son épaule.

— Que compte faire ta mère ?

— J'ai l'impression que Randy devra bientôt faire ses valises.

— Le pauvre, quel dommage, commenta Dean avec un large sourire.

— Ouais. C'est aussi ce que je pense.

Mais le sourire de l'adolescent s'évanouit, et il reprit une expression sérieuse.

— Elle a dit qu'elle allait te demander de l'argent pour aller en désintoxication, ajouta-t-il sans regarder Dean. Mais elle a déjà dit ça avant, et on ne peut pas savoir si elle va vraiment le faire.

Dean sentit un pincement au cœur, et il serra doucement l'épaule de Tyler.

— Si elle est vraiment décidée, je trouverai l'argent. Tu sais sans doute qu'une cure de désintoxication peut prendre du temps. Alors, si tu veux rester ici pendant qu'elle règle ses problèmes, tu es chez toi. J'aimerais beaucoup te garder avec moi. Et ta mère aussi, quand elle ira mieux, lui assura-t-il en s'efforçant de garder une voix et une attitude neutres, sentant que Tyler ne devait pas être forcé.

Tyler tourna lentement son regard vers son oncle :

— C'est vrai ?

Avec un haussement d'épaules aussi désinvolte que possible, Dean répondit :

— Vous êtes ma famille, et je vous aime. C'est aussi simple. Par ailleurs, les chevaux commencent à s'habituer à la musique que Nessa et toi aimez, maintenant que vous avez baissé le volume. L'endroit ne sera plus le même sans toi. Surtout moi, ajouta-t-il, en essayant de communiquer tout ce qu'il ressentait par son regard.

Tyler le regarda dans les yeux pendant un moment qui parut interminable, puis il tourna la tête.

— Je crois que je pourrais rester un peu, si tu veux bien.

— J'aimerais beaucoup, lui assura Dean avec sincérité.


Le jour de la fête annuelle de Whistle River, Annie était à bout de nerfs. Plus Spence restait, et plus elle était persuadée que leur mariage n'avait plus aucune raison d'être depuis des mois, voire des années. Mais la présence de son père incitait encore plus Nessa à vouloir réunir ses parents.

Dean paraissait chaque jour un peu plus distant. Il passait des heures enfermé dans son bureau, à téléphoner soit à Carol, soit à son avocat, mais il ne donnait que de rares et vagues explications sur ce qu'il faisait.

Annie détestait se sentir mise à l'écart de sa vie. Elle aurait donné n'importe quoi pour avoir une chance de parler avec lui, de lui demander comment il allait, mais il trouvait toujours le moyen de l'éviter.

Quand le radio-réveil sonna, ce matin-là, elle n'était même pas sûre d'avoir fermé l'œil de la nuit.

Comme Dean et Tyler participaient au grand match de base-ball de l'après-midi, ils avaient informé les clients que l'hôtel serait fermé toute la journée, et ils avaient organisé le transport en ville pour ceux qui avaient envie de prendre part aux festivités. Annie espérait pouvoir descendre en ville avec Dean, une brève conversation valant mieux que rien du tout.

Alors que le jour commençait à peine à se lever, Les et Gary commencèrent à charger une camionnette avec des couvertures, des paniers remplis du pique-nique préparé par Annie, et des glacières remplies de glace et de boissons. La plupart des clients avaient choisi de se rendre en ville par leurs propres moyens, ou alors de passer la journée ailleurs. Seuls les Gunther, du Missouri, — un jeune couple avec une fillette de six ans — sortirent de leur bungalow juste avant le lever du soleil. Spence arriva lui aussi quelques minutes après, fraîchement douché et rasé de près.

Annie n'avait pas encore vu Dean, et elle se surprit à le chercher discrètement pendant que le petit groupe se rassemblait. Irma et Nessa apparurent ensuite. Nessa portait un grand sac contenant de l'écran solaire, un livre, son maillot de bains et une serviette, son baladeur et, à n'en pas douter, une bonne réserve de CD.

Quand Nessa vit la petite Heidi Gunther en train de bâiller, elle prit la fillette et l'installa confortablement à l'arrière de la camionnette, avec son baladeur sur les oreilles. Le cœur gonflé de fierté, Annie se rendit compte que sa fille devenait une jeune adulte responsable, et généreuse.

Spence se posta derrière Annie, et posa une main sur l'épaule de celle-ci, comme s'ils formaient un couple.

— Elle est formidable, n'est-ce pas ?

— En effet, répondit Annie, en se dégageant.

Faisant comme s'il n'avait pas remarqué le mouvement de rejet d'Annie, Spence croisa ses deux mains derrière son dos.

— Peu importe ce que tu penses de notre mariage, mais tu dois reconnaître que notre fille est tout de même une sacrée réussite.

— En effet, notre plus belle réussite, admit Annie. Mais tout le mérite ne nous revient pas. Elle a aussi sa propre personnalité.

— Oui, bien sûr. Néanmoins, nous sommes capables de belles choses ensemble.

— Tu as raison, admit Annie. Mais je préférerais ne pas parler de nos histoires de famille, aujourd'hui. Inutile de gâcher une si belle journée.

Spence parut soudain contrarié, mais il ne releva pas, et il préféra se tourner vers l'activité de la clairière.

— Quel véhicule prenons-nous ? demanda-t-il enfin.

— Je ne sais pas dans lequel tu montes, répondit Annie. Mais en tout cas, monte dans l'autre. Il ne s'agit pas d'une sortie familiale.

Il fronça les sourcils et ses yeux exprimaient de la colère.

— Allez, Annie, tu ne peux pas faire une pause ? C'est la fête annuelle de Whistle River, et nous sommes tous les trois réunis. Comporte-toi pour une fois en adulte. Pense à Nessa.

— Je me comporte en adulte, assura-t-elle. Un jour, toi et moi serons capables de nous asseoir autour de la même table, avec Nessa. Mais pas encore. Pas tant qu'il restera de l'hostilité entre nous et que tu essaieras de me manipuler pour que je me plie à ta volonté. D'ici là, nous lui ferions plus de mal qu'autre chose.

Puis Annie fit volte-face et partit avant qu'il ait le temps de faire ou dire quelque chose.

Dans la cuisine, elle trouva Irma qui observait les allées et venues tout en buvant un café. Annie fit de son mieux pour oublier l'agacement provoqué par Spence.

— Avez-vous vu Dean, ce matin ?

— Il y a environ une heure, répondit Irma. Juste avant qu'il parte.

— Il est parti ? Déjà ? demanda Annie, dont le cœur se serra. Pourquoi si tôt ?

— Vous ne saviez pas ? s'étonna Irma.

— Il ne m'a rien dit.

— Non, évidemment, répondit Irma, en posant sa tasse. Il ne m'a rien dit non plus, mais ça doit être parce que votre mari est là. Je pense qu'il veut rester discret.

— Pourquoi pensez-vous cela ? demanda Annie, en rougissant.

— Ne vous inquiétez pas. Il ne m'a rien dit. Mais Nessa m'a raconté qu'elle vous avait surpris en train de vous embrasser, et il ne faut pas être bien malin pour voir qu'il aimerait bien que vous restiez… et pas seulement pour vos talents de chef. Je ne l'ai jamais vu aussi heureux. Vous, Nessa et Tyler l'aidez à trouver le meilleur de lui-même.

— Il y arrive tout seul, répondit Annie. Et c'est ce que je devrais faire, moi aussi. Quand je suis arrivée ici, la chose la plus importante à mes yeux, en dehors de Nessa, était de me prouver que Spence n'était pas responsable de mon succès professionnel. Maintenant, Dean me demande de rester. Mais comment saurais-je de quoi je suis capable seule, si je retombe immédiatement dans le même type de relation avec lui ?

Irma hocha lentement la tête.

— Je ne connais pas la réponse, Annie.

— Moi non plus. Et c'est d'autant plus difficile que je ne sais absolument pas quelle solution serait la meilleure…

— C'est plus facile de choisir entre une bonne solution et une mauvaise qu'entre deux bonnes.

— Vous ne m'aidez pas beaucoup…

Irma rit doucement.

— Ne comptez pas sur moi pour vous conseiller quoi faire, ma belle. Vous voulez prouver que vous êtes capable de réussir par vous-même ? Eh bien commencez immédiatement. Les réponses que vous cherchez sont en vous. Ecoutez attentivement votre cœur, et vous trouverez une bien meilleure réponse que toutes celles que je pourrais vous fournir. Promis.

## 17

— Un seul feu rouge dans tout le centre-ville. Vous vous rendez compte ?

Tout en riant, Spence entraîna Annie et Nessa parmi la foule qui se pressait autour des tables de pique-nique, dressées dans le parc de Whistle River.

Les adultes riaient et conversaient joyeusement tout en débarrassant la vaisselle du petit-déjeuner, les enfants couraient en criant d'excitation, et quelques adolescents s'étaient regroupés à l'ombre d'un arbre, à proximité du terrain de base-ball. Un décor qui aurait pu être idéal si Spence n'avait pas été là, pensa Annie.

— Et un seul cinéma, reprit Spence, avec un coup de coude à Nessa. Il doit avoir au moins cent ans. Je suis prêt à parier qu'ils utilisent toujours le même projecteur depuis l'ouverture.

— Je n'en sais rien, papa.

Annie avait réussi à éviter Spence au moment du petit-déjeuner, mais elle avait fini par les rejoindre sur l'insistance de Nessa. Depuis qu'ils avaient laissé les autres, Spence n'avait cessé de se moquer de la petite ville qu'Annie aimait de plus en plus, et elle commençait à regretter d'avoir cédé.

— Si tu persistes à vouloir insulter ces gens et leur ville, sifflat-elle entre ses dents, pourrais-tu au moins avoir la décence de le faire à voix basse ?

263

— Enfin, Annie, je ne les insulte pas. Je me contente d'observer. Et il n'y a bien qu'un seul feu, n'est-ce pas ?

Annie s'arrêta.

— Ce n'est pas ce que tu dis, Spence, mais la manière dont tu le dis.

Spence avait en effet toujours été doué pour émettre les critiques les plus acides tout en gardant un air complètement innocent. Il leva les yeux au ciel en regardant Nessa, sûre de trouver une alliée en la personne de sa fille.

Pourtant, à la plus grande surprise de Spence, et même d'Annie, Nessa posa ses poings sur ses hanches et regarda son père droit dans les yeux.

— Elle a raison, papa. Tu as le droit d'aimer vivre dans une grande ville, mais il y a aussi des gens qui aiment vivre dans des villes n'ayant qu'un seul feu rouge.

Avec un petit rire embarrassé, Spence concéda :

— C'est bon, c'est bon. Je ne voulais rien sous-entendre.

Il tourna son regard vers un ensemble de stands, de l'autre côté du parc.

— Vous allez certainement me trouver encore grossier, mais n'y a-t-il rien d'autre de prévu ?

— Je l'ignore, reconnut Annie. Nous pouvons demander. Si tu vois une personne portant un badge « Organisation », pose-lui la question. Pendant que nous attendons la suite, j'aimerais bien voir ce qu'ils vendent, dans les stands. Et toi, Nessa ?

La jeune fille hocha la tête avec enthousiasme.

— Gary a dit que l'un des plus grands magasins de vêtements de cow-boys du Wyoming serait là, et j'aimerais voir s'ils ont des vêtements pour monter à cheval. Je ne suis pas vraiment équipée pour.

— Bien entendu, répondit Annie, en partant vers les stands.

— Tout ça va coûter cher, cria Spence à l'attention de Nessa. Sans compter que tu repars d'ici dans quelques semaines. Pourquoi dépenser autant d'argent ?

Nessa se tourna vers sa mère, et pour la première fois depuis longtemps, Annie lut un appel au secours dans les yeux de sa fille. De toute évidence, malgré le temps qu'ils avait passé ensemble, Nessa n'avait pas avoué à son père son désir de rester.

Annie aurait payé cher pour voir la réaction de Spence, mais elle se dit que le moment était mal choisi pour une telle révélation. Alors, passant un bras autour des épaules de Nessa, elle répondit :

— Nessa monte chaque jour. Elle mérite des vêtements appropriés, même si c'est seulement pour s'amuser.

Spence haussa les épaules et répondit :

— Vous savez, je n'ai pas les poches pleines d'argent.

Annie le regarda avec curiosité. Certes, ils n'avaient jamais été riches, mais Spence n'était pas non plus démuni.

— Je ne t'ai pas demandé de payer, répondit Annie d'une voix posée. Si Nessa trouve des vêtements qui lui plaisent, je les lui achèterai. Dans les limites du raisonnable, bien entendu, ajouta-t-elle avec un sourire à Nessa.

— Je suis ravi que tu aies de l'argent à jeter par les fenêtres, rétorqua Spence. Travailler au milieu de nulle part semble être plus lucratif que je ne pensais.

Annie prit sur elle pour garder son calme face à un tel mépris.

— *Lucratif* est un terme sans doute exagéré, mais nous nous débrouillons.

— Et c'est ce que tu désires ? Te *débrouiller* ?

Annie observa attentivement le regard de Spence, et elle y lut une certaine peur. Elle se tourna ensuite vers sa fille et elle comprit que celle-ci voulait qu'elle aborde le sujet qu'elle cherchait à éviter — ce qui étonna beaucoup Annie. Si Nessa était en effet prête à laisser repartir Spence sans elle, elle devait être sérieuse concernant son envie de rester. Alors, Annie prit enfin la décision qu'elle repoussait depuis des semaines et annonça :

— En fait, ce que je gagne ici me convient. Tant que nous avons un toit pour nous protéger et de quoi manger chaque jour, nous n'avons besoin de rien d'autre. Et pour tout te dire, Nessa et moi envisageons même de rester.

Spence partit dans un grand éclat de rire.

— Ici ? Tu te moques de moi, n'est-ce pas ?

— Je suis heureuse ici, papa. Je ne veux pas rentrer.

— Ne sois pas ridicule. Tu n'es pas une… une *cow-girl*, tout de même ! Tu es ma fille, et tu reprendras Holladay House un jour.

— Je ne pense pas que cela arrive, intervint Annie. Nessa n'aime pas cuisiner. Elle est heureuse ici, et moi aussi. Je n'ai plus besoin d'être une vedette.

— Non ? dit Spence, en passant ses mains dans ses cheveux. Tu ne veux plus être une vedette. Tu te moques de ta carrière. En fait, tu te moques des conséquences de tes choix pour moi, n'est-ce pas ?

Annie indiqua d'un geste à Nessa de les laisser seuls, et la jeune fille s'éloigna sans se faire prier. Une fois qu'elle fut partie, Annie croisa les bras et se planta devant l'homme qu'elle avait autrefois aimé.

— Quel est le problème, Spence ?

Il rit une nouvelle fois, et passa une main sur son visage.

— Qu'est-ce qui te fait croire qu'il y a un problème ?

— Je te connais. J'ai partagé seize ans de ta vie, et je te connais presque aussi bien que je me connais moi-même. Il y a un problème, et je veux savoir lequel.

Tout en regardant Nessa s'éloigner, Spence avoua alors :

— C'est Holladay House, Annie. Je vais le perdre.

— Le perdre ? Comment cela ? C'est une institution, à Chicago.

266

— Plus maintenant, répondit-il en se tournant vers elle. Plus depuis ton départ. Le chef que j'ai engagé pour te remplacer ne t'arrive pas à la cheville. Or, tu sais qu'avec l'argent dépensé pour les travaux de rénovation, il y a deux ans, je n'ai pas les moyens d'engager quelqu'un d'autre.

Annie sentit son cœur se serrer. Quand Spence avait décidé de rénover le restaurant, elle lui avait conseillé la prudence, mais il n'avait pas voulu tenir compte de son opinion et n'en avait fait qu'à sa tête.

Elle observa les traits tendus de son visage, et se rendit compte qu'il ne l'avait jamais sérieusement consultée concernant le restaurant, leur mariage, ni même sa propre carrière. L'une après l'autre, il avait écarté ses idées et affirmé sa supériorité sur elle — tout en prétendant qu'ils étaient partenaires.

— Tu vas perdre le restaurant, et c'est pour cela que tu me demandes de revenir.

— Je veux que tu reviennes parce que nous faisons du bon travail ensemble. Ensemble, nous sommes formidables.

— Tu as besoin de moi pour sauver le restaurant.

— Nous sauverons le restaurant, dit-il alors avec sincérité, prenant les mains d'Annie dans les siennes. Toi et moi, Annie. *Ensemble.*

Annie sentit une immense tristesse l'envahir comme elle comprenait qu'ils avaient vécu pendant des années en se racontant le même mensonge, et qu'elle avait entretenu cette situation en offrant si peu de résistance. Doucement, elle retira ses mains.

— Non, Spence. Je suis désolée pour le restaurant, et j'espère que tu trouveras le moyen de le sauver. Mais ne compte pas sur moi pour t'aider.

L'humeur de Spence changea en un clin d'œil.

— Nom d'un chien, Annie ! Combien de temps vas-tu me punir pour être tombé amoureux d'une autre femme ? Cela suffit, maintenant. Un restaurant qui appartient à ma famille depuis plus de cinquante ans est sur le point de fermer.

— Dans ce cas, je te suggère de le sauver. Holladay House est un endroit formidable. J'adorais les clients. J'adorais le personnel. Cela vaut la peine d'essayer de le sauver, mais cela ne vaut pas ma vie — ni la tienne.

— Mais *c'est* ma vie !

— Voilà sans doute une partie du problème. Si Nessa et moi avions compté plus qu'Holladay House, les choses auraient été différentes. Mais cela ne donnerait rien de bon de travailler dans de telles circonstances.

— Rien ne nous dit que nous ne réussirions pas. Et Nessa veut que nous restions ensemble. Si nous ne sommes pas mariés, nous pourrions au moins travailler ensemble, non ?

— Spence, s'il te plaît, écoute-nous. Depuis combien de temps n'avons-nous pas ri ensemble, ou parlé d'autre chose que du restaurant ? Depuis combien de temps ne faisons-nous que nous disputer ?

D'un geste de la main, elle montra Nessa et reprit :

— Regarde-la. Elle est presque une jeune femme, et elle s'apprête à entrer dans la période la plus difficile de sa vie. Elle a besoin du meilleur de nous-mêmes en tant que parents. Elle a besoin que nous soyons attentifs à elle, et pas que nous passions notre temps à nous chamailler.

Spence l'écouta avec un air grave et réfléchi, et Annie pensa qu'il allait peut-être entendre enfin raison. Quand elle eut terminé, il dit :

— Nous sommes adultes. Nous pouvons oublier nos différends pour sauver le restaurant.

— Je ne reviendrai pas à Chicago.

— Tu ne peux pas être sérieuse en affirmant vouloir rester ici.

Annie hocha alors lentement la tête, et éprouva un bonheur qu'elle n'avait pas éprouvé depuis des années.

— Si, je suis très sérieuse.

— Tu te lasseras. Vous vous lasserez, toutes les deux.

— Je ne crois pas, répondit Annie, qui sentit sa joie grandir en regardant sa fille. Je pense sincèrement que Nessa s'est trouvée ici, et moi aussi.

— Et moi ?

— A toi de décider. Tu es le père de Nessa. Tu feras toujours partie de sa vie, et j'espère que tu joueras activement ton rôle. Pour son bien, j'espère que toi et moi apprendrons à devenir amis. Et j'espère que tu sauveras Holladay House. Ce serait vraiment dommage que le restaurant ferme. Mais si jamais tu n'y arrivais pas, je sais que tu t'en sortiras quand même.

— Tu refuses catégoriquement de m'aider, c'est cela ?

— Je ne le peux pas, Spence. Pourquoi refuses-tu de comprendre ? Toi et moi devons cesser de nous accuser mutuellement de nous rendre malheureux et de nous servir de l'autre pour réussir. Nous nous le devons, et nous le devons à Nessa. Et nous lui devons aussi une chance de devenir qui elle est vraiment, et non pas ce que nous voulons qu'elle soit.

Les épaules de Spence s'affaissèrent. Passant une main dans sa nuque, il dit :

— Bon. Soit. Je pense que je ferais mieux de repartir.

— Maintenant ?

— Demain matin. Si tu ne veux plus de moi, je n'ai plus aucune raison de rester.

— Il y a Nessa, et elle adorerait que tu restes. Cela m'est égal que tu restes du moment que tu acceptes ma réponse et que nous n'ayons plus jamais cette conversation.

— Si tu ne reviens pas, je ne vois pas l'intérêt de rester.

Après avoir déposé un rapide baiser sur la joue d'Annie, il ajouta :

— Je vais prévenir Nessa que je pars demain matin.

— D'accord, murmura Annie, attristée qu'il n'ait toujours pas compris ce qu'elle essayait de lui dire.

Il avait la réponse à sa question, et il repartait vers son cher restaurant. Rester un jour de plus pour faire plaisir à sa fille ne lui avait même pas effleuré l'esprit…

Pour l'équipe, Dean s'intima d'arrêter de penser à Annie pendant le match, Tyler et lui ayant en effet été choisis comme arbitres. Les parents se pressaient sur les gradins, et encourageaient leurs enfants. Dean observait avec intérêt les réactions des jeunes joueurs.

Nicole, la plus réticente, sautait sur place, aussi excitée qu'une puce. Zoe semblait tout aussi nerveuse. Zachary donnait l'impression de ne pas faire attention à ce qui se passait autour de lui, et Chris semblait sur le point de s'évanouir.

Dean fit signe aux enfants de se rassembler, et il s'accroupit pour se mettre à leur hauteur.

— Alors, comment vous sentez-vous ? Prêts ?

Chris hocha la tête, Rusty fit une bulle avec son chewing-gum pour marquer son détachement, Zachary gratta une de ses chevilles et Bobby se moucha.

— Ça va, répondit enfin Zoé, se faisant le porte-parole des autres.

— Ecoutez-moi bien, reprit Dean, en souriant. Vous vous êtes entraînés dur tout l'été, et vous êtes suffisamment bons pour gagner ce match. N'oubliez pas que sur le terrain, vous faites un travail d'équipe, d'accord ? Et rappelez-vous surtout que nous sommes ici avant tout pour nous amuser.

Chris hocha la tête avec un air très solennel.

— Faites de votre mieux. Personne ne peut vous demander plus. Et maintenant, ajouta Dean en se relevant, je laisse la parole à votre véritable entraîneur. D'accord ?

Surpris, Tyler cligna des yeux, puis il afficha un large sourire et prit la place de Dean.

— Alors, écoutez-moi bien…

Pour la première fois de sa vie, Dean comprit l'expression « gonflé d'orgueil », et il se demanda s'il aurait été plus fier si Tyler avait été son fils…

Dean était presque arrivé à son pick-up, pour y déposer son sac de sport, quand il aperçut une personne assise au bord de la rivière, sous les arbres. Il serait sans doute passé sans s'arrêter s'il n'avait pas remarqué que cette personne pleurait. Et quand il se rapprocha, il vit qu'il s'agissait de Nessa.

Dean s'arrêta, et l'observa attentivement. Elle paraissait si jeune et vulnérable, et il ressentit de la peine pour elle. Le fait qu'elle se soit mise à l'écart des autres signifiait sans doute qu'elle souhaitait rester seule, mais Dean ne pouvait la laisser ainsi.

Il posa alors son sac par terre et se dirigea vers les arbres.

— Alors, jeune fille, que fais-tu ici ?

Elle releva la tête en entendant la voix de Dean, et les larmes qui roulaient sur ses joues confirmèrent à ce dernier qu'il avait bien fait de s'arrêter. D'une main, elle essuya ses yeux et elle redressa ses épaules.

— Je suis assise.

Dean hocha la tête, comme si c'était la réponse qu'il attendait.

— Ça fait du bien de s'asseoir de temps en temps, dit-il en se rapprochant encore un peu. Parfois, ça fait un peu moins de bien. Si tu as envie de parler à quelqu'un, je suis là.

— Je ne crois pas avoir envie de vous parler, répondit Nessa en baissant le regard.

— Comme tu veux.

Dean savait qu'elle voulait le voir partir, mais il ne pouvait s'y résoudre quand il la voyait aussi triste.

— Je peux quand même m'asseoir ?

— Si vous voulez.

— Je suis sûr que tu meurs d'envie de connaître le résultat du match. Nous avons gagné.

— C'est vrai ? Félicitations.

— Tout le mérite revient à Tyler. Il a fait presque tout le travail. Moi, je me contentais d'assister aux entraînements.

Le nom de Tyler sembla capter l'attention de Nessa.

— Vous lui avez vraiment demandé de rester ?

— Oui, et je pense qu'il va accepter ma proposition.

Essuyant une nouvelle larme, Nessa répondit alors :

— Il a de la chance.

Surpris, Dean demanda :

— Tu as envie de rester ?

— Plus que tout. J'adore travailler avec les chevaux, et j'aime habiter à Eagle's Nest.

Avec un petit sourire, elle ajouta :

— Même vous, je vous aime bien.

— Et c'est ça qui te rend malheureuse ?

Nessa haussa les épaules et réprima un petit sourire.

— Pas vraiment. Surtout maintenant.

— Pourquoi maintenant ?

— Parce que mon père s'en va. Je parie que ça vous fait plaisir de l'apprendre.

— Oui et non, répondit honnêtement Dean. Je n'aime pas voir ta mère malheureuse, et pour des raisons personnelles et égoïstes, je serais content de le voir partir. Mais ton père semble être quelqu'un de bien, et je n'aime pas te voir triste. Quand a-t-il décidé de partir ?

— Il y a quelques minutes, je crois. Il rentre parce que maman refuse de revenir à Chicago avec lui. Alors j'en déduis qu'il est seulement venu pour elle.

272

Heureusement que Spence n'était pas à proximité, parce que Dean lui aurait expliqué sa façon de penser pour rendre Nessa aussi malheureuse.

— Ne tire pas de conclusions trop hâtives. Il est peut-être obligé de rentrer. Ou peut-être que…

Nessa leva les yeux au ciel et dit :

— Peut-être qu'il ne peut pas supporter de rester plus longtemps éloigné de son restaurant chéri.

— Je suis sûr qu'il y consacre beaucoup de temps et d'énergie. Jusqu'à cet été, je n'avais aucune idée du travail nécessaire pour diriger sa propre affaire.

— Oui, mais au moins vous prenez parfois le temps de faire autre chose. Mon père n'aurait jamais fait ça, dit-elle en montrant la foule qui se pressait dans le parc.

— Participer à un événement local ?

— Il ne fermerait pas le restaurant pour laisser les autres y aller. Et il n'y serait certainement pas allé non plus. Toute sa vie tourne autour du restaurant.

— J'étais comme lui, moi aussi, reconnut Dean. Il n'y avait rien de plus important au monde que le base-ball. Pas même ma famille, ni la femme qui était amoureuse de moi, ni mes amis.

— Vous voulez dire qu'il reste de l'espoir pour mon père ?

Avec un sourire, Dean répondit :

— Il y a toujours de l'espoir. Malheureusement, il a fallu que j'aie un accident et que je sois obligé de tirer un trait sur ma carrière pour ouvrir les yeux. Espérons que ton père ne sera pas aussi borné que moi.

— Il y a peu de chance. Vous avez vu tout le mal qu'il se donne pour faire revenir maman ?

Dean pensait préférable de ne pas répondre, et Nessa ne semblait pas non plus attendre une réponse de sa part.

— Vous savez pourquoi il veut tellement qu'elle revienne ?

— Je pourrais te donner au moins une centaine de raisons pour lesquelles je le voudrais si j'étais à sa place, répondit Dean. Tu veux les connaître ?

Nessa se tourna alors vers Dean et le regarda droit dans les yeux.

— Vous aimez bien ma mère, n'est-ce pas ?

— Oui, en effet. Et même un peu plus, en fait.

— Vous êtes sérieux ?

Dean pensa à changer de sujet, mais le moment était vraiment particulier et Nessa méritait de connaître la vérité.

— Oui, je suis très sérieux. Mais ne t'inquiète pas. Si tes parents décident de revenir ensemble, je ne les en empêcherai pas.

— Ils ne reviendront pas ensemble, répondit Nessa. Je l'ai toujours su, je pense, mais j'espérais… Vous comprenez ?

— Je crois, oui.

— Alors, vous voulez savoir pourquoi il est venu la chercher ?

— Pourquoi ?

— Pour qu'elle sauve son restaurant, dit Nessa en se levant. Je vous ai bien dit qu'il n'y avait que le restaurant qui comptait pour lui. Et vous savez quoi ?

Dean eut le plus grand mal à ne pas afficher un large sourire. Il fallait qu'il trouve Annie et lui demande si c'était vrai. Il devait l'entendre de sa propre bouche.

— Quoi ?

— Il va se marier avec Catherine.

— Qu'en penses-tu ?

— Je crois que je m'en fiche, répondit Nessa en haussant les épaules. Au fond de moi, je devais me douter que ça finirait comme ça.

— Ta mère le sait ?

— Je ne crois pas, mais j'espère qu'il va lui dire. Je ne pense pas que ce soit à moi de le faire.

274

— Tu as raison, dit Dean, dont le cœur battait à tout rompre. Alors, tu es d'accord si je demande à ta mère de rester ? Et peut-être même de… m'épouser ?

— Vous avez intérêt. Elle sourit beaucoup plus depuis qu'elle vous connaît, et je commence même à penser que c'est plutôt sympa.

Dean afficha un large sourire jusqu'aux oreilles.

— Une dernière chose. Si ta mère et moi nous nous marions, est-ce que ça ne va pas poser un problème pour Tyler et toi ?

— Que voulez-vous dire ?

— Eh bien, vous vous entendez bien tous les deux. Tout le monde l'a remarqué. Si Tyler et toi habitez ici et que ta mère accepte de m'épouser, vous deviendrez alors plus ou moins parents. Je me demandais juste si cela n'allait pas vous mettre mal à l'aise.

Nessa éclata alors de rire et hocha la tête.

— Vous n'avez pas fait très attention, dernièrement, n'est-ce pas ? Tyler et moi avons été très proches pendant un moment, mais maintenant nous sommes avant tout des amis. Ce serait rigolo d'être cousins, ou quelque chose comme ça.

— Tu crois que Tyler pense la même chose ?

— Sans aucun doute. La dernière fois que je l'ai vu, il essayait d'avoir le numéro de téléphone d'une fille.

Pour la première fois depuis longtemps, Dean se sentit envahi par une immense joie. Aussi incroyable que cela puisse paraître, sa vie semblait enfin rentrer dans l'ordre.

Dean était assis à la table de la salle à manger, le regard fixé sur l'escalier. Tous les clients avaient regagné leurs bungalows, et l'hôtel était calme. Il écouta les bruits qui envahissaient le bâtiment, la nuit : le craquement du bois, le ronronnement du réfrigérateur, le frôlement des feuilles contre les fenêtres, le chant des criquets, dehors.

A l'étage, il entendit une porte s'ouvrir et se refermer, puis le bruit étouffé de pas qui se dirigeaient vers les escaliers. Il s'obligea à ne pas bouger tant qu'Annie ne serait pas en bas de l'escalier. Ensuite, il gratta une allumette et alluma l'une des bougies qu'il avait disposées un peu plus tôt.

Elle portait un pyjama-short sous son peignoir, et quelques mèches s'échappaient de sa queue-de-cheval et caressaient ses épaules. Dean eut le souffle coupé tellement il la trouva belle.

Surprise, Annie chancela, et son regard se dirigea vers la table. Elle sourit lentement quand elle le vit, lui aussi en pyjama et en pantoufles.

— J'ai trouvé ton message. Que se passe-t-il ?

Dean souffla sur l'allumette pour l'éteindre, en gratta une autre et finit d'allumer toutes les bougies pour éclairer la bouteille de champagne et les flûtes.

— Rendez-vous d'affaires. J'ai besoin d'un chef pour la saison prochaine. Et celle d'après. Et encore celle d'après. Alors, j'ai décidé de commencer à chercher dès maintenant.

Annie lui adressa un petit sourire, et il sentit son cœur s'emballer.

— C'est vrai ?

Dean acquiesça de la tête, et déboucha la bouteille. Il remplit ensuite les deux flûtes et en tendit une à Annie. Elle la prit et frôla la main de Dean, comme une réponse muette aux questions qu'il n'avait pas encore posées. Il s'obligea à détourner son regard de celui d'Annie et à suivre le scénario qu'il avait répété dans sa tête.

— J'ai proposé à Gary de devenir mon associé, l'année prochaine, compte tenu de tout le travail qu'il fait ici. Il t'a chaudement recommandée, et les clients semblent adorer ta cuisine. Es-tu disposée à écouter mon offre ?

Elle s'assit dans la chaise qu'il lui avança et croisa ses jambes. Dans le mouvement, un pan de son peignoir s'écarta et révéla la peau soyeuse de ses cuisses.

— Quelle offre ?

S'efforçant de garder son sérieux, Dean se rassit.

— Je dois d'abord te prévenir que mes termes ne sont pas négociables.

— Je t'écoute, dit-elle en posant sa flûte.

— Tu admettras certainement qu'ils sont aussi plutôt généreux, reprit Dean, qui s'agenouilla devant elle. En résumé, je suis prêt à te proposer tout ce que tu veux, si tu acceptes de m'épouser. Je t'aime, Annie, et je veux passer le reste de ma vie avec toi.

Les yeux brillants de larmes, elle caressa doucement la joue de Dean.

— Et moi aussi je t'aime. Plus que tu ne peux l'imaginer.

S'il n'avait pas été aussi ému, Dean aurait hurlé de joie.

— Alors, dis-moi ce que tu veux. Je suis prêt à t'accorder tout ce que tu demanderas.

— J'ai besoin d'être avec toi. Par ailleurs, j'ai décliné la proposition de Spence, et j'ai appelé l'école hôtelière pour leur annoncer que je ne viendrais pas. Je n'ai aucune envie d'enseigner, et je ne vois pas l'intérêt de m'investir dans une activité qui ne me plaît pas. Je ne peux pas non plus ignorer ce que Nessa veut, ni ce que mon cœur réclame : un endroit pour vivre et travailler, et une personne avec qui partager cette vie.

Dean prit les deux mains d'Annie dans les siennes, en porta une à sa main, et embrassa tendrement sa paume. Il tendit ensuite le bras sous la table, pour attraper le porte-documents qu'il y avait caché.

— Tu es dure en négociations. Alors, voilà ma dernière offre. Là-dedans, il y a le nouveau restaurant d'Eagle's Nest — ou du moins tous les documents légaux nécessaires à sa création et pour en faire de toi sa propriétaire. Appelle-le comme tu voudras. Fais-en ce que tu voudras, et décide de la carte. Il est à toi, et je sous-traiterai tes services pour l'hôtel-ranch. Ainsi, tu seras indépendante.

Une larme roula sur la joue d'Annie. Elle caressa délicatement le porte-documents, et son regard se remplit de tant d'amour et de gratitude que Dean crut que son cœur allait éclater.

— Tu es sérieux ?

— Je n'ai jamais été aussi sérieux.

— Tu me céderais une partie de ton affaire ?

Avec un petit sourire malicieux, il répondit :

— En réalité, tu me devras certaines choses en contre partie. Accomplir ton devoir conjugal, par exemple. Je ne pense pas que je pourrai survivre plus longtemps si nous continuons à dormir dans des chambres séparées.

— Bien… Les négociations commencent à devenir intéressantes, dit Annie en se levant.

Dean se leva à son tour, et ils s'enlacèrent.

— Quoi d'autre ? demanda-t-elle.

— Présence permanente. Tu dois savoir que je ne me contenterai pas d'un arrangement temporaire. Nous nous engageons pour le reste de notre vie. Pour le meilleur, le pire et le reste. C'est toi et moi, et personne d'autre.

Avec un léger sourire, elle inclina la tête et plongea son regard dans celui de Dean.

— Je m'en arrangerai. Mais Nessa…

Dean l'interrompit avec un baiser.

— Elle n'a rien contre le fait que nous nous mariions, et elle est prête à te le dire dès demain matin. Je sais que tout cela est soudain, Annie, et si tu ne m'aimes pas, je suis prêt à l'entendre. Cela ne me fera pas plaisir, mais je m'y habituerai. Mais si tu m'aimes, dis-moi oui. La vie est courte, et on ne sait pas ce que demain nous réserve. Nous pourrions attendre un meilleur moment, mais rien ne nous garantit qu'une telle chance se représentera à nous. Toi et moi savons que la vie peut basculer en une fraction de seconde. Je ne veux pas gâcher la chance qui m'est offerte aujourd'hui.

— Moi non plus, murmura-t-elle. Je n'ai pas peur.

Elle déposa un tendre baiser sur son menton, qui envoya des frissons dans tout le corps de Dean.

— Tu es sûre que nous pourrons y arriver ?

— Tant que nous serons ensemble ? Sans aucun doute.

— Alors, tu restes ?

Elle lui sourit, et lui donna un profond baiser pendant que ses mains se promenaient sur ses épaules avant de descendre dans son dos.

— Pour toujours.

Chère lectrice,

Vous nous êtes fidèle depuis longtemps?
Vous venez de faire notre connaissance?

C'est pour votre plaisir que nous avons
imaginé un rendez-vous chaque mois
avec vos auteurs préférés, vos
AUTEURS VEDETTE dans les
collections Azur et Horizon.

Les AUTEURS VEDETTE vous
donneront rendez-vous pour de
nouveaux livres vedette.

Pour les reconnaître, cherchez
l'étoile... Elle vous guidera!

Éditions Harlequin

◆ HARLEQUIN ◆

## *LE FORUM DES LECTEURS ET LECTRICES*

CHERS(ES) LECTEURS ET LECTRICES,

VOUS NOUS ETES FIDÈLES DEPUIS LONGTEMPS?

VOUS VENEZ DE FAIRE NOTRE CONNAISSANCE?

SI VOUS AVEZ DES COMMENTAIRES, DES CRITIQUES À
FORMULER, DES SUGGESTIONS À OFFRIR, N'HÉSITEZ
PAS… ÉCRIVEZ-NOUS À:

> LES ENTERPRISES HARLEQUIN LTÉE.
> 498 RUE ODILE
> FABREVILLE, LAVAL, QUÉBEC.
> H7R 5X1

C'EST AVEC VOS PRÉCIEUX COMMENTAIRES QUE NOUS
ALLONS POUVOIR MIEUX VOUS SERVIR.

DE PLUS, SI VOUS DÉSIREZ RECEVOIR UNE OU
PLUSIEURS DE VOS SÉRIES HARLEQUIN PRÉFÉRÉE(S)
À VOTRE DOMICILE, NE TARDEZ PAS À CONTACTER LE
SERVICE D'ABONNEMENT; EN APPELANT AU
(514) 875-4444 (RÉGION DE MONTRÉAL) OU 1-800-667-4444
(EXTÉRIEUR DE MONTRÉAL) OU TÉLÉCOPIEUR
(514) 523-4444 OU COURRIER ELECTRONIQUE:
AQCOURRIER@ABONNEMENT.QC.CA OU EN ÉCRIVANT À:

> ABONNEMENT QUÉBEC
> 525 RUE LOUIS-PASTEUR
> BOUCHERVILLE, QUÉBEC
> J4B 8E7

MERCI, À L'AVANCE, DE VOTRE COOPÉRATION.

BONNE LECTURE.

HARLEQUIN.

*VOTRE PASSEPORT POUR LE MONDE DE L'AMOUR.*

## La COLLECTION AZUR

### Offre une lecture rapide et

- ☑ *stimulante*
- ☑ *poignante*
- ☑ *exotique*
- ☑ *contemporaine*
- ☑ *romantique*
- ☑ *passionnée*
- ☑ *sensationnelle!*

COLLECTION AZUR...des histoires
d'amour traditionnelles qui vous
mènent au bout monde!
Cinq nouveaux titres chaque mois.

GEN-RP-R

# <u>COLLECTION HORIZON</u>

**Des histoires d'amour romantiques qui vous mènent au bout du monde!**

**Découvrez la passion et les vives émotions qu'apportent à la Collection Horizon des auteurs de renommée internationale!**

**Captivantes, voire irrésistibles, ces histoires d'amour vous iront assurément droit au coeur.**

**Surveillez nos trois nouveaux titres chaque mois!**

69  L'ASTROLOGIE EN DIRECT
TOUT AU LONG
DE L'ANNÉE.

(France métropolitaine uniquement)
**Par téléphone 08.92.68.41.01**
0,34 € la minute (Serveur SCESI).

Composé et édité par les
*éditions* Harlequin
Achevé d'imprimer en juin 2005

**BUSSIÈRE**
GROUPE CPI

à Saint-Amand-Montrond (Cher)
Dépôt légal : juillet 2005
N° d'imprimeur : 51301 — N° d'éditeur : 11427

*Imprimé en France*